マンガでわかる！ 10才までに覚えたい 言葉1000

レベルアップ編

●難しい言葉 ●ことわざ
●慣用句 ●四字熟語
●故事成語 ●カタカナの言葉

今回《こんかい》は、わざと負《ま》けてやるか…。
イエーイ★

花まる学習会代表
高濱正伸 監修

はじめに

この本《ほん》は、『マンガでわかる！ 10才《さい》までに覚《おぼ》えたい言葉《ことば》１０００』という本《ほん》のシリーズ第二弾《だいにだん》で、レベルアップ編《へん》です。キミたちが大人《おとな》になって活躍《かつやく》できる土台《どだい》としての「言葉《ことば》の力《ちから》」をつけてほしいなと願《ねが》ってつくってあります。第一弾《だいいちだん》で書《か》いた「言葉《ことば》の力《ちから》」をここでもう一度《いちど》書《か》きます。

①正《ただ》しい言葉遣《ことばづか》いができる。
②たくさんある言葉《ことば》の中《なか》から、ぴったり合《あ》った言葉《ことば》を使《つか》える。
③聞《き》かれたことにきちんと答《こた》えることができる。
④大事《だいじ》なポイントをひと言《こと》でまとめられる。

こういう実力《じつりょく》をつけてもらうためには、まずたくさんの言葉《ことば》を知《し》っておく必要《ひつよう》があります。この本《ほん》は、そのための最適《さいてき》な一冊《いっさつ》です。遊《あそ》びの気持《きも》ちで取《と》り組《く》めて、笑《わら》って読《よ》み込《こ》んでいるうちに、いつの間《ま》にか覚《おぼ》えているでしょう。知《し》らなかった言葉《ことば》を覚《おぼ》えるのって、楽《たの》しいですよね。

さて、そうやって、この本《ほん》を通《とお》して知識《ちしき》が増《ふ》えたキミの力《ちから》を、さらに倍増《ばいぞう》させる方法《ほうほう》を教《おし》えましょう。

一《ひと》つ目《め》は、覚《おぼ》えた言葉《ことば》を使《つか》ってみるということ。例《たと》えば、68ページの１５３番《ばん》「一矢《いっし》を報《むく》いる」を覚《おぼ》えたとする。そうしたら、プロ野球《やきゅう》の日本《にほん》シリーズで2連敗中《れんぱいちゅう》だったチームが3戦目《せんめ》で勝《か》ったというときに「おお、ようやく一矢報《いっしむく》いたね」と口《くち》に出《だ》してみるということです。あえて使《つか》おうとしてみることが、大切《たいせつ》な一歩《いっぽ》です。ぜひ挑戦《ちょうせん》してみてください。

二《ふた》つ目《め》は、覚《おぼ》えた言葉《ことば》を誰《だれ》かに説明《せつめい》すること。例《たと》えば、今《いま》のプロ野球《やきゅう》の例《れい》で言《い》うと、キミがまさに「一矢《いっし》を報《むく》いる」を使《つか》ってみせたとき、友人《ゆうじん》の一人《ひとり》が、「え？　それ、どういう意味《いみ》？」と説《せつ》明《めい》してあげるのです。そのとき、「相手《あいて》の攻撃《こうげき》に、わずかながら反撃《はんげき》するっていう意味《いみ》だよ」と説明してあげる聞《き》いてきたとする。これは伸《の》びますよ。人《ひと》に説明《せつめい》することほど、力《ちから》がつく行動《こうどう》はないからです。ことあるごとに、「〇〇って、知《し》ってる？」と友達《ともだち》やおうちの方《かた》に問《と》いかけて、説明《せつめい》してあげるのもいいですね。

三《みっ》つ目《め》は、今後《こんご》知《し》らない言葉《ことば》があったら、ノートに貯《た》めていくということ。私《わたし》が教《おし》えている花《はな》まる学習会《がくしゅうかい》では「言葉《ことば》ノート」って呼《よ》んでいるんだけど、生活《せいかつ》をしていて、あるいは本《ほん》を読《よ》んでいて、またはニュースを聞《き》いていて、知《し》らない言葉《ことば》が出《で》てきたり、少《すこ》しでもあやふやだな、本当《ほんとう》はわかってないなという言葉《ことば》が現《あらわ》れたら、すぐに辞書《じしょ》やスマホで調《しら》べて、ノートに記《しる》してまとめてとっておくのです。

わからない単語《たんご》が一《ひと》つでも出《で》てきたら、「ん？」とちゃんと気《き》にして、わからないままで放置《ほうち》しないということは、とても大切《たいせつ》な学習《がくしゅう》姿勢《しせい》です。国語《こくご》の少《すこ》し長《なが》い文章《ぶんしょう》を読《よ》んだりすると、出《で》てくるよね。そのとき、「あとから調《しら》べよう」とか、「ま、いいや」ではなく、その場《ば》ですぐに調《しら》べる。調《しら》べて、ノートにまとめておく。縦罫線《たてけいせん》のノートに横線《よこせん》を引《ひ》いて、上《うえ》に知《し》らなかった言葉《ことば》、下《した》に意味《いみ》や読《よ》み方《かた》や使《つか》い方《かた》などを書《か》くとよいでしょう。私《わたし》も50才《さい》を超《こ》した今《いま》でも、実行《じっこう》しているスタイルです。

この本《ほん》がきっかけになって、キミが言葉《ことば》を知《し》る喜《よろこ》びをつかみ、知識《ちしき》が豊富《ほうふ》な大人《おとな》になってくれることを願《ねが》っています。

花《はな》まる学習会代表《がくしゅうかいだいひょう》
高濱《たかはま》　正伸《まさのぶ》

地頭のいい子に育つ高濱メソッド!

おうちのかたへ

言葉を知って世界が広がる楽しさを体験する

この本は、子どもたちが楽しみながら語彙力を伸ばせるように願ってつくった本で、『マンガでわかる! 10才までに覚えたい言葉1000』の第二弾にあたるレベルアップ編です。おかげさまで前著は多くのご家庭から支持を得て、「熱中して読み込んでいます」「学んだ新しい言葉を使ってみて、楽しんでいます」などなど、嬉しい反響をいくつもいただきました。そこで今回は、鍵となった「1コママンガに笑いながら、まるで遊びのような気持ちで読み進めていくうちに、いつの間にか言葉の力がつく」というコンセプトはそのまま踏襲し、言葉のレベルを概ね高く設定しました。前著同様、家族で、または友人たちとの会話の題材の一つとなりながら、子どもたちの国語力アップに貢献できることを祈っています。

読書は本当によいこと?

さて今回は、国語全体の中でも読書について詳しく書いてみたいと思います。

私は、「メシが食える大人・モテる大人に育てる」という理念を標榜《ひょうぼう》していることもあって、「では、具体的にはどういう人物がモデルになるのですか」と聞かれることがあります。その要望に応えるべく、某教育雑誌で、私が聞き手になって、今の30代・40代の中で人一倍光っている人物に、生い立ちやそのポジションまでたどり着いた道のりを聞いています。学歴が優れているのではなく、社会人として燦然《さんぜん》と輝いている人にです。

取材して改めてわかったことは、幼稚園中退の人もいれば、父親の会社の倒産で母親が働きづめで高校時代に不良になった人、友達も少なく図鑑ばかり見ていた人など、多種多様です。しかし、このように成人までの過程がそれぞれ異なる彼らに、共通するものが二つ浮かび上がりました。一つは幼い頃に両親や祖父母などから「愛された」という強い記憶をもっていること。これは想定内でした。それは、しかし、二つ目は驚きがありました。それは、全員が幼児期から思春期のどこかで、読書にのめり込んだ経験があることでした。

そこそこではなく、スーパーに輝いている人物の生育過程に、読書というキーワードが浮かび上がったことは、私にとっても膝を打つ出来事でした。彼らのご両親は「本だけはいくらでも買ってあげる」という方であったり、「うちは近所の本屋以上に本がたくさんありました」というくらい親自身が本好きな方であったりとさまざまですが、「本を読むって素晴らしいことだぞ」という薫陶《くんとう》を与える文化度の高さがあったことは共通していました。

成長はバランスよくあってほしい。読書だけというよりは、外遊びやスポーツ、数理パズルや友人と心通わす時間なども、たっぷりとってほしいのは間違いありません。ただ、あと伸びとか、社会人として輝くという目標を見定めたとき、いずれの時期にか一度は没頭して本にのめり込む時期があることが必要条件であるとは、言い切れるのではないかと思います。

本を読むと何がよいのか？

これは1冊の本になるくらいの問いですが、列挙しましょう。

①語彙力《ごいりょく》…知らない言葉を文脈上でイメージ豊かに学び、定着させられる。または、単語

として使い方がやや不確かだった言葉の生き生きとした使用法を経験し、身につけることができる。

②**文法・語法**…ルールとして習うというより、圧倒的な量の読書をすることで、「こういうときは、この言葉の使い方でないといけないんだな」と、学習以前の先行体験として感じることができる。

③**知識**…一般的な読書を通じて多くの知識を得ることだけでなく、図鑑などを熟読することで、特定分野についての学年レベルをはるかに超えた知識を身につけることができる。

④**論理思考の基本**…論説文や意見を表明する文章を読めば、人を説得するための言葉の使い方や、主張と事例のバランスよい提示の仕方などを学べる。

⑤**他者性**…物語文にどっぷり入り込み、主人公の気持ちになりきることによって、もう一つの人生を生きる疑似体験をできる。他人の気持ちを想像する経験になる。

⑥**異世界体験**…例えば、戦場での物語に没入することで、自分が生きているのとは違う時代・違う文化の中の空気を味わうことができる。そのことを鏡として、生きている今の時代のよさや問題点を感じることができる。

⑦**憧れ**…幼い頃に読んだ偉人伝に影響を受けたという人は多い。「格好いいなあ」「こんな大人になりたいな」と、努力する心構えができる。

⑧**イメージ力**…文字という抽象から「情景」や「登場人物の心象」や「作者が言いたいこと」を想像し続けることで、豊かなイメージ力が育まれる。「アイデア」「本質」「要点」など、目に見えない大切なものをイメージする能力がつく。

⑨**文学的教養**…古今の作家を知り、文体を知り、本当におもしろいものが何かについて、自分なりの価値観・基準をもつことができる。

などなど、とても言い切れないほど得るものがあります。

伸びる子にするために親としてできること

前述の意味で、読書は欠かせないでしょう。ただし、子どもそれぞれに、本にはまるタイミングは異なるので気をつけてください。成功事例として多いのは読み聞かせがうまくいくことですが、両親のうち片方が「本の虫」であったりすることも多大な影響を与えます。小学生時代に外遊び派（体を動かすことが優先の子）だった子が、思春期に恋や友達づき合いや人生について悩み始めると、一気に本好きになることも多いです。ちなみに私自身は典型的なこのタイプでした。

親としてできるのは、「漱石はやっぱり最高におもしろいよね」というような、読書文化を醸成することが役割でしょう。「本は大事」「本は素晴らしい」という基本の価値観づくりを支援するということです。思春期になったら、「お父さんは中2のとき、これを読んではまったなー」というような提示をするのもよいと思います。

そして、その読書好きという一生の財産となる習慣を支えるのが、基礎としての語彙力です。わからない言葉を親自身がすぐに調べるという習慣は、「調べなさい」という言葉より何倍も好影響を与えますし、その言葉をノートでもPCにでも貯めておくことまでできると素晴らしいですね。かつて家族みんなで各自「言葉ノート」を作っていたお宅のお子さんは、最高の学力をつけ、トップの大学に進みました。

ぜひ、この本をきっかけに、「難しい言葉を覚えたね」と前向きな気持ちにしてあげ、子どもが覚えた単語を話題にして使ってみせてください。遊ぶ気持ちで身につけた言葉で生活が豊かになる喜びを感じたお子さんは、読書に前向きになるでしょうし、すべての学力につながる強固な基盤を構築できるでしょう。

の使《つか》い方《かた》

ためになる!!

0407
メジャー
広《ひろ》く知《し》られていること。規模《きぼ》が大《おお》きなこと。有名《ゆうめい》なこと。⊖マイナー
南極《なんきょく》
何《なん》だよ、サッカー知《し》らないのかよ。みんな知《し》ってるぜ!
マジかよ!
サッカーは、世界《せかい》で最《もっと》も（①）なスポーツの一《ひと》つだ。
0408
捨《す》て身《み》
命《いのち》を捨《す》てるつもりで、全力《ぜんりょく》を出《だ》すこと。
ええい、こうなったら!
!!
ドカッ
（②）の攻撃《こうげき》で、ぼくたちは敵《てき》に立《た》ち向《む》かった。
0409
かわいい子《こ》には旅《たび》をさせよ
世《よ》の中《なか》のつらさや厳《きび》しさを経験《けいけん》させたほうが、その子《こ》の将来《しょうらい》のためになるという意味《いみ》。
ん〜
がんばれっ…!!
（③）、見守《みまも》るのも親《おや》の務《つと》めだ。
164
答え ①メジャー ②捨て身 ③かわいい子には旅をさせよ

●マンガ

言葉《ことば》の意味《いみ》や使《つか》い方《かた》を表《あらわ》したマンガで、楽《たの》しく言葉《ことば》を覚《おぼ》えられます。

●言葉《ことば》

日常《にちじょう》で使《つか》われている言葉《ことば》の中《なか》で、難《むずか》しいけれど覚《おぼ》えておくと役《やく》に立《た》つ言葉《ことば》を集《あつ》めました。取《と》り上《あ》げているのは、意味《いみ》や使《つか》い方《かた》が難《むずか》しい言葉《ことば》・ことわざ・慣用句《かんようく》・四字熟語《よじじゅくご》・故事成語《こじせいご》・外来《がいらい》語《ご》を含《ふく》むカタカナの言葉《ことば》などです。

※ 読《よ》み方《かた》がいくつかある場合《ばあい》は一般的《いっぱんてき》なものを、小学校《しょうがっこう》で習《なら》わない漢字《かんじ》の場合《ばあい》は下《した》に漢字《かんじ》を小《ちい》さくのせています。

●受験《じゅけん》でよく出《で》る！

中学受験《ちゅうがくじゅけん》で出題《しゅつだい》されることが多《おお》い言葉《ことば》にマークがついています。特《とく》に大事《だいじ》な言葉《ことば》なので、正《ただ》しく覚《おぼ》えましょう。

●例文《れいぶん》

「マンガ」と合《あ》わせて読《よ》むと、より効果的《こうかてき》にその言葉《ことば》の使《つか》い方《かた》を理解《りかい》できます（一部《いちぶ》マンガと対応《たいおう》していない場合《ばあい》もあります）。

●意味《いみ》

広《ひろ》く使《つか》われる意味《いみ》を中心《ちゅうしん》に取《と》り上《あ》げています。Ⅱ類義語《るいぎご》（似《に》た意味《いみ》を表《あらわ》す言葉《ことば》）、⊖対義語《たいぎご》（反対《はんたい》の意味《いみ》を表《あらわ》す言葉《ことば》）がある場合《ばあい》は、その言葉《ことば》もいっしょに覚《おぼ》えましょう。

楽《たの》しい!! 使《つか》える!!

マンガでわかる！ 10才《さい》までに覚《おぼ》えたい 言葉《ことば》1000 [レベルアップ編《へん》]

0407 ▶▶▶ 0409

言葉《ことば》のワザをみがいて使《つか》いこなそう！

アタック・ザ・言葉《ことば》クイズ 17

入試問題《にゅうしもんだい》に挑戦《ちょうせん》！

次《つぎ》のことわざの（　　）にあてはまる言葉《ことば》をあとから選《えら》び、記号《きごう》で答《こた》えなさい。

（京都共栄学園中学校・改題）

①海老《えび》で（　　）を釣《つ》る

ア 蟹《かに》　イ 蛸《たこ》　ウ 鯛《たい》　エ 烏賊《いか》

②（　　）に油揚《あぶらあ》げをさらわれる

ア からす　イ つばめ　ウ ひばり　エ とび

③かわいい子《こ》には（　　）をさせよ

ア 昼寝《ひるね》　イ 旅《たび》　ウ 家事《かじ》　エ 貯金《ちょきん》

④（　　）をすれば影《かげ》が差《さ》す

ア うわさ　イ 予言《よげん》　ウ 返事《へんじ》　エ 陰口《かげぐち》

⇒答《こた》えは 200 ページにあります。

165

●力《ちから》だめし！

この本《ほん》で取《と》り上《あ》げた言葉《ことば》を用《もち》いたクイズです。中学《ちゅうがく》の入試《にゅうし》に出《だ》された問題《もんだい》や、クロスワードや、線結《せんむす》びなどの問題《もんだい》で、身《み》についた言葉《ことば》の力《ちから》を試《ため》してみましょう。右《みぎ》ページで説明《せつめい》した言葉《ことば》が出《で》てくる場合《ばあい》もあります。

おうちのかたへ

本書では、原則として、小学校で学習する漢字を使用していますが、新聞や雑誌などでよく見かける、より自然な表現を身につけることをねらいとして、あえて漢字を使用していなかったり、それ以外の漢字も適宜使用したりしています。

こんなふうに使《つか》ってみよう

右側《みぎがわ》の「言葉《ことば》」と「意味《いみ》」を下《した》じきなどでかくして、（　　）に当《あ》てはまる言葉《ことば》を考《かんが》えてみましょう。形《かたち》が変《か》わる言葉《ことば》（動《どう》詞《し》や形容詞《けいようし》など）の場合《ばあい》は、形《かたち》の変《か》わらない部分《ぶぶん》（語幹《ごかん》）が入《はい》ります。※ 右下《みぎした》の答《こた》えで正解《せいかい》を確《たし》かめてください。

この本《ほん》で取《と》り上《あ》げている言葉《ことば》

難《むずか》しい言葉《ことば》

知《し》っていそうでよく知《し》らない、使《つか》えたらかっこいい言葉《ことば》を集《あつ》めました。少《すこ》し難《むずか》しい本《ほん》を読《よ》むのに挑戦《ちょうせん》したいときなどにも、覚《おぼ》えていたら便利《べんり》な言葉《ことば》です。例《たと》えば、「野放図《のほうず》」「はかばかしい」「ほだされる」など、大人《おとな》でも意外《いがい》と正《ただ》しい意味《いみ》を知《し》らなかったりするものもあります。

ことわざ

古《ふる》くから言《い》い伝《つた》えられてきた、人間《にんげん》の本質《ほんしつ》や物事《ものごと》の道理《どうり》を表《あらわ》す短《みじか》い言葉《ことば》です。ことわざによって、生《い》き方《かた》やものの見方《みかた》を学《まな》ぶことができます。「先《さき》んずれば人《ひと》を制《せい》す」「習《なら》うより慣《な》れろ」「笑《わら》う門《かど》には福来《ふくき》たる」など、日常生活《にちじょうせいかつ》において、よくある光景《こうけい》や出来事《できごと》が元《もと》になっています。

慣用句《かんようく》

2語以上《ごいじょう》の語句《ごく》がくっついて、ある「特別《とくべつ》な意味《いみ》」を表《あらわ》す言葉《ことば》です。例《たと》えば、「目《め》」と「回《まわ》る」がくっついた「目《め》が回《まわ》る」は、実際《じっさい》に目《め》がぐるぐると回《まわ》るわけではなく、「めまいがするほど、いそがしい」という意味《いみ》です。慣《かん》用句《ようく》を織《お》り交《ま》ぜて話《はなし》をすると、表現《ひょうげん》に味《あじ》わいが出《で》ます。

四字熟語《よじじゅくご》

漢字《かんじ》4文字《もじ》の熟語《じゅくご》（2文字以上《もじいじょう》の漢字《かんじ》が合《あ》わさって、ひとつの言《こと》葉《ば》になっているもの）です。たった4文字《もじ》で深《ふか》い意味《いみ》を表現《ひょうげん》します。例《たと》えば、「十年一日《じゅうねんいちじつ》」は「長《なが》い間《あいだ》、同《おな》じことをくり返《かえ》していること」。四字熟語《よじじゅくご》を使《つか》うと、言《い》いたいことを短《みじか》い言葉《ことば》で簡単《かんたん》に説明《せつめい》できます。

故事成語《こじせいご》

古来《こらい》にあった出来事《できごと》や、書物《しょもつ》の中《なか》の言葉《ことば》が元《もと》になってできた言葉《ことば》で、中国《ちゅうごく》から伝《つた》わってきたものがほとんどです。例《たと》えば、「推敲《すいこう》」「破天荒《はてんこう》」「完璧《かんぺき》」など、普段《ふだん》の生活《せいかつ》で使《つか》われるものも多《おお》くあります。元《もと》になった話《はなし》や意《い》味《み》を知《し》っておくと、より正《ただ》しく理解《りかい》できるでしょう。

カタカナの言葉《ことば》

「外来語《がいらいご》」という他《た》の国《くに》の言語《げんご》が元《もと》になっている言葉《ことば》で、カタカナで表《あらわ》します。また、外国《がいこく》の言葉《ことば》を変形《へんけい》させたり、組《く》み合《あ》わせたりして作《つく》られた「和製英語《わせいえいご》」もあり、新《あたら》しい考《かんが》え方《かた》や、技術《ぎじゅつ》、現象《げんしょう》、専門用語《せんもんようご》などを表《あらわ》すものもあります。現代社会《げんだいしゃかい》には欠《か》かせない言葉《ことば》です。

知《し》っていたらスゴイ！ 言葉《ことば》ベスト5

意味《いみ》を覚《おぼ》えて、正《ただ》しく使《つか》いこなそう！

難《むずか》しい言葉《ことば》

1位《い》 感傷的《かんしょうてき》 ……… ☞ P.296
2位《い》 閉口《へいこう》 ……… ☞ P.271
3位《い》 金輪際《こんりんざい》 ……… ☞ P.249
4位《い》 いそしむ ……… ☞ P.121
5位《い》 うとい ……… ☞ P.102

ことわざ

1位《い》 身《み》から出《で》たさび ……… ☞ P.333
2位《い》 転《ころ》ばぬ先《さき》のつえ ……… ☞ P.217
3位《い》 三《み》つ子《ご》の魂百《たましいひゃく》まで ……… ☞ P.314
4位《い》 情《なさ》けは人《ひと》のためならず ……… ☞ P.112
5位《い》 鬼《おに》の居《い》ぬ間《ま》の洗濯《せんたく》 ……… ☞ P.256

慣《かん》用《よう》句《く》

1位《い》 いたちごっこ ……… ☞ P.383
2位《い》 とどのつまり ……… ☞ P.188
3位《い》 一矢《いっし》を報《むく》いる ……… ☞ P.068
4位《い》 痛《いた》しかゆし ……… ☞ P.150
5位《い》 虎《とら》の子《こ》 ……… ☞ P.310

四《よ》字《じ》熟《じゅく》語《ご》

1位《い》 付和雷同《ふわらいどう》 ……… ☞ P.052
2位《い》 疑心暗鬼《ぎしんあんき》 ……… ☞ P.050
3位《い》 傍若無人《ぼうじゃくぶじん》 ……… ☞ P.131
4位《い》 本末転倒《ほんまつてんとう》 ……… ☞ P.192
5位《い》 傍目八目《おかめはちもく》 ……… ☞ P.244

故《こ》事《じ》成《せい》語《ご》

1位《い》 助長《じょちょう》 ……… ☞ P.163
2位《い》 破天荒《はてんこう》 ……… ☞ P.320
3位《い》 推敲《すいこう》 ……… ☞ P.081
4位《い》 逆鱗《げきりん》に触《ふ》れる ……… ☞ P.149
5位《い》 登竜門《とうりゅうもん》 ……… ☞ P.312

カタカナの言葉《ことば》

1位《い》 パイオニア ……… ☞ P.125
2位《い》 メカニズム ……… ☞ P.040
3位《い》 トレンド ……… ☞ P.059
4位《い》 マイノリティー ……… ☞ P.378
5位《い》 アクセス ……… ☞ P.221

0001

ありきたり

よくあることなので、少《すこ》しもめずらしくないこと。

かさこじぞう48
でーす!
よく見《み》る地蔵《じぞう》だけど、
かわいい気《き》がする…。

（　①　）の顔《かお》でも、大勢集《おおぜいあつま》れば個性《こせい》が出《で》るね。

0002

色眼鏡《いろめがね》で見《み》る

「どうせこうだろう」と思《おも》って、ものを見《み》ること。

ウキキッ
（簡単《かんたん》だったな）
…っ!!
ガチャ
ガチャ

「サルは頭《あたま》が悪《わる》い」とか、物事《ものごと》を（　②　）てはいけない。

0003

まじまじ

じっと見《み》つめる様子《ようす》。

トイレ
あの
人気《にんき》スターが、
コンビニで
まさか…。
ジー
トイレ
借《か》りま～す!
ダダダー

信《しん》じられない様子《ようす》で、彼女《かのじょ》は、彼《かれ》の顔《かお》を（　③　）と見《み》つめた。

0004

手玉《てだま》に取《と》る

相手《あいて》を思《おも》いのままにあやつる。

あ～っと、また三振《さんしん》～!!
これで三振《さんしん》15個目《こめ》～!!
くっ……
フフフ
スパァーーン

すばらしいピッチャーで、相手《あいて》チームを（　④　）試合《しあい》だった。

0005

いつくしむ

慈しむ

愛情《あいじょう》をもって大事《だいじ》にする。

サッ
勉強《べんきょう》どう?
元気《げんき》?
サッ
悩《なや》みは?
食欲《しょくよく》は?
サッ
サッ
ハアハア ゼイゼイ
生徒《せいと》多《おお》すぎ…。
先生《せんせい》だいじょうぶ??

先生《せんせい》は、まるで我《わ》が子《こ》のように生徒《せいと》たちを（　⑤　）んだ。

0006

頃合《ころあ》い

ちょうどいいタイミング。最《もっと》も適《てき》した時機《じき》。

そろそろ卵《たまご》、産《う》んでるかなあ～。
コケーッ

毎朝《まいあさ》、卵《たまご》を産《う》む（　⑥　）を見《み》て、鳥小屋《とりごや》に行《い》くのが日課《にっか》だ。

答え　④手玉に取る　⑤いつくしむ　⑥頃合い

0007

よぎる

通《とお》り過《す》ぎる。

ガンジス川《がわ》…?
ガリガリ
う〜ん、わからない。
今夜《こんや》はカレーライスよ♪
ハッ
そういえば、母《かあ》ちゃん、何《なに》か言《い》ってたな…。
答《こた》えはインドだ! 母《かあ》ちゃん、サンキュー!

テストに苦《くる》しんでいるとき、母《はは》の言葉《ことば》が頭《あたま》を（ ① ）った。

0008

また聞《ぎ》き

直接《ちょくせつ》ではなく、だれかを通《とお》して聞《き》くこと。

さんって、お前《まえ》のことが好《す》きなんだって。
マジ!?

そのうわさは（ ② ）なので、あまり信《しん》じないほうがいいよ。

0009

まことしやか

本当《ほんとう》ではないのに、いかにも本《ほん》当《とう》らしい様子《ようす》。

くんて、大金持《おおがねも》ちなんだって!
家《いえ》もすごく大《おお》きいみたいよ。
そう言《い》われると品《ひん》があるし!

ぼくが資産家《しさんか》の息子《むすこ》だというううわさが、（ ③ ）に流《なが》れている。

答え ①よぎ ②また聞き ③まことしやか

0010

歯《は》に衣《きぬ》を着《き》せない

思《おも》ったとおりをずけずけと言《い》う。

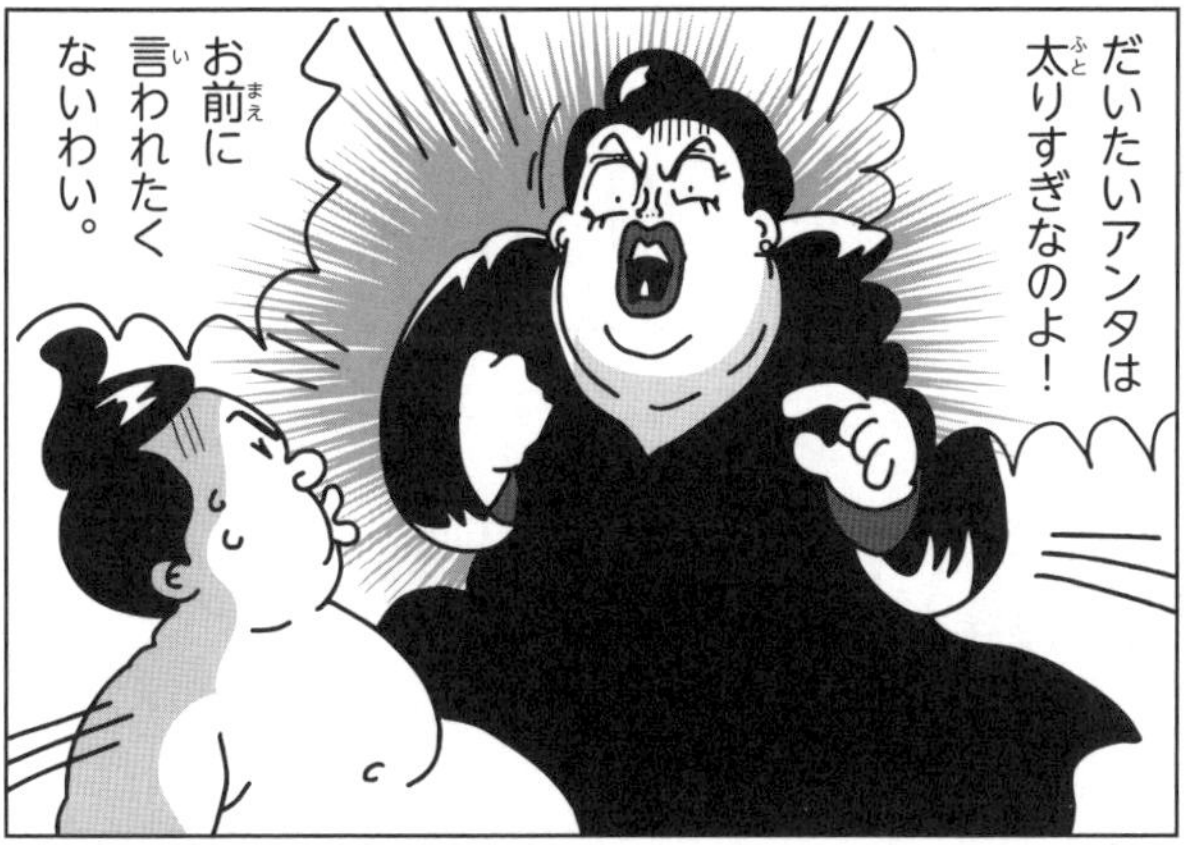
だいたいアンタは太《ふと》りすぎなのよ！
お前《まえ》に言《い》われたくないわい。

その人《ひと》は、（④）発言《はつげん》で、テレビの人気者《にんきもの》となった。

0011

うめく

苦《くる》しくて声《こえ》をもらす。うなる。

う〜ん
う〜〜っ
MAMA

ゾウにのしかかられる夢《ゆめ》を見《み》て、布団《ふとん》の中《なか》で（⑤）。

0012

これ見《み》よがし

得意《とくい》になって見《み》せびらかす様子《ようす》。

このまさかり、すごい切《き》れ味《あじ》♪
いいわぁ〜。
チラッ
チラッ！
金
…

※まさかり…刃《は》の幅《はば》が広《ひろ》いおののこと。

新調《しんちょう》した武器《ぶき》を、（⑥）に見《み》せびらかす。

答え ④ 歯に衣を着せない ⑤ うめく ⑥ これ見よがし

0013

十年一日《じゅうねんいちじつ》

長《なが》い間《あいだ》、同《おな》じことをくり返《かえ》して いること。

いつ会《あ》っても変《か》わらないわね…。
いやされるけど…。
ポヤ〜〜…
?

（ ① ）のごとく、彼《かれ》は、小《ちい》さいころから変《か》わっていない。

0014

一線《いっせん》を画《かく》す

はっきり区別《くべつ》する。

スゲ〜！本当《ほんとう》に飛《と》び出《だ》してきた！
これぞ3D！
コレ、事故《じこ》だろ。
うわ〜！にげろ！
キャ〜ッ

この映画《えいが》は、これまでの映画《えいが》の常識《じょうしき》とは（ ② ）作品《さくひん》だ。

0015

補《おぎな》う

足《た》りないものをつけ足《た》す。

飲《の》みすぎ、だっつーの!!
オレらカラッカラだわ!!

スポーツをするときは、こまめに水分《すいぶん》を（ ③ ）ことが大切《たいせつ》だ。

0016

虫《むし》が好《す》かない

何《なん》となく気《き》に入《い》らない。

お茶《ちゃ》しようぜぇ！
ヘイ
ヘイ
ヘイ
来《こ》ないでよ

下心《したごころ》があるような気《き》がして、どうも（　④　）。

0017

楽《らく》あれば苦《く》あり

楽《らく》をしたあとには苦労《くろう》がある。人《じん》生《せい》には楽《たの》しいこともあれば、苦《くる》しいこともある。

ゼェ
ゼェ

人生《じんせい》は（　⑤　）。思《おも》いどおりにはいかないものだよ。

0018

根比《こんくら》べ

どちらのほうに根気《こんき》があるかを競《きそ》い合《あ》うこと。

早《はや》くあやまって、仲直《なかなお》りしちゃいたいけど…。
がまん、がまん！
負《ま》けないぞ！

ケンカした友達《ともだち》と、どちらが先《さき》にあやまるか、（　⑥　）だ。

答え　④ 虫が好かない　⑤ 楽あれば苦あり　⑥ 根比べ

0019
大口《おおぐち》をたたく
えらそうなことを言《い》ったり、大《おお》げさなことを言《い》ったりする。

0020
手《て》に負《お》えない
うまくできない。持《も》て余《あま》す。

0021
コロンブスの卵《たまご》
何《なに》についても、最初《さいしょ》に考《かんが》えたり、やったりすることは、難《むずか》しいものだということ。

新大陸《しんたいりく》なんて船《ふね》さえあれば、だれでも発見《はっけん》できるじゃん。
ムッ
えらそうに…。
コイツ、こらしめちゃる。
どなたか、この卵《たまご》を立《た》ててごらんなさい。
卵《たまご》を立《た》てる?
卵《たまご》を立《た》てるなんて、見《み》たことがない。どうすれば…?
ほれ、こうすれば卵《たまご》は立《た》ちます。
えっ!? そんな方法《ほうほう》が…。
知《し》っていれば、できたよ!
最初《さいしょ》に考《かんが》えつくのが難《むずか》しいのさっ。

実力《じつりょく》もないのに（ ① ）いては、あとではじをかくよ。

この問題《もんだい》は難《むずか》しくて、ぼくの（ ② ）よ。

だれでもできることでも、思《おも》いつくのが難《むずか》しい。（ ③ ）だよ。

答え ① 大口をたたく ② 手に負えない ③ コロンブスの卵

0022

ケース

実際《じっさい》に起《お》こった一《ひと》つひとつの出《で》来事《きごと》や、実際《じっさい》にあった例《れい》のこと。場合《ばあい》。事例《じれい》。

鬼《おに》が来《き》たら、かみついて…。
ひっかいて…。
こっちに来《き》たら、空《そら》ににげる。
ガウ〜
パタパタ
キビダンゴかえせよな
日本一
ガリッ

さまざまな（　④　）を想定《そうてい》して、対処法《たいしょほう》を話《はな》し合《あ》っておく。

0023

コネクション

接続《せつぞく》やつながりのこと。物事《ものごと》をうまく進《すす》めるのに役立《やくだ》つ人《ひと》との親《した》しい関係《かんけい》。コネ。

家来《けらい》ににげられちゃったんで…。
先生《せんせい》、鬼《おに》との交渉《こうしょう》をお願《ねが》いできませんか?
たかがきびだんごでかね。
日本一

業界《ぎょうかい》トップの人物《じんぶつ》との（　⑤　）を、最大限《さいだいげん》に利用《りよう》する。

0024

いかつい

ごつごつして、やわらかな感《かん》じがしない様子《ようす》。

ゴリ山先生《やませんせい》が花《はな》をめでている…。
いかつい外見《がいけん》なのに、意外《いがい》!

（　⑥　）外見《がいけん》の先生《せんせい》だが、心《こころ》はとてもやさしい。

答え ④ケース ⑤コネクション ⑥いかつい

0025

ありさま

物事《ものごと》の様子《ようす》。ありのままの姿《すがた》、状態《じょうたい》。

このくつの持《も》ち主《ぬし》をさがすんだ!
王子《おうじ》! 国政《こくせい》は…。
そんなこと、知《し》らないもん!
何《なに》… この展開《てんかい》!

王子《おうじ》のこの（①）を見《み》てしまっては、国《くに》の将来《しょうらい》が心配《しんぱい》だ。

0026

一目散《いちもくさん》に

わき目《め》もふらずに走《はし》る様子《ようす》。

ワァ〜ッ
オレたちもおそれられたもんだぜ。
日本一
ハッハッハッ
サ〜ッ
モモさん

我々《われわれ》の姿《すがた》を見《み》て、敵《てき》たちは（②）にげ出《だ》した。

0027

でっち上《あ》げる

いんちきをして、実際《じっさい》にはなかったことを事実《じじつ》のように仕立《した》てあげる。

タヌキかわいそう〜
うわ〜ん
ギャ〜ン
…おぼれて死《し》んだと思《おも》ったタヌキでしたが、その後《ご》、元気《げんき》によみがえって…。
タヌキはおぼれて死《し》にました
おわり

仕方《しかた》ない、幸《しあわ》せなお話《はなし》に（③）よう。

答え ①ありさま ②一目散に ③でっち上げ

言葉《ことば》のワザをみがいて使《つか》いこなそう！

アタック・ザ・言葉《ことば》クイズ 01

入試問題《にゅうしもんだい》に挑戦《ちょうせん》！

□にあてはまる言葉《ことば》を、あとのア〜ウから一《ひと》つずつ選《えら》びなさい。

（東京都市大学付属中学校・改題）

①弟《おとうと》は大変《たいへん》ないたずらっ子《こ》で、とてもぼくの□。

ア 手《て》に乗《の》らない　イ 手《て》に負《お》えない　ウ 手《て》に汗《あせ》をにぎる

②見《み》ちがえるほどきれいになった姉《あね》の姿《すがた》を、□と見《み》つめた。

ア いそいそ　イ まざまざ　ウ まじまじ

③お化《ば》けに出会《であ》ったぼくたちは、□にげ出《だ》した。

ア これ見《み》よがしに　イ まことしやかに　ウ 一目散《いちもくさん》に

④いつも□をたたいている彼《かれ》は、ほらふきと呼《よ》ばれている。

ア 大口《おおぐち》　イ 大《おお》だいこ　ウ 石橋《いしばし》

⇒答《こた》えは 73 ページにあります。

0028
フリーズ

動《うご》かなくなり、動作《どうさ》が止《と》まること。こおりつくこと。コンピューターが操作《そうさ》を受《う》けつけずに固《かた》まること。

あれ？どうした、みんな。
π＝xy
√81
1/2
固《かた》まっちゃったのか？
シュ〜〜〜ッ

パソコンが全台同時《ぜんだいどうじ》に（　①　）する。

0029
蒸《む》し返《かえ》す

済《す》んだことを、また問題《もんだい》にする。

あのとき、お前《まえ》を助《たす》けなければ…。
昔《むかし》のことは忘《わす》れましょ♡
まぁまぁ

そんな昔《むかし》のことを（　②　）して話《はな》しても、もう仕方《しかた》がないよ。

0030
仁王立《におうだ》ち

仁王《におう》の像《ぞう》のように、おそろしく力強《ちからづよ》い様子《ようす》で立《た》つこと。「仁王《におう》」は、寺門《じもん》の左右《さゆう》に置《お》かれる神様《かみさま》のこと。

もう観念《かんねん》して、宿題《しゅくだい》をすることね！
ドーン

こっそり部屋《へや》を出《で》たら、ろう下《か》で母《はは》が（　③　）をしていた。

答え　①フリーズ　②蒸し返　③仁王立ち

0031

軌道《きどう》に乗《の》る

物事《ものごと》が順調《じゅんちょう》に進《すす》むようになる。

ラ〜メン
今日《きょう》も並《なら》んでるな。やっとここまで来《き》たか
だが…やっかいな客《きゃく》が一人《ひとり》…。

お客《きゃく》も増《ふ》えて、商売《しょうばい》がようやく（④）ってきた。

0032

しびれを切《き》らす

あまりに長《なが》く待《ま》たされて、がまんできなくなる。待《ま》ちきれなくなる。

まだかな〜
アーッ
イライラ
イライラ
帰《かえ》る!
ワーッ
ズーン
ズーン

長《なが》い行列《ぎょうれつ》に（⑤）して、帰《かえ》ってしまうお客《きゃく》もいる。

0033

ダミー

本物《ほんもの》の見《み》かけをしているが、実際《じっさい》の機能《きのう》をもっていない物《もの》。見本《みほん》。身代《みが》わり。

センセイ、オハヨウゴザイマス。
バレバレなんだよ、ニセモノくん。本物《ほんもの》は遅刻《ちこく》かな?

（⑥）でごまかそうとしたが、簡単《かんたん》に見破《みやぶ》られてしまった。

答え ④軌道に乗 ⑤しびれを切ら ⑥ダミー

0034

得《え》体《たい》が知《し》れない

本当《ほんとう》の姿《すがた》がわからず、あやしい。

なっ、なんだ、アレは…？

窓《まど》の外《そと》から（　①　）何者《なにもの》かが、こちらをのぞいている。

0035

門《もん》外《がい》不《ふ》出《しゅつ》

めったに外《そと》に出《だ》して見《み》せないこと。秘密《ひみつ》にして、大切《たいせつ》にしているもののこと。

これが、我《わ》が家《や》に代々《だいだい》伝《つた》わる巻物《まきもの》じゃ!!
何《なに》これ…。

（　②　）の家宝《かほう》として、先祖代々《せんぞだいだい》大切《たいせつ》にされてきた宝物《ほうもつ》を見《み》る。

0036

ごぼうぬき

ごぼう抜き

競走《きょうそう》などで、数人《すうにん》の選手《せんしゅ》を一気《いっき》にぬくこと。

うわあっ！突破《とっぱ》されたっ！
ダダダーッ

何人《なんにん》もの敵《てき》を（　③　）にして、シュートを決《き》める。

答え ① 得体が知れない ② 門外不出 ③ ごぼうぬき

0037

鳴《な》り物《もの》入《い》り

楽器《がっき》などを鳴《な》らして盛《も》り上《あ》げること。また、大《おお》げさな宣伝《せんでん》などが行《おこな》われること。

0038

破竹《はちく》の勢《いきお》い

勢《いきお》いが激《はげ》しいこと。竹《たけ》の最初《さいしょ》の一節《ひとふし》を割《わ》ると、あとは一気《いっき》に割《わ》れることから。

0039

壁《かべ》につき当《あ》たる

簡単《かんたん》に解決《かいけつ》できない障害《しょうがい》にぶつかる。行《い》きづまる。

カキーン
とんでもない新人《しんじん》が入《はい》ってきましたね。
ビュッ
自分《じぶん》で投《な》げて、自分《じぶん》で打《う》っている…。
ワー
ワー
応援《おうえん》
ありがとー!
数年後《すうねんご》
スランプ
ヒュウウウッ

（④）で現《あらわ》れた新人《しんじん》は、期待《きたい》どおりの選手《せんしゅ》だった。

（⑤）で連勝《れんしょう》する投手《とうしゅ》に、スタンドは大盛《おおも》り上《あ》がりだ。

思《おも》うように成績《せいせき》がのびない…。（⑥）ってしまったようだ。

答え ④鳴り物入り ⑤破竹の勢い ⑥壁につき当たる

0040

まざまざ

まるで目《め》の前《まえ》にあるかのように、はっきりしているさま。ありありと。

投《な》げる!
実況《じっきょう》も!?
おっと デッドボールだ
四刀流《よんとうりゅう》!?
打《う》つ!
応援《おうえん》まで!!
すごい!
すごすぎる

今回《こんかい》の試合《しあい》では、彼《かれ》のすごさを（ ① ）と見《み》せつけられた。

0041

大風呂敷《おおぶろしき》を広《ひろ》げる

とてもできそうにない大《おお》きなことを言《い》ったり、計画《けいかく》したりすること。

全国優勝《ぜんこくゆうしょう》
はじめ!
ビターン
一本《いっぽん》!!
はっや!!

「全国優勝《ぜんこくゆうしょう》!」と（ ② ）たが、1回戦《かいせん》で負《ま》けてしまった。

0042

一《いち》か八《ばち》か

どうなるかはわからないが、思《おも》いきってやってみること。

全然勉強《ぜんぜんべんきょう》してないけど…。
東大《とうだい》
受《う》かるか、受《う》からないか、やってみよう!
めざせ!
日本一《にっぽんいち》!!

（ ③ ）で受験《じゅけん》しないで、毎日《まいにち》こつこつ勉強《べんきょう》するべきだ。

答え ① まざまざ ② 大風呂敷を広げ ③ 一か八か

0043

痛《いた》くもかゆくもない

少《すこ》しも応《こた》えない。

まだ
まだぁ!!
ワハハハ

その程度《ていど》のパンチでは、（ ④ ）。

0044

終止符《しゅうしふ》を打《う》つ

一《ひと》つのことが終《お》わったことをはっきりさせること。

今年《ことし》こそ三日坊主《みっかぼうず》にはしないぞ!
ググググ
目標達成《もくひょうたっせい》できたからいいか…。

今年《ことし》こそ、だらだらした生活《せいかつ》に（ ⑤ ）ぞ。

0045

一点張《いってんば》り

一《ひと》つのことだけをおし通《とお》すこと。

お前《まえ》がやったんだろう!
目撃者《もくげきしゃ》もいるぞ!
オレは何《なん》にも知《し》らないぜ〜
ここはどこ?
きみはだれ?
本当《ほんとう》に何《なん》にも知《し》らないの?
クソッ

容疑者《ようぎしゃ》は、いくら問《と》いつめても「知《し》らない」の（ ⑥ ）だ。

答え ④痛くもかゆくもない ⑤終止符を打つ ⑥一点張り

0046

ダイナミック

いきいきとしているさま。活力《かつりょく》や生命力《せいめいりょく》が感《かん》じられる様子《ようす》。

ジャーンプッ!!
バシャーン

イルカたちの（ ① ）なジャンプは、見応《みごた》えがある。

0047

うやむや

はっきりしないで、あいまいなこと。

証拠《しょうこ》の手紙《てがみ》はどこに置《お》いたっけ…。
…って、食《く》ってるしーっ
うまっ！
もぐ
もぐ

証拠《しょうこ》が消《き》えて、事件《じけん》の真相《しんそう》は（ ② ）で終《お》わった。

0048

いがみ合《あ》う

にくしみ合《あ》って、激《はげ》しく争《あらそ》う。

イヌ山《やま》くんとサル田《た》くんちは仲《なか》が悪《わる》いね。
昔《むかし》からそうなんだよね。
うーん

彼《かれ》の家《いえ》は、となりの家《いえ》と以前《いぜん》から（ ③ ）っている。

言葉《ことば》のワザをみがいて使《つか》いこなそう！

アタック・ザ・言葉《ことば》クイズ 02

あとのひらがなを二《ふた》つずつ組《く》み合《あ》わせて、意味《いみ》に合《あ》う言葉《ことば》をつくろう。

①どのように生《う》まれ育《そだ》ったのかということ。

②物事《ものごと》の様子《ようす》。ありのままの姿《すがた》、状態《じょうたい》。

③はっきりしないで、あいまいなこと。

④突然《とつぜん》。いきなり。

おい　うや　わに　やに　あり　たち　むや　さま

⇒答《こた》えは 73 ページにあります。

0049

あわい　淡い

うすい。かすかな。はっきりしないで、ぼんやりとした様子《ようす》。

⇔濃《こ》い

王子様《おうじさま》…。
超《ちょう》ステキ…♡

初《はじ》めて会《あ》った人《ひと》に、（①）恋心《こいごころ》をいだいた。

0050

笑《わら》う門《かど》には福来《ふくき》たる

明《あか》るくにこにこしている人《ひと》には、自然《しぜん》と幸福《こうふく》が訪《おとず》れるということ。

おもちしましょう
わるいわねぇ
もってあげる
ありがとう♪
ニコニコ
♪笑《わら》いの連《れん》鎖《さ》♪

（②）だよ。どんなときでも笑顔《えがお》で人《ひと》に接《せっ》しよう。

0051

引用《いんよう》

ほかの人《ひと》の言葉《ことば》や文章《ぶんしょう》をぬき出《だ》して、自分《じぶん》の話《はなし》や文《ぶん》の中《なか》に使《つか》うこと。

えー
イチロー選手《せんしゅ》は「カレーが好《す》きだ」と言《い》っています。
えー
だから、
カレーなプレーができるのです。
なんつって—っ
ププーッ
つまんねー！

校長先生《こうちょうせんせい》は、有名人《ゆうめいじん》の言葉《ことば》を（③）して式辞《しきじ》を述《の》べた。

答え　① あわい　② 笑う門には福来たる　③ 引用

0052

居《い》ても立《た》ってもいられない

不安《ふあん》や喜《よろこ》びで落《お》ちつかず、じっとしていられない。

合格《ごうかく》してるかな～どうかな～。
アーッ気《き》になる!
タイムマシンで未来《みらい》に行《い》ってみたら?
ウロウロ
知《し》りたいような、知《し》りたくないような…。
タイムマシンなんかいらない!
ジョーダンも通《つう》じないのね
ウロウロ

合格《ごうかく》しているかどうかが心配《しんぱい》で、（④）。

0053

またとない

二度《にど》とない。これ以上《いじょう》ない。

えー、くじ引《び》きで、今回《こんかい》の係《かかり》はこの二人《ふたり》に決定《けってい》です。
めんどくせ～
やったー!ラッキー!!

彼女《かのじょ》と二人《ふたり》きりになれる、（⑤）チャンスを得《え》た。

0054

一途《いちず》

ひたすら。ひたむき。

絶対《ぜったい》、甲子園《こうしえん》に行《い》くんだ!
そのためには練習《れんしゅう》あるのみ!
ハア
ハア

「甲子園《こうしえん》に行《い》くんだ」という（⑥）な思《おも》いで練習《れんしゅう》にはげむ。

答え ④居ても立ってもいられない ⑤またとない ⑥一途

0055

うろ覚《おぼ》え

確《たし》かでなく、ぼんやり覚《おぼ》えていること。

ドキドキ止《と》まらなーい♪
…だったかな?
ハラハラ止《と》まらなーい♪
フリもちがうし〜。

（ ① ）の曲《きょく》なので、ときどき歌詞《かし》をまちがえてしまう。

0056

目《め》を光《ひか》らす

注意《ちゅうい》してよく見《み》る。厳《きび》しく監視《かんし》する。

勉強《べんきょう》、やってますかー?
ピカー
こわいよ、母《かあ》さん。
ちゃんと、やってますけど…。

ぼくがサボらないように、母《はは》がずっと（ ② ）せている。

0057

こばむ

拒む

たのみや申《もう》し出《で》などを断《ことわ》る。

チャンピオンのクマ男《お》です、対戦《たいせん》しましょう!
ずどーーん
冗談《じょうだん》じゃないよ! 無理《むり》無理《むり》、断《ことわ》る!

彼《かれ》は、チャンピオンとの対戦《たいせん》を（ ③ ）んだ。

答え ①うろ覚え ②目を光ら ③こば

0058
腕《うで》が鳴《な》る
自信《じしん》があり、力《ちから》をふるって使《つか》いたくて、うずうずしている様子《ようす》。

0059
小耳《こみみ》にはさむ
聞《き》くつもりがないのに、ちらっと聞《き》く。

0060
機敏《きびん》
状況《じょうきょう》に応《おう》じて、てきぱきとやっていく様子《ようす》。

試合前《しあいまえ》から腕《うで》が鳴《な》るな〜。
お前《まえ》はハナか
ポキポキ
あれ、監督《かんとく》、どうしました？
対戦相手《たいせんあいて》が前《まえ》のボスだから、やりづらいんだよ!!
モモタロー ひきいる ゴブリンズ！
しかもやつら、ひどい反則《はんそく》をするらしいぞ！
気《き》をつけろよ！
クソッ
バシッ
セーフ！
バシッ
バシッ
おおっ！敵《てき》の反則《はんそく》にも負《ま》けてないぞ！
オオッ

ライバルとの対戦《たいせん》を前《まえ》に、今《いま》から（ ④ ）。

試合前《しあいまえ》、よくないうわさを（ ⑤ ）。

相手《あいて》の攻撃《こうげき》を（ ⑥ ）な動《うご》きでかわす。

答え ④腕が鳴る ⑤小耳にはさむ ⑥機敏

0061

海老《えび》で鯛《たい》を釣《つ》る

わずかな元手《もとで》で大《おお》きな利益《りえき》を得《え》ることのたとえ。

大漁《たいりょう》
きれいなお花《はな》、ありがとう!!
はい、おこづかい♡

道端《みちばた》の花《はな》で、おこづかいゲット。
（ ① ）ったなあ。

0062

大《おお》まか

大《おお》ざっぱ。だいたい。

「ごんぎつね」は、きつねが
ゴン!!
ってぶつかって、
ゴーン
ってなった話《はなし》だ。
わかったな?
わかるかー!!

そんな（ ② ）な説明《せつめい》では、
全然《ぜんぜん》わかりません。

0063

笛吹《ふえふ》けども踊《おど》らず

人《ひと》に何《なに》かをさせようといくら仕《し》向けても、少《すこ》しも応《おう》じないことのたとえ。

・・・・・
ゴミ
バシバシ

いろいろそろえたのに、（ ③ ）、
まったく遊《あそ》ぶ気配《けはい》がない。

答え ① 海老で鯛を釣る ② 大まか ③ 笛吹けども踊らず

0064

生《お》い立《た》ち

どのように生《う》まれ育《そだ》ったのかということ。

王子《おう じ》〜〜
おかし、持《も》ってきて〜。
わかったよ、シンデレラ…。
昔《むかし》はきれいだったのに…。

不幸《ふこう》な（ ④ ）だったが、今《いま》は幸《しあわ》せに暮《く》らしている。

0065

やにわに

突然《とつぜん》。いきなり。

しまった！ハロウィーンは来週《らいしゅう》だった。
キャー
ワー
ワワー

ぼくの姿《すがた》を見《み》て、人々《ひとびと》は（ ⑤ ）にげ出《だ》した。

0066

いじらしい

弱《よわ》い者《もの》ががんばっている姿《すがた》を見《み》て、かわいそうに思《おも》う気持《きも》ち。

パパのかたきだぁ！
えいっ えいっ
ポカポカ
つっ

涙《なみだ》を見《み》せまいとする子《こ》どもの姿《すがた》が（ ⑥ ）かった。

答え ④生い立ち ⑤やにわに ⑥いじらしい

0067
クライアント
特別《とくべつ》に気《き》に入《い》ってくれている客《きゃく》。広告主《こうこくぬし》。依頼人《いらいにん》。

0068
グレード
ものの優劣《ゆうれつ》を示《しめ》す、段階《だんかい》のこと。等級《とうきゅう》。

0069
クリエイター
ものをつくり出《だ》す人《ひと》。また、制《せい》作《さく》の仕事《しごと》をする人《ひと》たちの総称《そうしょう》。

どうです、この広告《こうこく》？
OH! NO
これはマズい!!
飲《の》めるなら飲《の》んでみろ!
COFFEE
正直《しょうじき》に言《い》ったほうが、かえってウケるかと…。
ヨ〜シ!
今度《こんど》の企画《きかく》は自信《じしん》があるぞ！
…また企画《きかく》が通《とお》らなかったよ。
いらっしゃいませ
遅刻《ちこく》よ。
あなたは人《ひと》をおこらせる天才《てんさい》ね。

手《て》をぬいた企画《きかく》のせいで、（①）をおこらせてしまった。

低予算《ていよさん》でできる、（②）の高《たか》い企画《きかく》を思《おも》いついた。

彼《かれ》は、斬新《ざんしん》な企画《きかく》を考《かんが》えるすぐれた（③）だ。

0070 向《む》こう見《み》ず

何事《なにごと》も、後先《あとさき》をよく考《かんが》えずにやってしまうこと。 ＝無鉄砲《むてっぽう》

やっぱ
犬《いぬ》かきじゃ、
無理《むり》だった
かな…。
バシャ
バシャ

太平洋《たいへいよう》を泳《およ》いでわたるなんて、（④）なやつだ。

0071 枚挙《まいきょ》にいとまがない

かぞえ上《あ》げると、きりがない。「枚挙《まいきょ》」は「かぞえ上《あ》げる」、「いとま」は「ひま」のこと。

できた!!
わーん
ボム
しーん
つかない!!
パリーン

エジソンは、（⑤）ほど失敗《しっぱい》をくり返《かえ》し、実験《じっけん》を成功《せいこう》させた。

0072 行《い》き当《あ》たりばったり

何《なん》の計画《けいかく》もなく、その場任《ばまか》せにすること。

これっ！
これ、何《なん》か…
おもしろそう！
よく
わからんけど！
シン・ゴリラ
上映中《じょうえいちゅう》
見《み》よう

（⑥）で映画《えいが》を見《み》たけれど、意外《いがい》とおもしろかった。

答え ④向こう見ず ⑤枚挙にいとまがない ⑥行き当たりばったり

0073

言《い》い分《ぶん》

言《い》いたいこと。主張《しゅちょう》したいこと。

桃太郎《ももたろう》は鬼《おに》が悪《わる》いって言《い》ってるけど、実際《じっさい》はどうなの？
オレたちだって、生《い》きるために必死《ひっし》なんだよ。

一方的《いっぽうてき》に決《き》めつけず、相手《あいて》の（①）を聞《き》くことも大切《たいせつ》だ。

0074

異例《いれい》

今《いま》までに例《れい》がないこと。

ゴールキーパーにはめずらしく、小柄《こがら》な選手《せんしゅ》です！
どんなシュートも止《と》めてみせるわ！

ゴールキーパーとしては、（②）のばってきをされた。

0075

うかつ

うっかりしていて、注意《ちゅうい》が行《い》き届《とど》かないこと。不注意《ふちゅうい》。

フレッフレッファイト
キャッ
…って、
コレ妹《いもうと》のやつ——！
わしがチアリーダーかっ!!
あいつ、そういうシュミがあったのか。

（③）にも、ユニホームをまちがえて持《も》ってきてしまった。

答え ①言い分 ②異例 ③うかつ

言葉《ことば》のワザをみがいて使《つか》いこなそう！

アタック・ザ・言葉《ことば》クイズ 03

意味《いみ》に合《あ》う言葉《ことば》になるように、漢字《かんじ》を選《えら》んで○をつけよう。

①状況《じょうきょう》に応《おう》じて、てきぱきとやっていく様子《ようす》。

機《き》

会《かい》（　）　先《せん》（　）　敏《びん》（　）

②ほかの人《ひと》の言葉《ことば》や文章《ぶんしょう》をぬき出《だ》して、自分《じぶん》の話《はなし》や文《ぶん》の中《なか》に使《つか》うこと。

引《いん》

力《りょく》（　）　用《よう》（　）　退《たい》（　）

③今《いま》までに例《れい》がないこと。

異《い》

例《れい》（　）　常《じょう》（　）　色《しょく》（　）

④悪《わる》いことがしきりに行《おこな》われること。勝手気《かってき》ままに歩《ある》き回《まわ》ること。

横《おう》

断《だん》（　）　行《こう》（　）　柄《へい》（　）

⇒答《こた》えは 73 ページにあります。

0076

メカニズム

しかけ。しくみ。装置《そうち》。

火山《かざん》の
噴火《ふんか》とは…。
ワイ
おいっ、
聞《き》いてる
のかーっ!!
先生《せんせい》も
噴火《ふんか》した！

授業《じゅぎょう》で、火山《かざん》が噴火《ふんか》する（　①　）を学《まな》んだ。

0077

痛痛《いたいた》しい

とてもかわいそうで、胸《むね》が痛《いた》い。

アチチチッ！
イテテテテッ！
プス
プス
うわぁ、痛《いた》そう！
見《み》ていられないよう！

大《おお》やけどをしたタヌキが、（　②　）くて見《み》ていられない。

0078

臆面《おくめん》もなく

自信《じしん》をなくしたり勢《いきお》いが弱《よわ》る様《よう》子《す》もなく、ずうずうしい。

ね、ね！
いっしょに
木登《きのぼ》りしようよ！
あ！
もしかして、カニ？
カニ系《けい》？
川《かわ》にカニとりに
行《い》くほうが
いい？

彼《かれ》は、何度《なんど》断《ことわ》られても（　③　）デートにさそい続《つづ》けている。

答え　① メカニズム　② 痛痛し　③ 臆面もなく

0079

まばら

隙間《すきま》があること。少《すこ》ししかない様子《ようす》。

すくな！
しかもあやしい…

この映画館《えいがかん》は、いつもお客《きゃく》が（　④　）にしかいない。

0080

猫《ねこ》に小判《こばん》

貴重《きちょう》な物《もの》を持《も》っていても、持《も》ち手《て》によっては何《なん》の価値《かち》もないということのたとえ。

やめてーっ!!
ガジ
ガジ

この価値《かち》がわからないなんて、（　⑤　）でもったいない。

0081

横柄《おうへい》

いばって、失礼《しつれい》だったり、えらそうな態度《たいど》だったりする様子《ようす》。

ハーイ〜
できたから自分《じぶん》で取《と》りに来《き》て〜。
……っ!!

お店《みせ》の人《ひと》の（　⑥　）な態度《たいど》は、気持《きも》ちのよいものではない。

答え　④まばら　⑤猫に小判　⑥横柄

0082

ありのはい出《で》る隙間《すきま》もない

少《すこ》しの隙間《すきま》もないほど、監視《かんし》が厳《きび》しい様子《ようす》のたとえ。

宝石店《ほうせきてん》
泥棒《どろぼう》めーっ!! ここは完全《かんぜん》に包囲《ほうい》されているっ!!

これだけ警官隊《けいかんたい》が取《と》り囲《かこ》んでいれば、（　①　）だろう。

0083

網《あみ》の目《め》をくぐる

監視《かんし》の厳《きび》しい中《なか》を、気《き》づかれずに行動《こうどう》する。「網《あみ》の目《め》をかいくぐる」とも。

あ～ばよ!
待《ま》てっ!

大人数《おおにんずう》で取《と》り囲《かこ》んだのに、（　②　）ってにげられた。

0084

言葉《ことば》をにごす

はっきりでなく、あいまいに言《い》う。

何《なに》をしに来《き》た!
ええとぉ…観光《かんこう》?ていうか～鬼退治《おにたいじ》?みたいな～。いやいや、ちがうちがう!

旅《たび》の目的《もくてき》を聞《き》いたが、（　③　）された。

答え ①ありのはい出る隙間もない ②網の目をくぐる ③言葉をにごす

0085

バイタリティー

元気《げんき》よく動《うご》いたり、働《はたら》いたりする力《ちから》。生命力《せいめいりょく》。いきいきとした様子《ようす》。

ピョン
ピョン
よっ、今日《きょう》も元気《げんき》になまけているか!?

彼《かれ》はいつ会《あ》っても、（④）にあふれている。

0086

とうに

とっくに。ずっと前《まえ》に。

先生《せんせい》、夏休《なつやす》みの図工《ずこう》の宿題《しゅくだい》です。
エ〜ッ もう12月《がつ》よ!!
しかも何《なに》ソレ?

宿題《しゅくだい》の提出期限《ていしゅつきげん》は、（⑤）過《す》ぎています。

0087

度外視《どがいし》

気《き》に留《と》めないこと。無視《むし》すること。

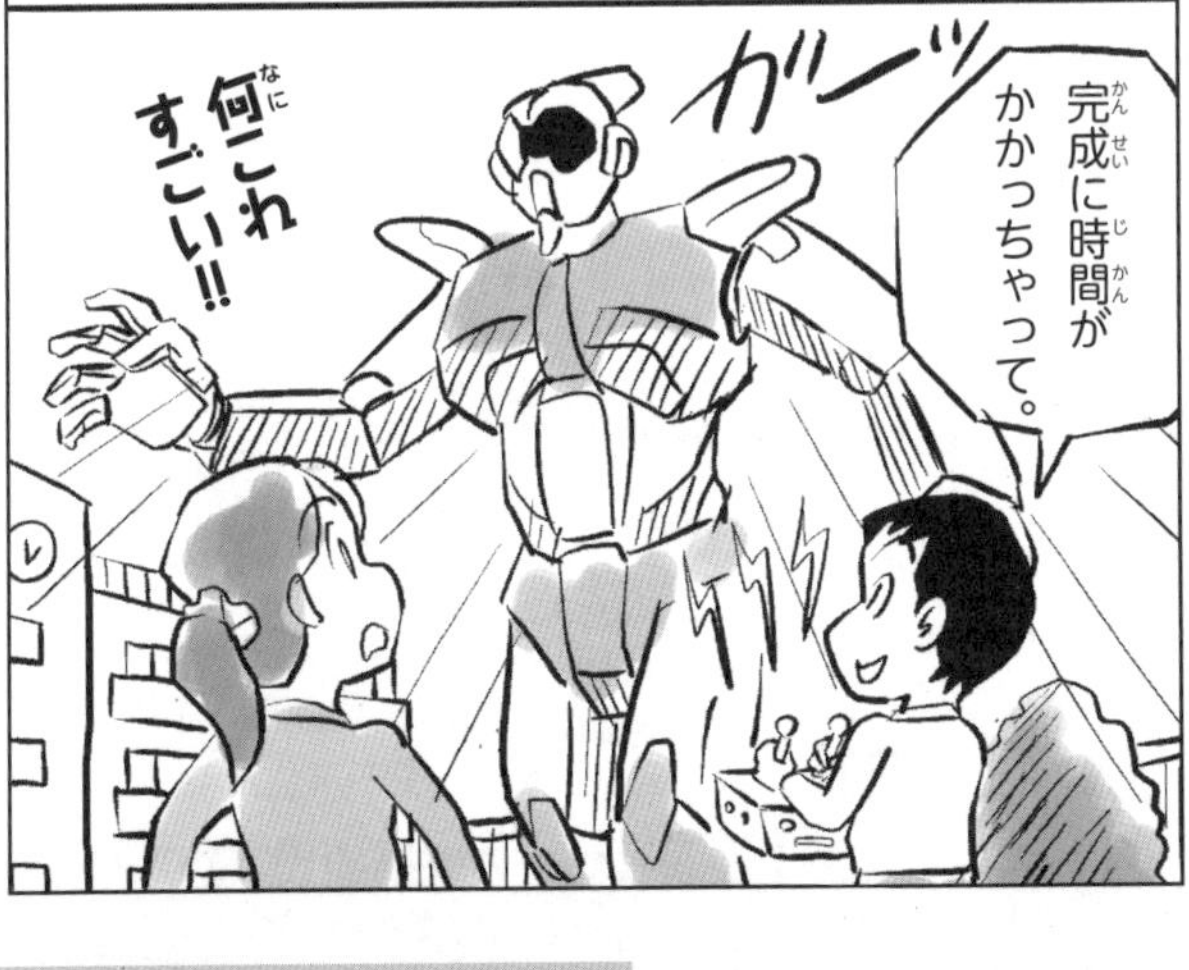
完成《かんせい》に時間《じかん》がかかっちゃって。
ガーッ
何《なに》これすごい!!

予算《よさん》を（⑥）して、本当《ほんとう》に作《つく》りたいものを作《つく》った。

答え ④バイタリティー ⑤とうに ⑥度外視

0088

横行《おうこう》

悪《わる》いことがしきりに行《おこな》われること。勝手気《かってき》ままに歩《ある》き回《まわ》ること。

もしもし？ オレ、オレ！
かずおかい？
500万《まん》必要《ひつよう》なんだ。
かずおここにいるよー!っ
どこに持《も》って行《い》けばいいの？

お年寄《としよ》りをねらった犯罪《はんざい》が（ ① ）している。

0089

劣等感《れっとうかん》

自分《じぶん》が人《ひと》より下《した》だと思《おも》う気持《きも》ち。コンプレックス。⇔優越感《ゆうえつかん》

おーい、二宮《にのみや》！
悪《わる》いけどボールとってっ！
いっしょにサッカーやろうよ。
二宮《にのみや》って、頭《あたま》はいいんだけど…。
スポーツはからっきしだよなあ。

勉強《べんきょう》では負《ま》けないが、運動《うんどう》となると（ ② ）がある。

0090

至《いた》れりつくせり

すみからすみまで気配《きくば》りが行《い》き届《とど》いている様子《ようす》。

ささ、どうぞ。
さぁ、もういっぱい。
何《なに》から何《なに》まで、竜宮城《りゅうぐうじょう》の人《ひと》たちは気《き》がきいているなぁ！

彼《かれ》は、竜宮城《りゅうぐうじょう》で（ ③ ）のもてなしを受《う》けた。

答え ① 横行 ② 劣等感 ③ 至れりつくせり

0091

英気《えいき》を養《やしな》う

元気《げんき》がなくならないように保《たも》つ。

明日《あした》の試合《しあい》のために早《はや》く寝《ね》ないと！
こら！まだ授業中《じゅぎょうちゅう》よ！
学校《がっこう》で寝《ね》るなー

（④）ため、試合《しあい》の前日《ぜんじつ》は早《はや》めに寝《ね》ている。

0092

ソース

出《で》どころ。情報《じょうほう》を提供《ていきょう》する人《ひと》や組織《そしき》。情報《じょうほう》の元《もと》となるもの。

〇〇山山頂《やまさんちょう》に△△ゲームの超《ちょう》レアキャラが出現《しゅつげん》してるよー（^o^）
いないじゃん!!
〇〇山山頂《やまさんちょう》
ウソつき
ぜーぜー

インターネット上《じょう》には、（⑤）が不確《ふたし》かな情報《じょうほう》も多《おお》い。

0093

いやす

癒やす

苦《くる》しみや悲《かな》しみをやわらげる。病気《びょうき》やケガなどを治《なお》す。

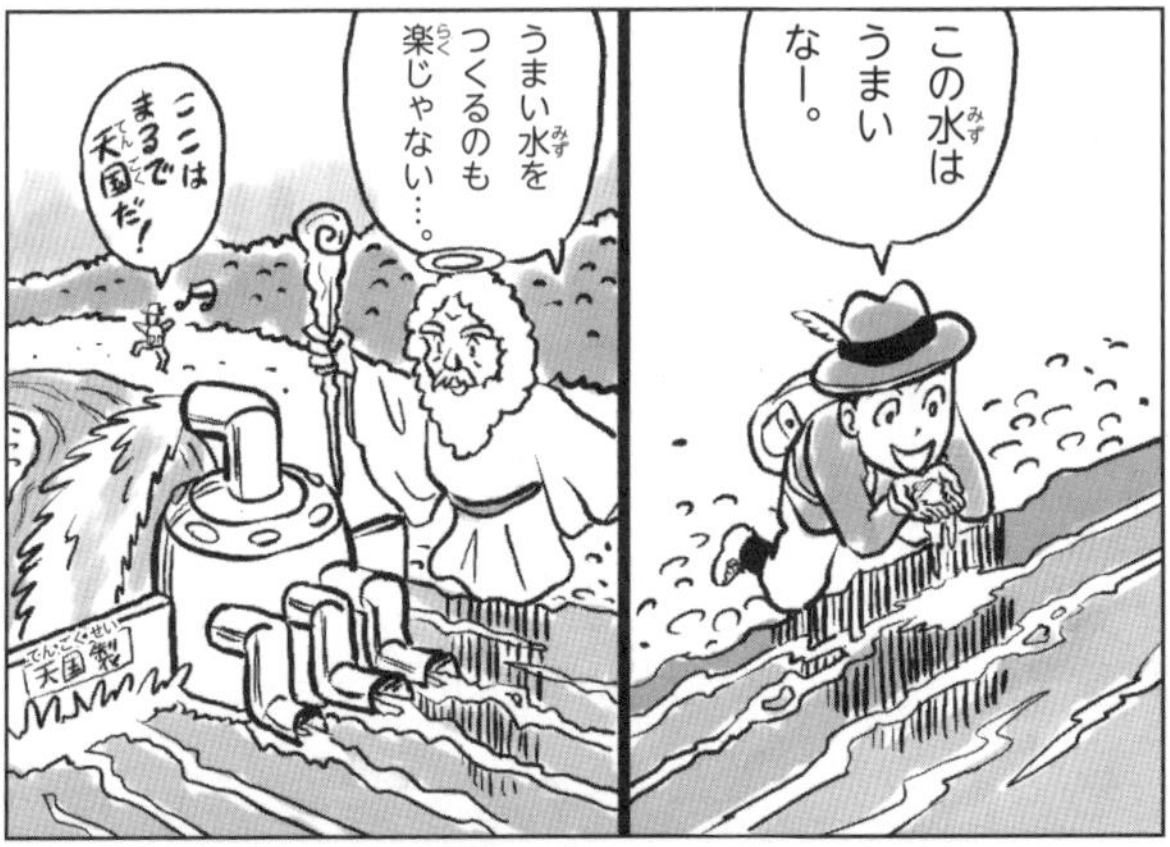
この水《みず》はうまいなー。
うまい水《みず》をつくるのも楽《らく》じゃない…。
ここはまるで天国《てんごく》だ！
天国製《てんごくせい》

川《かわ》の水《みず》が、のどのかわきを（⑥）した。

答え ④英気を養う ⑤ソース ⑥いやす

0094

脈絡《みゃくらく》

きちんとつながった、話《はなし》の筋道《すじみち》。

修学旅行《しゅうがくりょこう》は
ロマンだ!!
ロマンと言《い》えば、
海《うみ》。
海《うみ》と言《い》えば、
ハワイと白《しろ》クマ。
白《しろ》クマと言《い》えば…。

急《きゅう》に（　①　）のない話《はなし》をされ、みんな、理解《りかい》ができなかった。

0095

息《いき》が合《あ》う

気持《きも》ちがぴったりと合《あ》う。

ゴミ
捨《す》てて！
オッケー。
ポン
ポン

（　②　）った二人《ふたり》のプレーは、見《み》ていてとても気持《きも》ちがいい。

0096

神出鬼没《しんしゅつきぼつ》

すばやく現《あらわ》れたり、急《きゅう》に消《き》えたりして、居場所《いばしょ》がつかめないこと。

うあーっ!!
なんでここに!?
ぬおっ！
こんなとこにも！
ザッ
ぶら〜ん

この山《やま》のサルは（　③　）で、観光客《かんこうきゃく》の食《た》べ物《もの》をねらっている。

言葉《ことば》のワザをみがいて使《つか》いこなそう！

アタック・ザ・言葉《ことば》クイズ 04

□に入《はい》る言葉《ことば》を、⬚から選《えら》ぼう。関係《かんけい》ないものもあるよ。

①
大目《おおめ》に □
色眼鏡《いろめがね》で □

②
息《いき》が □
いがみ □

③
胸《むね》を □
終止符《しゅうしふ》を □

④
足《あし》が □
明《あか》るみに □

張《は》る　出《で》る　見《み》る　打《う》つ　飛《と》ぶ　合《あ》う

⇒答《こた》えは 73 ページにあります。

0097

言《い》いのがれ　言い逃れ

うまく言《い》い訳《わけ》をして、責任《せきにん》をとらずににげること。

つまみ食《ぐ》いしたでしょ？
さっき鳥《とり》が群《むら》がってたから取《と》ってっちゃったのかも！ママの料理《りょうり》がおいしすぎて！

うまく（　①　）ようとしたが、母《はは》にはすべてばれていた。

0098

心《こころ》を鬼《おに》にする

相手《あいて》に共感《きょうかん》する気持《きも》ちをおさえて、厳《きび》しい態度《たいど》をとる。

ぐあっ
私《わたし》は、あなたのためにしかっているのよーっ！
見《み》た目《め》も鬼《おに》だ…。

「あなたのために、（　②　）して言《い》っているの」と母《はは》は言《い》った。

0099

正念場《しょうねんば》

その人《ひと》の実力《じつりょく》がためされる大事《だいじ》な場面《ばめん》。勝負《しょうぶ》どころ。

ううむ。これがこうなって…。
戦略《せんりゃく》がむずかしい…！
…というか、どっちか引《ひ》くだけだろっ！
JOKER
トランプゲームのばばぬき中《ちゅう》

このゲームの勝敗《しょうはい》を分《わ》ける（　③　）にさしかかる。

答え　①言いのがれ　②心を鬼に　③正念場

0100

いまいましい

腹立《はらだ》たしい。しゃくにさわる。

第《だい》99回《かい》ウサギ×カメ
ゴール
ハソハソ
クソ〜ッ
また負《ま》けた〜ッ！

ウサギより先《さき》にゴールするなんて、（ ④ ）カメだ。

0101

いましめる

戒める

まちがいがないように注意《ちゅうい》する。用心《ようじん》する。

今度《こんど》こそ、いねむりしないぞ。
ヨ〜イ
最初《さいしょ》から全力《ぜんりょく》出《だ》し過《す》ぎた。
ゼイゼイ
もうダメだ
お先《さき》〜ッ
ハソハソ

自分《じぶん》を（ ⑤ ）て、今回《こんかい》は全力《ぜんりょく》で勝負《しょうぶ》にのぞんだ。

0102

一抹《いちまつ》

ほんの少《すこ》しだけ。

できる限《かぎ》りの努力《どりょく》はした…。
だが、何《なん》だ？このかすかな胸《むね》さわぎは…。
名前《なまえ》

できることはすべてやったが、なぜか（ ⑥ ）の不安《ふあん》が残《のこ》る。

答え ④いまいましい ⑤いましめ ⑥一抹

0103

旺盛《おうせい》

とても盛《さか》んなこと。勢《いきお》いがあること。

わぁぁ、やらせて、やらせて！
サル山《やま》、やめろ！あぶな…。
ジャッ
ボロンッ

彼《かれ》は好奇心《こうきしん》が（　①　）で、何《なん》でも挑戦《ちょうせん》したがる。

0104

疑心暗鬼《ぎしんあんき》

疑《うたが》う心《こころ》があると不安《ふあん》になり、何《なん》でもないことをおそろしく感《かん》じて、信《しん》じられなくなること。

待《ま》てよ…この先生《せんせい》のテストは引《ひ》っかけ問題《もんだい》が多《おお》い…。
答《こた》えは②と思《おも》わせておいて、本当《ほんとう》は③なのでは…!? いや、しかし…。
ギョロ
ギョロ
ブツブツ
？

あまり（　②　）になると、何《なに》が正《ただ》しいかがわからなくなるよ。

0105

まれ

めったになくて、めずらしい。

キミはうんこをふむぞ!!
占
へーそう
当《あ》たったことないくせに。
当《あ》たった〜!!

あのうらない師《し》の言《い》うことは、百回《ひゃっかい》に一回《いっかい》、（　③　）に当《あ》たる。

答え ①旺盛 ②疑心暗鬼 ③まれ

0106 永久不変《えいきゅうふへん》

いつまでも変化《へんか》しないこと。

若《わか》いころにちかった友情《ゆうじょう》は、（④）だ。

0107 さばを読《よ》む

自分《じぶん》の都合《つごう》のいいように、数《かず》をごまかしてかぞえる。

（⑤）んで、若《わか》く見《み》せようとしても…これは難《むずか》しいよ。

0108 ノーマル

普通《ふつう》。変《か》わったところがないこと。標準的《ひょうじゅんてき》。⇔アブノーマル

当時《とうじ》、かつらは音楽家《おんがくか》たちの間《あいだ》では（⑥）なものだった。

答え ④永久不変 ⑤さばを読 ⑥ノーマル

0109

事《こと》なきを得《え》る

危《あぶ》ないことが起《お》こらないで、無《ぶ》事《じ》に済《す》む。

カメ、ありがとう…。
まさかおぼれるとは…
危《あぶ》なかったですね。

おぼれそうになったが、カメに助《たす》けられて（　①　）た。

0110

付和雷同《ふわらいどう》

自分《じぶん》に定《さだ》まった考《かんが》えがなく、分《ふん》別《べつ》なく他人《たにん》の意見《いけん》に同調《どうちょう》すること。

みんな、どうしたい？
ライオンのいないところに行《い》こう！
ウン それでいい
いいよな
ウン いい
いや、ぼくは、ライオンさんと仲《なか》よくしたほうがいいかと…。
ガーッ
オッ ちがう意見《いけん》出《で》た！

（　②　）で結論《けつろん》がまとまりそうだったが、反対《はんたい》の意見《いけん》も出《で》た。

0111

押《お》し問答《もんどう》

お互《たが》いが負《ま》けずに、自分《じぶん》の意見《いけん》を言《い》い張《は》ること。

おこづかい100円《えん》なんて、コスメの一《ひと》つも買《か》えないじゃない!!
最低《さいてい》1000円《えん》は必要《ひつよう》！
な〜にがコスメだぁー!! 小学生《しょうがくせい》は必要《ひつよう》ないでしょーが！
1000円《えん》なんて多《おお》すぎるわ!!

おこづかいのことで、母《はは》と（　③　）をくり広《ひろ》げた。

答え ① 事なきを得 ② 付和雷同 ③ 押し問答

0112

ソリューション

解決策《かいけつさく》。問題《もんだい》をうまく処理《しょり》するための手段《しゅだん》。

ブツッ ブツッ
お母《かあ》さんをほめまくって肩《かた》をもみ、自分《じぶん》から進《すす》んでおつかいに行《い》けば、しかられずに済《す》むのではないか…!?
勉強《べんきょう》でも、そのくらい頭使《あたまつか》いなよ。

この問題《もんだい》への（④）を検討《けんとう》する。

0113

頭《あたま》かくして尻《しり》かくさず

悪事《あくじ》や欠点《けってん》の一部《いちぶ》をかくして、全部《ぜんぶ》をかくしたつもりでいる、おろかさをバカにしたことわざ。

チョコ？ 食《た》べてないよ。
…
じーっ

ひと目《め》でわかるうそをつくね。（⑤）だよ。

0114

開《あ》いた口《くち》がふさがらない

あきれてものが言《い》えない。

えっ…、全部《ぜんぶ》食《た》べちゃったの？
ごめーん

この量《りょう》を一人《ひとり》で全部《ぜんぶ》食《た》べてしまうとは、（⑥）。

答え ④ソリューション ⑤頭かくして尻かくさず ⑥開いた口がふさがらない

0115

勇《いさ》み足《あし》

勢《いきお》い余《あま》って、やり過《す》ぎること。

しまったっ!
こいつ、いい鬼《おに》だったのに、つい、やっつけちゃった!
えーん

いい鬼《おに》までこらしめたのは、（　①　）だったと反省《はんせい》する。

0116

例外《れいがい》

普通《ふつう》の例《れい》が当《あ》てはまらないこと。

おれ、夜行性《やこうせい》だから…。
だったら、
夜《よる》に学校《がっこう》へ来《こ》いよ!!
まあまあ…
グァァァ

彼《かれ》は（　②　）なので、いねむりをしてもおこられない。

0117

英断《えいだん》

思《おも》いきった決断《けつだん》。すぐれた判断《はんだん》。

ちょ――
無理《むり》!!
オレたちも逃《に》げろ!
ボオオッ!

おそるべき敵《てき》を前《まえ》に、隊長《たいちょう》は（　③　）を下《くだ》した。

答え　①勇み足　②例外　③英断

0118

満《まん》を持《じ》す

十分《じゅうぶん》に用意《ようい》して、チャンスを待《ま》つ。

9回裏《かいうら》一打逆転《いちだぎゃくてん》のチャンス…。ここでエースの投入《とうにゅう》だ！
オレ、ピッチャーなんだけど…。
任《まか》せたぞ！
二刀流《にとうりゅう》できねーし…
ストライク！

監督《かんとく》は（④）して、エースを打席《だせき》へ送《おく》り出《だ》した。

0119

ものものしい

近寄《ちかよ》りづらく、厳《きび》しすぎるほど厳重《げんじゅう》である。

何《なん》で、こんなにいるんだ…。

（⑤）警備《けいび》で、聖火《せいか》ランナーはゴールをめざした。

0120

切磋琢磨《せっさたくま》

宝石《ほうせき》をみがいて、かがやかせるように、互《たが》いに競《きそ》い合《あ》って向上《こうじょう》に努《つと》めること。

同《おな》じチームでも、ライバルとして互《たが》いにみがき合《あ》うんだ！
それがチームのかがやきにつながる！

ぼくたちは日々《ひび》、（⑥）してポジション争《あらそ》いをしている。

答え ④満を持 ⑤ものものしい ⑥切磋琢磨

0121

言《い》いなり

人《ひと》の言《い》うがままになること。言《い》うとおり。

あなた、電気《でんき》つけて。
はい。
ご飯《はん》、用意《ようい》して。
はい。
お皿《さら》洗《あら》って。
はい。

外《そと》ではえらそうにしている父《ちち》も、家《いえ》では母《はは》の（　①　）だ。

0122

力《りき》む

息《いき》をつめて、体中《からだじゅう》に力《ちから》を入《い》れる。気持《きも》ちを奮《ふる》い立《た》たせて、うまくやろうと意気込《いきご》む。

あっ

何事《なにごと》も、（　②　）み過《す》ぎないことが大切《たいせつ》だ。

0123

うかれる

浮かれる

気持《きも》ちがうきうきする。⇔しずむ

トリックオアトリート!!

ハロウィーンのお祭《まつ》りで、子《こ》どもたちは（　③　）ている。

答え ①言いなり ②力 ③うかれ

言葉《ことば》のワザをみがいて使《つか》いこなそう！

アタック・ザ・言葉《ことば》クイズ

05

文字《もじ》をたどって、それぞれに合《あ》う言葉《ことば》を探《さが》そう。

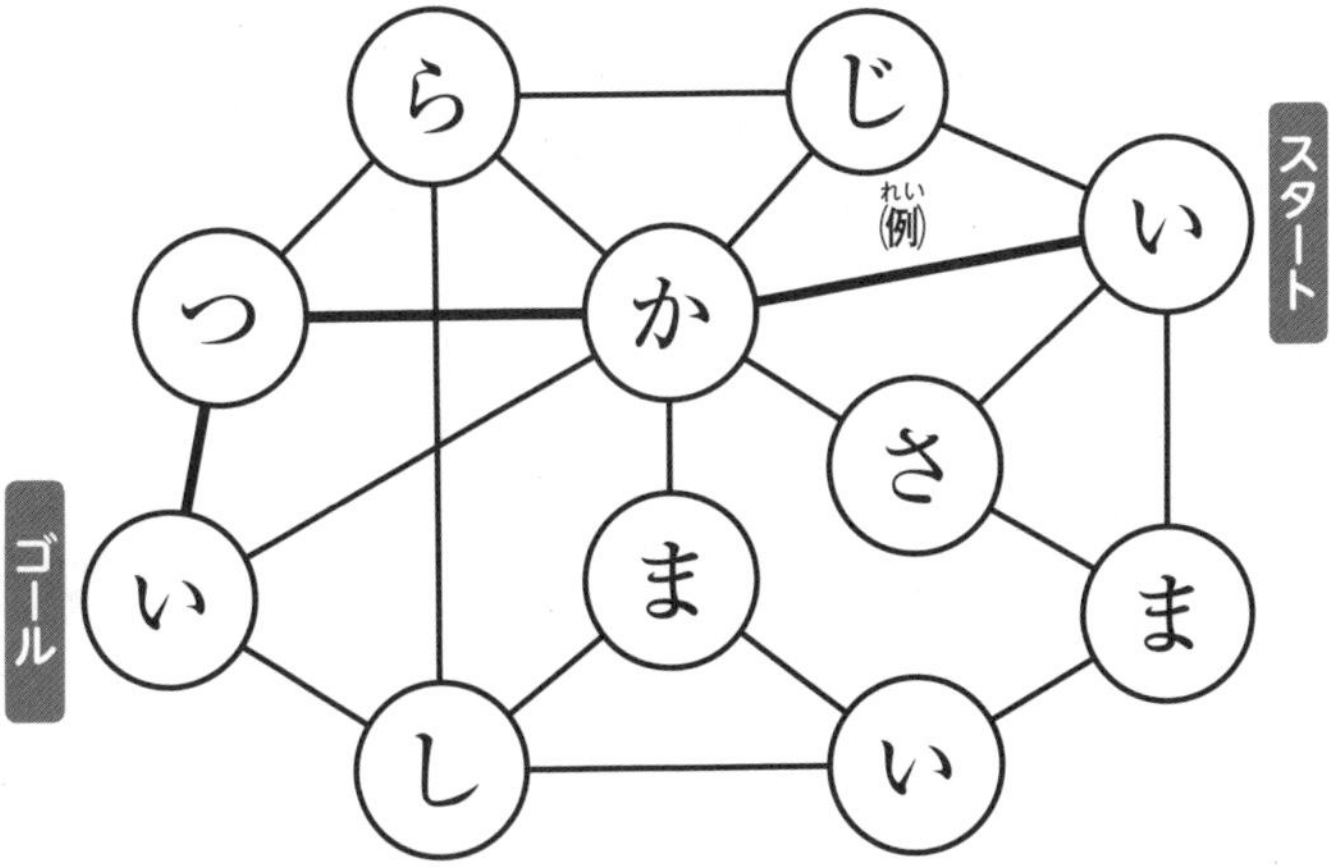

(例《れい》) ごつごつして、やわらかな感《かん》じがしない様子《ようす》。

い か つ い

① 言《い》い争《あらそ》い。ケンカ。

② 弱《よわ》い者《もの》ががんばっている姿《すがた》を見《み》て、かわいそうに思《おも》う気持《きも》ち。

③ 腹立《はらだ》たしい。しゃくにさわる。

⇒答《こた》えは73ページにあります。

0124

徹頭徹尾《てっとうてつび》

最初《さいしょ》から最後《さいご》まで。

ゴロゴロー
ステーン
わっ
素直《すなお》に教《おそ》わればいいのに。

（　①　）、彼《かれ》は自分《じぶん》のやり方《かた》にこだわって練習《れんしゅう》した。

0125

とびに油揚《あぶらあ》げをさらわれる

大切《たいせつ》なものを不意《ふい》に横《よこ》からうばわれて、気《き》がぬけて、ぼんやりとしていることのたとえ。

好《す》きです！ つき合《あ》ってくだ…。
ちょっと待《ま》ったーっ!!
ぼくとつき合《あ》ってください。
シュバッ
はい♡

まさかの展開《てんかい》！（　②　）とは、このことだ。

0126

息《いき》をふき返《かえ》す

生《い》き返《かえ》る。だめになりそうなものが盛《も》り返《かえ》して、再《ふたた》び活動《かつどう》を始《はじ》める。

大丈夫《だいじょうぶ》ですか？
もっ、もうダメだ…。
大丈夫《だいじょうぶ》です。
キリッ

彼《かれ》は、運命《うんめい》の出会《であ》いによって、あっという間《ま》に（　③　）した。

答え ①徹頭徹尾 ②とびに油揚げをさらわれる ③息をふき返す

0127

異彩《いさい》を放《はな》つ

周《まわ》りとは全然《ぜんぜん》ちがって見《み》える。特《とく》にすぐれている。

そんな格好《かっこう》して
打席《だせき》に立《た》っちゃ
いかんだろ！

コスプレ好《ず》きな彼《かれ》は、野球選手《やきゅうせんしゅ》としては（　④　）っている。

0128

トレンド

流行《りゅうこう》。社会《しゃかい》などの全体《ぜんたい》の流《なが》れ。

これからの宇宙服《うちゅうふく》はオシャレに!!
でも、宇宙《うちゅう》で大丈夫《だいじょうぶ》か、ちょっと不安《ふあん》…。

デザイナーには、（　⑤　）を見極《みきわ》める力《ちから》が必要《ひつよう》だ。

0129

まんじりともしない

うとうとともせず、少《すこ》しも眠《ねむ》らない。

何《なん》だかいやな感《かん》じがする…。

ぼくたちは山小屋《やまごや》の中《なか》で、（　⑥　）で夜《よ》を明《あ》かした。

0130

度肝《どぎも》をぬく

度肝を抜く

ひどくおどろかせる。びっくりさせる。

さあ、歌《うた》ってもらいましょう!
ミュージック
ゴゴゴ
ワーッ
ワーッ
中《なか》の人《ひと》は必死《ひっし》!
ガチャッ
ガチャッ

彼女《かのじょ》は（①）衣装《いしょう》で、会場《かいじょう》をわかせた。

0131

骨子《こっし》

重要《じゅうよう》な部分《ぶぶん》。要点《ようてん》。

骨子《こっし》とは、骨組《ほねぐ》みのことだよ!

ロボット事業《じぎょう》を推進《すいしん》する政策《せいさく》の（②）がまとまった。

0132

応《おう》じる

相手《あいて》が求《もと》めることに応《こた》える。従《したが》う。当《あ》てはめる。

相撲《すもう》勝負《しょうぶ》だ
ちゅうっ
うん、いいけど…。
大丈夫《だいじょうぶ》??

相手《あいて》のさそいに（③）て、相撲《すもう》をとることになった。

0133

二《に》の句《く》がつげない

あきれたり、おどろいたりして返《かえ》す言葉《ことば》がない。

まさか、サトシが11点《てん》も取《と》れるとは…。
そこじゃないでしょ…。

あまりの結果《けっか》に、（　④　）。

0134

表裏一体《ひょうりいったい》

二《ふた》つのものの関係《かんけい》が密接《みっせつ》で切《き》りはなせないこと。

美《うつく》しいハーモニーの秘密《ひみつ》は、二人《ふたり》の（　⑤　）の関係《かんけい》にある。

0135

玉石混淆《ぎょくせきこんこう》

良《よ》いものと悪《わる》いものが入《い》り混《ま》じっていること。

200円《えん》でいいですよ。
これはすごいレア物《もの》…!!!
フリーマーケット
おじいちゃんがもってたの
しかも200円《えん》!?
¥100
¥200

フリーマーケットは（　⑥　）で、たまにびっくりするお宝《たから》がある。

答え ④二の句がつげない ⑤表裏一体 ⑥玉石混淆

0136

お門《かど》ちがい

お門違い

見当《けんとう》ちがい。相手《あいて》がちがうこと。

お前《まえ》がかっこいいシュートを決《き》めなければ、オレらが勝《か》ってたんだ!!
お前《まえ》が見事《みごと》なパスをしなければ!!
え…
ほめてくれてる…?
ありがとう…

負《ま》けを対戦相手《たいせんあいて》のせいにするなんて、（①）だ。

0137

ソフト

やわらかなさま。「ソフトウェア（コンピューターを動《うご》かすプログラムのこと）」の略《りゃく》。⇔ハード

ふわっ

（②）な肌《はだ》ざわりだと思《おも》ったら、最高級《さいこうきゅう》のウールだった。

0138

水《みず》を打《う》ったよう

多数《たすう》の人《ひと》が静《しず》まりかえっている様子《ようす》。

テストですどっ!!
なんちゃって
しーん

先生《せんせい》の寒《さむ》いギャグで、教室《きょうしつ》は（③）な静《しず》けさになった。

0139

やむにやまれぬ

やめようとしても、やめることができない。そうしないではいられない。

なわとび世界一《せかいいち》をめざして旅《たび》に出《で》ます！
そこの道《みち》は行《い》き止《ど》まりじゃぞ。
タン
タン
タン

「なわとびがしたい！」という、（　④　）衝動《しょうどう》がぼくをかり立《た》てた。

0140

身《み》を固《かた》める

戦《たたか》いのために身支度《みじたく》を整《ととの》える。定職《ていしょく》につく。結婚《けっこん》して家庭《かてい》をもつ。

出動《しゅつどう》します！
これが消防服《しょうぼうふく》!?

消防士《しょうぼうし》は、特殊《とくしゅ》な素材《そざい》の消防服《しょうぼうふく》で（　⑤　）。

0141

お膳立《ぜんだ》て

物事《ものごと》がうまくいくように準備《じゅんび》をすること。

あ！
サボテンに水《みず》あげに帰《かえ》らなきゃ〜。
ガタ
……。この間《あいだ》は…ごめんね！
ううん、私《わたし》のほうこそ…。

友達《ともだち》が、彼女《かのじょ》との仲直《なかなお》りの場《ば》を（　⑥　）してくれた。

答え　④やむにやまれぬ　⑤身を固める　⑥お膳立て

0142

一杯《いっぱい》食《く》わす

まんまと人《ひと》をだます。

待《ま》て〜‥
お前《まえ》がやったんだろ?
ちがうよ!!
タヌキが化《ば》けてたんだよ!!

まんまとタヌキに（ ① ）されてしまった。

0143

一理《いちり》ある

一応《いちおう》、納得《なっとく》できる理由《りゆう》や理屈《りくつ》がある。

ウサギの普段《ふだん》の行《おこな》いをマネしただけだよ。
そうかなるほど
エ〜ッなるほどじゃないでしょ!

このタヌキは悪《わる》いやつだが、彼《かれ》の言《い》うことにも（ ② ）。

0144

あらすじ

物語《ものがたり》などの大《おお》まかな内容《ないよう》。

その映画《えいが》はね、モモから生《う》まれた人間《にんげん》が、仲間《なかま》とともに悪《あく》をたおすストーリーさ。
なんでモモから!? 見《み》たい、見《み》たーい!

友達《ともだち》から（ ③ ）を聞《き》いて、その映画《えいが》が見《み》たくなった。

答え ① 一杯食わ ② 一理ある ③ あらすじ

言葉《ことば》のワザをみがいて使《つか》いこなそう！

アタック・ザ・言葉《ことば》クイズ 06

□に合《あ》う漢字《かんじ》を［　］から選《えら》ぼう。関係《かんけい》ないものもあるよ。

①初《はじ》めの1回《かい》、2回《かい》は失敗《しっぱい》しても、3回目《かいめ》ぐらいにはうまくいくものだということのたとえ。

三《さん》□目《め》の正直《しょうじき》

②二《ふた》つの内容《ないよう》のちがう仕事《しごと》を両方《りょうほう》する。

二《に》□のわらじをはく

③一応《いちおう》、納得《なっとく》できる理由《りゆう》や理屈《りくつ》がある。

一《いち》□ある

④災難《さいなん》や困難《こんなん》なことが立《た》て続《つづ》けに身《み》にふりかかること。

一《いち》□去《さ》ってまた一難《いちなん》

回《かい》　理《り》　度《ど》　足《そく》　枚《まい》　難《なん》

⇒答《こた》えは73ページにあります。

0145

言《い》い損《そこ》なう

言《い》いまちがえる。言《い》うべきことや言《い》いたいことを言《い》わないでしまう。 ＝言《い》いそびれる

明日《あした》、学校《がっこう》休《やす》みだって言《い》い忘《わす》れちゃった…！
あっ
さよーならー

あわてていて、大事《だいじ》なことを（　①　）ってしまった。

0146

息《いき》の根《ね》を止《と》める

二度《にど》と立《た》ち上《あ》がれなくなるほど、ダメージをあたえる。

カキーン
おーっと、満塁《まんるい》ホームラン！
コールドゲームです！試合終了《しあいしゅうりょう》!!
あーっと、ピッチャーの山田《やまだ》くん、甲子園《こうしえん》の土《つち》で砂場遊《すなばあそ》び!?
相当《そうとう》なダメージを受《う》けているようです！

※コールドゲーム…大量点差《たいりょうてんさ》などで、試合《しあい》を打《う》ち切《き》ること。

だめおしの満塁《まんるい》ホームランで、完全《かんぜん》に（　②　）られた。

0147

うさんくさい

うさん臭い

何《なん》となくあやしくて、信用《しんよう》できない。いんちきな感《かん》じがする。

コレ、頭《あたま》がよくなる薬《くすり》!!　500円《えん》で売《う》ってやるよ!!
本当《ほんとう》はオレの鼻《はな》くそだけどなっ
めっちゃでかいのとれちったー！♥
……。
ヒッヒッヒッ
じーっ

「絶対《ぜったい》お買《か》い得《どく》！」と言《い》われたけれど、話《はなし》がどうも（　③　）。

答え　①言い損な　②息の根を止め　③うさんくさい

0148

セレクト

よいもの、適当《てきとう》なものをより分《わ》けること。選択《せんたく》。

今日《きょう》の写真《しゃしん》、あとで送《おく》るね。
よろしく～
これは、私《わたし》が半目《はんめ》だからアウト！
こっちは、私《わたし》が太《ふと》って見《み》えるからナシ。
これ、目《め》つぶってる子《こ》がいるけど、いいや。

自分《じぶん》がいちばんきれいに写《うつ》っている写真《しゃしん》を（④）した。

0149

律儀《りちぎ》

とてもまじめで、義理《ぎり》がたいこと。

ニャーオ！
こんにちは
ピチチチチッ
こんにちは
こんにちは
こんにちは

（⑤）な彼《かれ》は、毎朝《まいあさ》、町中《まちじゅう》の人《ひと》にあいさつする。

0150

引《ひ》けを取《と》る

人《ひと》よりも負《ま》けている。「引《ひ》けを取《と》らない」の形《かたち》で使《つか》うことが多《おお》い。

帰《かえ》り支度《じたく》ならだれにも負《ま》けない！
さようならっ
どんな自慢《じまん》なんだか。

教科書《きょうかしょ》をしまう速《はや》さなら、だれにも（⑥）らない。

答え ④セレクト ⑤律儀 ⑥引けを取

0151

いやがうえにも

ますます。よりいっそう。

0152

一方的《いっぽうてき》

片方《かたほう》だけにかたよって集中《しゅうちゅう》する様子《ようす》。

0153

一矢《いっし》を報《むく》いる

相手《あいて》の攻撃《こうげき》に、わずかながら反撃《はんげき》する。

オーーーッ！
アニマルズ、優勝《ゆうしょう》するぞ～!!
パオ～ッ
カン
カン
カン
ガオーッ
アニマルズ、モンスターズの打者《だしゃ》におされ気味《ぎみ》だ!!
たのむぞ!!
ゾウ選手《せんしゅ》、ホームランです！
カーン
優勝《ゆうしょう》した気分《きぶん》なんですかね。
やっと1点《てん》取《と》っただけですが…。
ありがとう！

今日《きょう》は決勝戦《けっしょうせん》。（①）気持《きも》ちが高《たか》まる。

相手《あいて》から（②）にせめられ、苦戦《くせん》を強《し》いられた。

どうにか相手《あいて》に1点《てん》を返《かえ》して、（③）ことができた。

答え ① いやがうえにも ② 一方的 ③ 一矢を報いる

0154

まんべんなく

残《のこ》すところなく、全体《ぜんたい》に。

いや〜ん 早《はや》くぬらないと 焼《や》けちゃう！
ゾウ山《やま》さん、日焼《ひや》けなんて気《き》にしなくてもよくない？
業務用《ぎょうむよう》 日焼《ひや》け止《ど》め

日焼《ひや》け止《ど》めのクリームを、全身《ぜんしん》に（ ④ ）ぬる。

0155

因果応報《いんがおうほう》

一《ひと》つの行《おこな》いには、それにふさわしい報《むく》いが必《かなら》ずあるということ。

エサくれー!!
魚《さかな》がとれない…
ゲホ ゲホ

人間《にんげん》が自然《しぜん》を破壊《はかい》したから、公害《こうがい》が起《お》きた。これも（ ⑤ ）だ。

0156

こっけい 滑稽

笑《わら》ってしまうような、おかしいこと。

この洋服《ようふく》は、シルクのような超上質《ちょうじょうしつ》な素材《そざい》なんじゃ！まるで何《なに》も身《み》につけていないかのような軽《かる》さ。バカには見《み》えないかな？
何《なに》も身《み》につけていません、王様《おうさま》…！

本人《ほんにん》は大《おお》まじめだが、彼《かれ》の姿《すがた》は（ ⑥ ）だった。

答え ④まんべんなく ⑤因果応報 ⑥こっけい

0157

なしのつぶて

連絡《れんらく》をしても返事《へんじ》のないこと。便《たよ》りのないこと。「つぶて」は、投《な》げつける小石《こいし》のこと。

あいつ、今《いま》、何《なに》しているんだろう…。

彼《かれ》は旅《たび》に出《で》てから（ ① ）で、何《なに》をしているかもわからない。

0158

足《あし》が地《ち》に着《つ》かない

うれしくてまい上《あ》がっている様子《ようす》。裏《うら》づけがないまま、考《かんが》えが先走《さきばし》ること。

念願《ねんがん》の、宇宙《うちゅう》ロケットに乗《の》ることができました。
クワ〜
クワ
うれしくてチョーうかれてま〜す!!
無重力《むじゅうりょく》で足《あし》が地《ち》に着《つ》きませーん。

彼《かれ》らは（ ② ）様子《ようす》で、夢《ゆめ》の実現《じつげん》を喜《よろこ》んだ。

0159

打《う》てばひびく

打てば響く

何《なに》かをして、すぐに反応《はんのう》がある。

もっと脇《わき》をしめてやるのじゃ…
ズバッ
…って、上達《じょうたつ》はやっ
こうですか?

（ ③ ）ように成長《せいちょう》するので、周囲《しゅうい》の人《ひと》もおどろいている。

答え ①なしのつぶて ②足が地に着かない ③打てばひびく

0160

バージョン

本《ほん》や製品《せいひん》の版《はん》や型《かた》。作《つく》られてから、何回更新《なんかいこうしん》されたかを知《し》るための表記《ひょうき》。

パスワードを入《い》れてください。
ログイン
パスワードを教《おし》えてください。
合言葉《あいことば》を言《い》ってください。
その質問《しつもん》にはお答《こた》えできません。

スマホを（ ④ ）アップしたら、使《つか》い方《かた》がわからなくなった。

0161

汗水《あせみず》たらす

一生懸命《いっしょうけんめい》に働《はたら》く様子《ようす》。

いらっしゃいませえ！
何名《なんめい》さまですかー？
いらっしゃいませえ！

（ ⑤ ）して働《はたら》いたアルバイトは、一生《いっしょう》の思《おも》い出《で》だ。

0162

おそれをなす

恐れをなす

こわがる。おびえる。

何《なん》だ、あのメイクは!?
ビクッ
ワハハハ
おっかねえ!!

どうやら敵《てき》は、（ ⑥ ）してにげたようだ。

答え ④バージョン ⑤汗水たら ⑥おそれをな

0163

身《み》をもって

自分自身《じぶんじしん》で。自《みずか》ら。

早《はや》い！
安《やす》い！
カメさんお荷物便《にもつびん》
客《きゃく》、来《こ》ね〜な〜……。
となり町《まち》まで
7日《か》 ¥1000
竜宮城《りゅうぐうじょう》まで
1年《ねん》 ¥10000

店《みせ》を始《はじ》めた彼《かれ》は、商売《しょうばい》の難《むずか》しさを（①）学《まな》んだ。

0164

二度《にど》あることは三度《さんど》ある

同《おな》じことが二度《にど》起《お》きれば、続《つづ》けてもう一度《いちど》起《お》きる場合《ばあい》が多《おお》い。

ビターン
バターン
あと1回《かい》……。
ドキドキ
じり
じり

2回転《かいころ》んだ。（②）と言《い》うから、注意《ちゅうい》して進《すす》もう。

0165

おごる

調子《ちょうし》に乗《の》って、いい気《き》になったり、えらそうにしたりする。

清《きよ》き…
ペコ
ペコ
清《きよ》き一票《いっぴょう》を、よろしくお願《ねが》いします！
みかん
当選後《とうせんご》
仕事《しごと》しろよ
秘書《ひしょ》！ドッグフード持《も》ってこい。

彼《かれ》は選挙《せんきょ》に当選《とうせん》したとたんに、（③）った態度《たいど》になった。

答え ①身をもって ②二度あることは三度ある ③おご

0166

ゆえん

理由《りゆう》。訳《わけ》。

ベー
いい子《こ》でちゅねー。
いないいないいない…。
キャッキャッ
E=mc²
アインシュタイン

才能《さいのう》におごらないところが、彼《かれ》の天才《てんさい》たる（ ④ ）だ。

0167

用意周到《よういしゅうとう》

用意《ようい》や準備《じゅんび》などが行《い》き届《とど》いていて、手落《てお》ちがないこと。

トランプ、フリスビー、ボールに、マンガと…。
よしっ！明日《あした》の遠足《えんそく》の準備《じゅんび》は万全《ばんぜん》だ！

遊《あそ》ぶことに関《かん》しては、いつも（ ⑤ ）だ。

言葉《ことば》クイズの答《こた》え

01 ①イ ②ウ ③ウ ④ア

02 ①おいたち（生《お》い立《た》ち） ②ありさま ③うやむや ④やにわに

03 ①機敏《きびん》 ②引用《いんよう》 ③異例《いれい》 ④横行《おうこう》

04 ①見《み》る ②合《あ》う ③打《う》つ ④出《で》る

05 ①いさかい ②いじらしい ③いまいましい

06 ①三《さん》「度《ど》」目《め》の正直《しょうじき》 ②二《に》「足《そく》」のわらじをはく ③一《いち》「理《り》」ある ④一《いち》「難《なん》」去《さ》ってまた一難《いちなん》

答え ④ゆえん ⑤用意周到

0168

言《い》いがかり

相手《あいて》を困《こま》らせるために、意地悪《いじわる》を言《い》うこと。

ハンドなんて、
するわけないじゃん。
おれ、8本全部足《ぼんぜんぶあし》だし。

サッカーで「ハンドだ！」と（　①　）をつけられた。

0169

意《い》に介《かい》する

気《き》にする。

アイツさ〜
へ〜ッ
あいつら、お前《まえ》の悪口《わるくち》を言《い》ってるぜ。
フ〜ン そういうときは…
動物《どうぶつ》になれば、人《ひと》の言葉《ことば》はわからなくなるわ。
ボン
自分《じぶん》がなるんだ

彼女《かのじょ》は、悪口《わるくち》を言《い》われても、少《すこ》しも（　②　）様子《ようす》がない。

0170

うそぶく

えらそうに大《おお》きなことを言《い》う。

パシッ
いや〜
ボクが出《で》ていれば、1位《い》だったのになあ〜。
もったいないわ〜
帰《かえ》ろうぜ〜
……。
リレー2位《い》

「ぼくが出《で》ていれば、優勝《ゆうしょう》していたね」と、彼《かれ》は（　③　）いた。

答え ①言いがかり ②意に介する ③うそぶく

言葉《ことば》のワザをみがいて使《つか》いこなそう！

アタック・ザ・言葉《ことば》クイズ 07

どこから読《よ》むと、意味《いみ》に合《あ》う言葉《ことば》になるかな？ 右回《みぎまわ》りで考《かんが》えてね。

①相手《あいて》を困《こま》らせるために、意地悪《いじわる》を言《い》うこと。

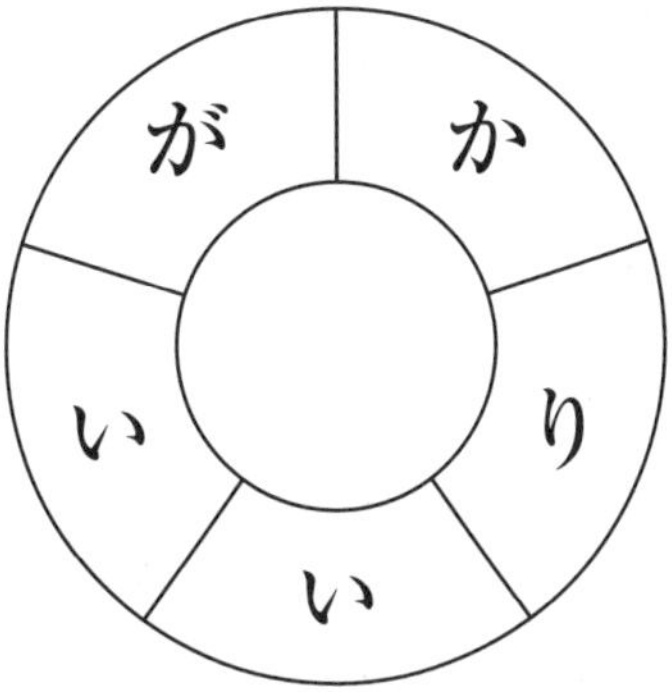

②何《なん》となくあやしくて、信用《しんよう》できない。いんちきな感《かん》じがする。

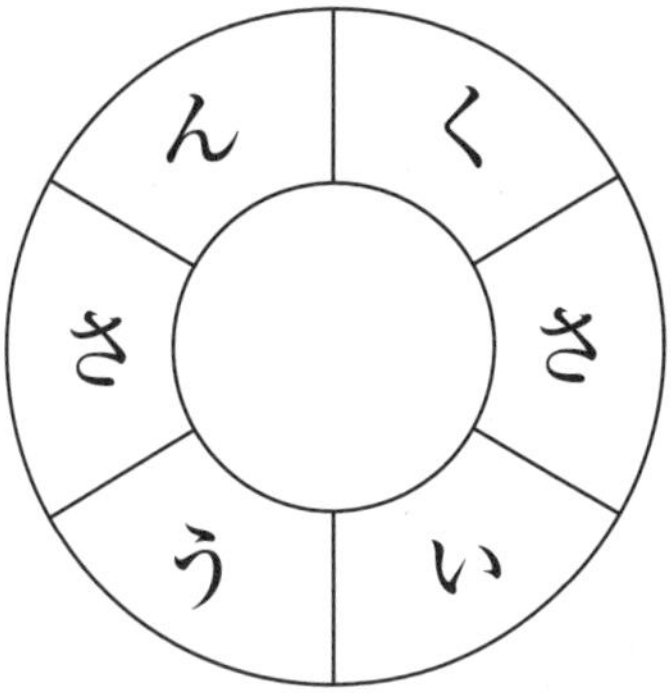

③すみからすみまで気《き》配《くば》りが行《い》き届《とど》いている様子《ようす》。

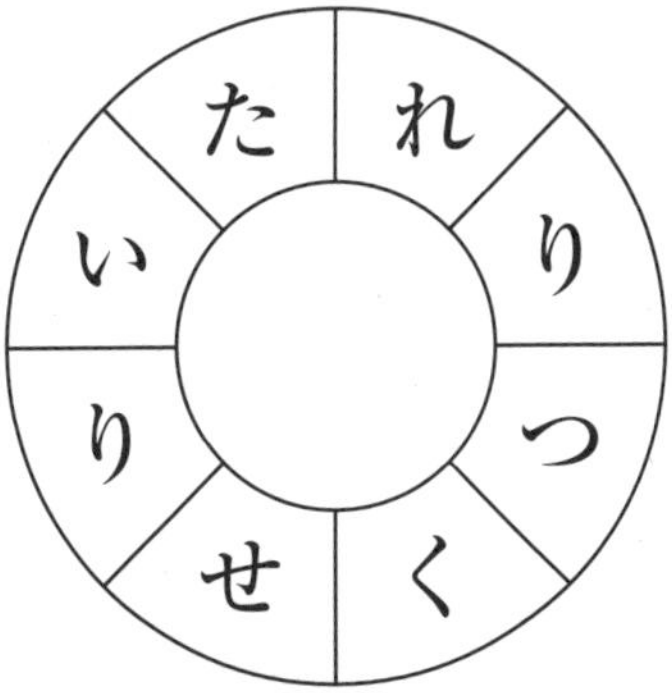

⇒答《こた》えは136ページにあります。

0171

一《いっ》喜《き》一《いち》憂《ゆう》

事態《じたい》が変《か》わるたびに、喜《よろこ》んだり、悲《かな》しんだりすること。

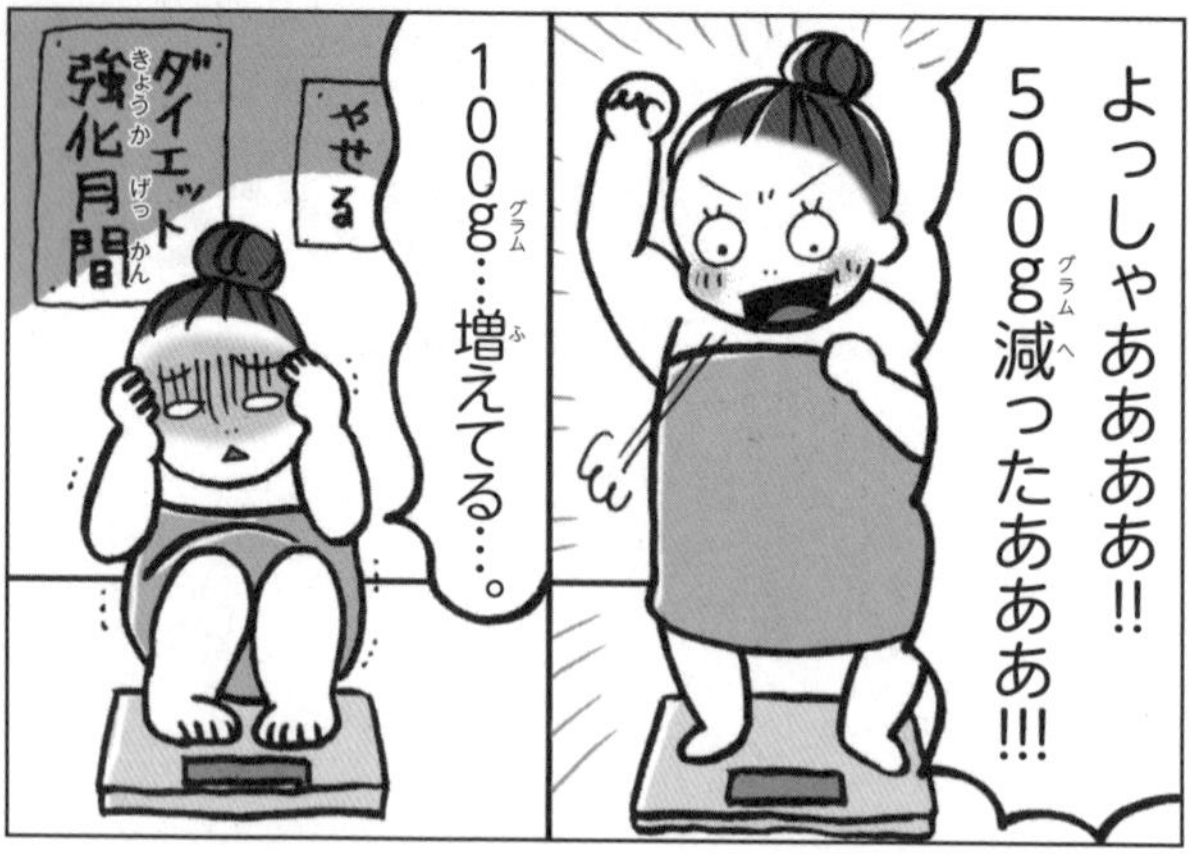
よっしゃあああ!!
500g《グラム》減《へ》ったあああ!!!
やせる
ダイエット強化《きょうか》月間《げっかん》
100g《グラム》…増《ふ》えてる…。

母《はは》は、体重計《たいじゅうけい》に乗《の》っては、（①）している。

0172

よそよそしい

まるで知《し》らない人《ひと》のように、冷《つめ》たく親《した》しみがない。他人行儀《たにんぎょうぎ》。

遊《あそ》ぼーよ。
こっちに来《く》るなよ。
この間《あいだ》、コイツといっしょにいて敵《てき》にねらわれたんだよな…。

なぜか、彼《かれ》の態度《たいど》が急《きゅう》に（②）くなった。

0173

一《いち》時《じ》的《てき》

そのときだけ。少《すこ》しの間《あいだ》だけ。

ちょっとだけ!
ちょっと預《あず》かっておくだけだから!
すぐ返《かえ》すから!
マンガ

「（③）に預《あず》かっておく」と、本《ほん》を持《も》っていかれてしまった。

答え ① 一喜一憂 ② よそよそしい ③ 一時的

0174

むげに

そっけなく。冷《つめ》たく。

バシ
お前《まえ》なんか、こわくないやい！
ビシッ

仲直《なかなお》りしようとしたが、（④）断《ことわ》られてしまった。

0175

規範《きはん》

判断《はんだん》したり、行動《こうどう》したりするときの基準《きじゅん》となるもの。

ろう下《か》を走《はし》るな〜！
先生《せんせい》が追《お》っかけてくるからだよ。
コエ〜ッ！
ドドド
なんだ、この穴《あな》は？
はいっちゃうか！

「ろう下《か》は走《はし》らない」は、学校《がっこう》生活《せいかつ》の（⑤）のひとつだ。

0176

当惑《とうわく》

どうしてよいかわからず、困《こま》ること。うろたえること。

なんだ、この教室《きょうしつ》？
四次元《よじげん》へのぬけ道《みち》だったのか…。
どこ行った？

見知《みし》らぬ教室《きょうしつ》に迷《まよ》い込《こ》んで（⑥）する。

答え ④むげに ⑤規範 ⑥当惑

0177

理不尽《りふじん》

理屈《りくつ》に合《あ》わず、納得《なっとく》できないこと。

ワー
ワー
ワー
今日《きょう》は、負《ま》けられない試合《しあい》だからな。
キッパリ

（①）に思《おも》えるメンバーだが、何《なに》か理由《りゆう》があるのかもしれない。

0178

セキュリティー

安全《あんぜん》を保《たも》つこと。犯罪《はんざい》が起《お》こらないように防《ふせ》ぐこと。

ちょろいぜ！
番犬《ばんけん》います
猛犬注意《もうけんちゅうい》!!

番犬《ばんけん》がいるから、（②）は完璧《かんぺき》だと思《おも》っていたのに…。

0179

誇張《こちょう》

大《おお》げさに表《あらわ》すこと。

ワシは昔《むかし》、ヒーローでな…。いじめられていたカメを助《たす》けるべく、一人《ひとり》で2000人《にん》の軍隊《ぐんたい》と戦《たたか》ったんじゃ。そして、ほうびに竜宮城《りゅうぐうじょう》へ行《い》ったってわけ！

おじいさんは、自分《じぶん》の活躍《かつやく》を（③）していると思《おも》う。

答え ① 理不尽 ② セキュリティー ③ 誇張

0180

あら探《さが》し　粗探し

欠点《けってん》や短所《たんしょ》ばかりをわざと探《さが》すこと。

この人《ひと》もいいんだけど〜、もう少《すこ》し身長《しんちょう》がね〜。
この人《ひと》は服《ふく》のセンスが〜。
この人《ひと》は飼《か》っているペットがちょっとね〜。
姉《ねえ》ちゃん、彼氏《かれし》いたことあるの？
一度《いちど》もない。

人《ひと》の（④）ばかりするので、姉《あね》の恋人探《こいびとさが》しは難航《なんこう》している。

0181

うきぼり　浮き彫り

はっきりわかるようになること。明《あき》らかになること。

そうか…。
オレたち、そもそも
ドーン
ルール知《し》らないわ
158 02
そりゃあ負《ま》けるっつーの！
なるほど

試合《しあい》に大負《おおま》けして、チームの弱点《じゃくてん》が（⑤）になった。

0182

奥歯《おくば》に物《もの》がはさまる

ものの言《い》い方《かた》が率直《そっちょく》ではない様子《ようす》。言《い》いたいことをはっきり言《い》わず、歯切《はぎ》れの悪《わる》い感《かん》じがすること。

とってもおいしそうだけど、おなかもあまり空《す》いてないし、
キミもよかったら、半分《はんぶん》食《た》べない？
むしろ、全部《ぜんぶ》どうぞ…。
要《よう》するに好《す》きじゃないのね。

（⑥）ったような言《い》い方《かた》はしないほうがいいよ。

答え ④あら探し ⑤うきぼり ⑥奥歯に物がはさまる

0183

のれんに腕《うで》おし

手応《てごた》えがなく、張《は》り合《あ》いがないことのたとえ。力《ちから》を入《い》れても手《て》応《ごた》えのないことから。

何度《なんど》も注意《ちゅうい》しているのに…。
んっ、なに？
あっけらかん

何度《なんど》言《い》っても（　①　）で、あの子《こ》には効《き》き目《め》がない。

0184

影《かげ》がうすい

影が薄い

その場《ば》にいても存在感《そんざいかん》がない。印《いん》象《しょう》が弱《よわ》い。

休《やす》み時間《じかん》
うおー！
授業中《じゅぎょうちゅう》
スー…
うすっ!!

外《そと》で遊《あそ》ぶのが大好《だいす》きなあの子《こ》は、授業中《じゅぎょうちゅう》はとても（　②　）くなる。

0185

おこたる

怠る

なまける。気《き》をゆるめる。⇔ははげむ

寝《ね》るなー！

一人《ひとり》でも練習《れんしゅう》を（　③　）と、チームの士気《しき》が下《さ》がってしまう。

0186
二者択一《にしゃたくいつ》
二《ふた》つのうちから一《ひと》つを選《えら》ぶこと。

0187
名《な》を残《のこ》す
後世《こうせい》まで名声《めいせい》が伝《つた》えられる。

0188
推敲《すいこう》
詩《し》や文章《ぶんしょう》などの語句《ごく》を何度《なんど》も練《ね》り直《なお》して、よいものにすること。

う〜〜む…
僧《そう》は推《お》す…。僧《そう》は敲《たた》く…。
◀賈島《かとう》
どっちがいいんだろうか…。
おっと
危《あぶ》ないですぞ、何《なに》を考《かんが》えていたのですかな？
▶韓愈《かんゆ》
あ、これは韓愈先生《かんゆせんせい》！失礼《しつれい》いたしました！
実《じつ》は詩《し》の語句《ごく》でなやんでおりまして。
なるほど。それは、「敲《たた》く」のほうがよいでしょうな。
やはり、そうでしたか!! もう一度《いちど》よく読《よ》んで考《かんが》え直《なお》してみます。

（ ④ ）だが、どちらを選《えら》ぶか決《き》められない。

後世《こうせい》に（ ⑤ ）ような人物《じんぶつ》から、教《おし》えていただく機会《きかい》を得《え》た。

いい文章《ぶんしょう》にするには、書《か》いたあと、必《かなら》ず（ ⑥ ）することだ。

答え ④二者択一 ⑤名を残す ⑥推敲

0189

身《み》に余《あま》る

自分《じぶん》にはもったいないほどのことで、ふさわしくない。

そなたに勲章《くんしょう》をさずけるぞ！
ろう下《か》に落《お》ちてたゴミを拾《ひろ》っただけなのに…。大《おお》げさだなあ。

王様《おうさま》からほめられるなんて、（①）光栄《こうえい》です。

0190

パーフェクト

完璧《かんぺき》。欠《か》けていない様子《ようす》。完全《かんぜん》で申《もう》し分《ぶん》のないさま。

あらゆる攻撃《こうげき》を防《ふせ》ぐことができる。
完璧《かんぺき》だ…。
ゴーン
ボー

（②）な実験結果《じっけんけっか》に、自分《じぶん》でもおどろいている。

0191

親《おや》の心《こころ》子《こ》知《し》らず

子《こ》のためを思《おも》ってあれこれする親《おや》の心《こころ》を、子《こ》は理解《りかい》せずに勝手《かって》なことをするものだ。

お兄《にい》ちゃん、毎日《まいにち》ゲームばっかりやって遊《あそ》んでるよ！
うおーっ
勉強《べんきょう》の息《いき》ぬきに買《か》ったのに…！

せっかく買《か》ってあげたのに…。まったく（③）だよ。

答え ①身に余る ②パーフェクト ③親の心子知らず

言葉《ことば》のワザをみがいて使《つか》いこなそう！

アタック・ザ・言葉《ことば》クイズ 08

入試問題《にゅうしもんだい》に挑戦《ちょうせん》！

つながらない言葉《ことば》の（　）に×をつけなさい。

（鎌倉学園中学校・改題）

例《れい》　「足《あし》」
（　）つく
（　）すくむ
（　）すくう
（×）こまねく

→足《あし》（が）つく
→足《あし》（が）すくむ
→足《あし》（を）すくう
→足《あし》（×）こまねく

①　「手《て》」
（　）空《あ》く
（　）かかる
（　）こまねく
（　）かしげる

②　「身《み》」
（　）染《し》みる
（　）余《あま》る
（　）汗《あせ》をにぎる
（　）固《かた》める

③　「肩《かた》」
（　）並《なら》べる
（　）荷《に》が下《お》りる
（　）毛《け》がよだつ
（　）風《かぜ》を切《き》る

⇒答《こた》えは136ページにあります。

0192

暗黙《あんもく》

何《なに》も言《い》わないで、だまっていること。

彼《かれ》とぼくとは
チームメイト！

ぼくは、彼《かれ》の気《き》持《も》ちを（　①　）のうちに理解《りかい》した。

0193

瓜《うり》のつるになすびはならぬ

平凡《へいぼん》な親《おや》から非凡《ひぼん》な子《こ》は生《う》まれないというたとえ。

ヒィヒィ
がんばれっ!!
ノロノロ
それ、父《とう》ちゃんの昔《むかし》の写真《しゃしん》。
フッ…
同《おな》じだ…。

父《ちち》の子《こ》どものころの写真《しゃしん》を見《み》つけて、（　②　）と思《おも》う。

0194

打《う》ってつけ

ぴったり当《あ》てはまること。

ボクでいいのかな？
クラスの劇《げき》
ブタの大冒険《だいぼうけん》
主役《しゅやく》ブタ男《お》くん
ブタなキミしかいないもの
ピッタリだよ、
パチ
パチ
パチ
パチ

この劇《げき》の主人公《しゅじんこう》は、彼《かれ》に（　③　）の役《やく》だ。

答え　①暗黙　②瓜のつるになすびはならぬ　③打ってつけ

0195 見《み》かけだおし

見かけ倒し

いいのは外見《がいけん》だけで、中身《なかみ》は全然《ぜんぜん》よくないこと。

サッカー、うまそうな顔《かお》なのにね…。
…って、どういう顔《かお》だ。
スカッ

スポーツが得意《とくい》そうなのに、（④）でがっかりだ。

0196 クライマックス

映画《えいが》や演劇《えんげき》などで、最《もっと》も盛《も》り上《あ》がった場面《ばめん》。山場《やまば》。最高潮《さいこうちょう》。

テンションマックスー
先輩《せんぱい》、
コイツのヘルメット…。
安全《あんぜん》＋第一《だいいち》

勝敗《しょうはい》を決《き》める最後《さいご》の攻撃《こうげき》で、試合《しあい》が（⑤）に達《たっ》する。

0197 いたわる

お年寄《としよ》りや苦労《くろう》をしている人《ひと》などに親切《しんせつ》に接《せっ》する。ねぎらう。

おや!? かわいそうにケガをしているのかい？
さあ、包帯《ほうたい》を巻《ま》いてあげよう。

おじいさんは、弱《よわ》い者《もの》を（⑥）やさしい人《ひと》だ。

答え ④見かけだおし ⑤クライマックス ⑥いたわる

0198

頭《あたま》ごなし

相手《あいて》の話《はなし》を聞《き》かずに、一方的《いっぽうてき》に決《き》めつけること。

試合終了《しあいしゅうりょう》!
ピー
ビクッ
何《なに》やってるんだ、お前《まえ》らーっ!!!
くわっ

試合《しあい》が終《お》わると、コーチは（ ① ）にぼくたちをどなった。

0199

当《あ》てこすり

それとわかるように、ほかの言《こと》葉《ば》で悪口《わるくち》や皮肉《ひにく》を言《い》うこと。

だれかさんがあのとき、ミスしなければなー。
人《ひと》のせいにするな!!
グサッ
チャンスだったのにさー。

（ ② ）を言《い》うなんて、スポーツマンシップに反《はん》するぞ。

0200

利己的《りこてき》

自分《じぶん》だけにいいようにしようとする様子《ようす》。

顔《かお》はやめて!!

（ ③ ）な行動《こうどう》はよくないよ。みんなで助《たす》け合《あ》おう。

答え ① 頭ごなし ② 当てこすり ③ 利己的

0201
固執《こしつ》
自分《じぶん》の考《かんが》えなどに強《つよ》くこだわること。 ＝固持《こじ》

おじいさんや…。今日《きょう》はあらしだからしばかりは、せんでも…。
いいや、しばかる！そういうふうに決《き》めている！
ゴーッ

彼《かれ》は、長年《ながねん》の習慣《しゅうかん》に（　④　）している。

0202
意《い》のまま
思《おも》ったとおり。

お前《まえ》は強《つよ》い！お前《まえ》は最強《さいきょう》の戦士《せんし》だ！
ムキ〜ッ
さあ、行《い》けー!!

サルに暗示《あんじ》をかけて、（　⑤　）にあやつった。

0203
いびつ
形《かたち》がゆがんでいる様子《ようす》。正常《せいじょう》でない様子《ようす》。

さて、次《つぎ》はどっちが最強《さいきょう》の戦士《せんし》になる？
オレサイコ〜!!
日本一

死闘《しとう》を制《せい》したサルの頭《あたま》には、（　⑥　）なこぶができていた。

答え　④固執　⑤意のまま　⑥いびつ

0204

あらかた

ほとんど。だいたい。大部分《だいぶぶん》。

博士《はかせ》、たのみましたよ。
はい。
巨大《きょだい》ロボット設計《せっけい》図《ず》
3日後《みっかご》
トンカン
トンカン
あと少《すこ》しです。
調子《ちょうし》はどうですか…。
早《はや》ッ!!!

博士《はかせ》は、ロボットを3日《みっか》で（①）仕上《しあ》げた。

0205

身《み》に染《し》みる

体中《からだじゅう》で感《かん》じるかのように、強《つよ》く深《ふか》く感《かん》じる。

今日《きょう》の夜食《やしょく》はバーベキューよ!
夜中《よなか》に近所迷惑《きんじょめいわく》だよ〜。
合格《ごうかく》!

毎晩《まいばん》、夜食《やしょく》を作《つく》ってくれる母《はは》の愛《あい》が（②）。

0206

とうとつ 唐突

予期《よき》しないことが、いきなり起《お》こる様子《ようす》。

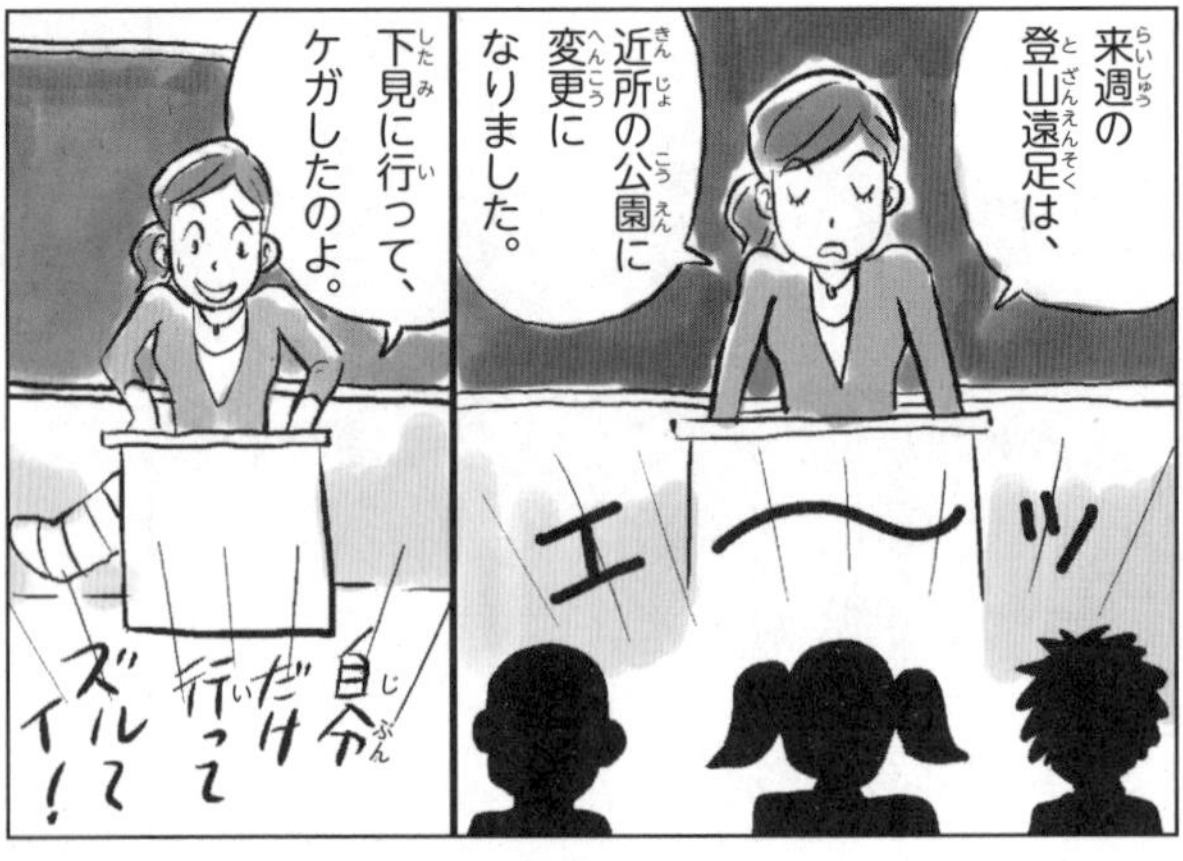
来週《らいしゅう》の登山遠足《とざんえんそく》は、
近所《きんじょ》の公園《こうえん》に変更《へんこう》になりました。
下見《したみ》に行《い》って、ケガしたのよ。
エ〜〜ッ
自分《じぶん》だけ行《い》ってズルイ!

遠足《えんそく》の行《い》き先《さき》が、（③）に変更《へんこう》された。

答え ①あらかた ②身に染みる ③とうとつ

0207

意向《いこう》

どうしたいかという気持《きも》ち。

ボクは珍獣探《ちんじゅうさが》しデートがいいと思《おも》うんだけど、キミはどうしたい？
それ以外《いがい》がいいわ！

デートでは、相手《あいて》の（④）も取《と》り入《い》れることが大切《たいせつ》だ。

0208

片棒《かたぼう》をかつぐ

計画《けいかく》に加《くわ》わって協力《きょうりょく》する。多《おお》くの場合《ばあい》、悪《わる》い場面《ばめん》で使《つか》う。

ぼくらも、あのウサギとはいろいろあって。
えっほ
えっほ
しょうがない、運《はこ》んであげよう。
あ〜ラクチン
まさか！カメのやつ！

仕返《しかえ》しをするため、ある作戦《さくせん》の（⑤）いだ。

0209

大《おお》きい顔《かお》をする

えらぶって、いばった態度《たいど》をとる。

やあ、ねぼすけのウサギくん。
調子《ちょうし》はどうかね？

ウサギに勝《か》ったカメは、ここぞとばかりに（⑥）した。

答え ④意向 ⑤片棒をかつ ⑥大きい顔を

0210

有無《うむ》を言《い》わせず

相手《あいて》の気持《きも》ちを聞《き》かずに、無理《むり》やり。

ローラー引《ひ》き50周《しゅう》!!
ううっ
ううっ
10トン
10トン
10トン

鬼《おに》コーチは、ハードな練習《れんしゅう》で（①）選手《せんしゅ》たちをしごく。

0211

引《ひ》く手《て》あまた

あちこちからさそわれること。

ぜひうちへ!!
ウチヘキテクダサイ
うちのチームへ
うちのチームへ
8

公式戦《こうしきせん》での活躍《かつやく》が注目《ちゅうもく》され、彼《かれ》は（②）だ。

0212

とうげをこす

峠を越す

最高《さいこう》の時期《じき》や、危険《きけん》な状態《じょうたい》を過《す》ぎて、勢《いきお》いがおとろえ始《はじ》める。

アツイアツ
ママ〜ッ
あれ、ホントにペンギン?
やっと涼《すず》しくなった
やっと調子《ちょうし》が出《で》てきたか!

夏《なつ》の暑《あつ》さも、ようやく（③）した。

0213

烙印《らくいん》を押《お》される

消《け》し去《さ》ることのできない悪《わる》い評価《ひょうか》を受《う》ける。

ひ弱《よわ》の（④）なんて、心外《しんがい》だ。今日《きょう》から体《からだ》をきたえるぞ。

0214

コンディション

そのときの状態《じょうたい》。調子《ちょうし》。具合《ぐあい》。

こちら、台風《たいふう》が上陸《じょうりく》した現場《げんば》です!!
ビュオオオオオ
ご覧《らん》のとおりすごい風《かぜ》です!!
すごい！まさにプロだ！

（⑤）が悪《わる》くても、結果《けっか》を残《のこ》すのがプロの仕事《しごと》だ。

0215

大《だい》は小《しょう》をかねる

大《おお》きいものは、小《ちい》さいものの代《か》わりにも使《つか》うことができる。

たくさん入《はい》るよ。
いくら何《なん》でも大《おお》きすぎ！

（⑥）といっても、このカバンは大《おお》きすぎるよ。

答え ④烙印を押される ⑤コンディション ⑥大は小をかねる

0216

安直《あんちょく》

安上《やすあ》がり。手軽《てがる》でいい加減《かげん》な様子《ようす》。＝安易《あんい》

小屋《こや》！小屋《こや》作《つく》った！
紙《かみ》で！
5分《ふん》でできた！
ピュー

（　①　）に作《つく》ったものは、すぐに不具合《ふぐあい》が出《で》る危険《きけん》がある。

0217

意表《いひょう》をつく

予想《よそう》もしなかったことをして、おどろかせる。

タッチ
ズッ
オッと
…と見《み》せかけて、ホントは…ボールはこっち！

（　②　）いた作戦《さくせん》で、相手《あいて》の選手《せんしゅ》を出《だ》しぬいた。

0218

うっぷん　鬱憤

心《こころ》の中《なか》にたまった、腹立《はらだ》たしかったり、いらいらしたりする気持《きも》ち。

あるぅひぃい森《もり》の中《なか》ああ
くまさんにぃい出会《であ》ったああ

カラオケで大声《おおごえ》で歌《うた》い、（　③　）を晴《は》らす。

答え　①安直　②意表をつい　③うっぷん

言葉《ことば》のワザをみがいて使《つか》いこなそう！

アタック・ザ・言葉《ことば》クイズ 09

（　）に合《あ》う言葉《ことば》を、［　］から選《えら》ぼう。関係《かんけい》ないものもあるよ。

①気《き》にかける
意味《いみ》 気《き》にして、（　　　）する。

②一矢《いっし》を報《むく》いる
意味《いみ》 相手《あいて》の攻撃《こうげき》に、わずかながら（　　　）する。

③名《な》を残《のこ》す
意味《いみ》 後世《こうせい》まで（　　　）が伝《つた》えられる。

④胸《むね》をなでおろす
意味《いみ》 （　　　）する。

困難《こんなん》　安心《あんしん》　心配《しんぱい》　名声《めいせい》　反撃《はんげき》　理由《りゆう》

⇒答《こた》えは136ページにあります。

0219

ゆだねる

委ねる

人《ひと》に任《まか》せる。

お化《ば》け退治《たいじ》は私《わたし》たちにお任《まか》せあれ！
どっちもどっちだな…。

村《むら》の危機《きき》を救《すく》うための対策《たいさく》を、彼《かれ》らにすべて（①）た。

0220

栄枯盛衰《えいこせいすい》

栄《さか》えたり、おとろえたりすること。栄《さか》えているものも、いつかはおとろえるということ。

このデパートもついに閉店《へいてん》か…。
コンビニが増《ふ》えましたものね。

（②）は世《よ》の常《つね》だけど、ここがなくなるのはさびしいね。

0221

雨後《うご》のたけのこ

雨《あめ》が降《ふ》ったあとのたけのこのように、次《つぎ》から次《つぎ》へと続《つづ》いて出《で》てくることのたとえ。

っていうか、コンビニ増《ふ》えすぎ!!
ズラーーッ
ガビーン

コンビニが（③）のように、町《まち》のあちこちにでき始《はじ》めた。

答え ①ゆだねる ②栄枯盛衰 ③雨後のたけのこ

0222

おくびにも出《だ》さない

決《けっ》して口《くち》に出《だ》さない。かくしていて、それらしい様子《ようす》を見《み》せない。「おくび」は、げっぷのこと。

ここは、
グッ
っしゃー
こいやーーーっ
ケガを理由《りゆう》にしてはいけない!

彼《かれ》は、ケガしていることを（④）ずにプレーを続《つづ》けた。

0223

ハード

固《かた》い。難《むずか》しい。困難《こんなん》な。「ハードウェア（コンピューター本体《ほんたい》のこと）」の略《りゃく》。⇔ソフト

どんだけつかれ切《き》ってんだ…。
メダル、取《と》りかえちゃおうかな～。
金《きん》
銀《ぎん》
銅《どう》
3
1
2

優勝《ゆうしょう》できたのは、（⑤）なトレーニングのおかげだ。

0224

小細工《こざいく》

見《み》えすいていてくだらない、たくらみや手段《しゅだん》。

赤《あか》ずきんや、何《なに》を疑《うたが》っているんだい?
おばあちゃんだよ?
オオカミさんの変装《へんそう》は、本当《ほんとう》につめがあまいわね。

へたな（⑥）をしても、私《わたし》には通用《つうよう》しないわよ。

答え ④おくびにも出さ ⑤ハード ⑥小細工

0225

縦横無尽《じゅうおうむじん》

心《こころ》のまま、思《おも》いどおりに動《うご》き回《まわ》ること。このうえなく自由自在《じゆうじざい》であること。

カチャッ
カチャッ
カチャッ
カチャッ
読《よ》めないじゃん!
ボク語《ご》さ!

キーボード上《じょう》で、彼《かれ》の指《ゆび》が（　①　）に動《うご》く。

0226

見《み》くびる

大《たい》したことはないと、相手《あいて》を軽《かる》く見《み》る。＝あなどる

王手《おうて》。
強《つよ》い!

小《ちい》さい子《こ》どもだからと、相手《あいて》を（　②　）ってはいけない。

0227

頭打《あたまう》ち

物事《ものごと》が限界《げんかい》まで達《たっ》して、それ以上《いじょう》のびなくなること。

去年《きょねん》も
大流行《だいりゅうこう》!!
あれ〜?
もう古《ふる》くね?
去年のNO.1ゲーム
そだてるゲーム
ひよこっち

年末《ねんまつ》を境《さかい》に、売《う》り上《あ》げは（　③　）となったようだ。

0228

腕《うで》ずく

力《ちから》を使《つか》って、無理《むり》やりに押《お》し通《とお》すこと。

イヤー
まだあそぶー
ビチ
なんか似《に》てる・・・
ビチ
ビチ
ビチ

「いやだ！」と泣《な》く子《こ》どもを（④）で連《つ》れもどす。

0229

押《お》しも押《お》されもしない

どこから見《み》ても、実力《じつりょく》が十分《じゅうぶん》で堂々《どうどう》としている様子《ようす》。

すごいっ！
ドン
バン…
ビクともしないっ！
ドカッ

単身《たんしん》で海外《かいがい》にわたり、今《いま》や（⑤）スター選手《せんしゅ》だ。

0230

幾多《いくた》

数多《かずおお》く。あまた。

ここまでの道《みち》のり、長《なが》かったあ！
いろいろあったね！

（⑥）の困難《こんなん》を乗《の》りこえて、ついに宝物《たからもの》を見《み》つけた。

答え ④腕ずく ⑤押しも押されもしない ⑥幾多

0231

偽造《ぎぞう》

偽物《にせもの》をつくること。

ゴロン
肉屋《にくや》
これで、肉《にく》ください。
穴《あな》の大《おお》きさがちがうな。
ニセモノだ
ピュ〜ッ

お金《かね》を（①）したが、すぐにばれてしまった。

0232

見《み》せしめ

本人《ほんにん》やほかの人《ひと》が、以後《いご》、同《おな》じような悪《わる》さをしないように罰《ばつ》をあたえ、それをみんなに見《み》せること。

カニさんをいじめた罰《ばつ》だよ。みんなの前《まえ》で反省《はんせい》しなっ！
うーん、ちゃんと反省《はんせい》してる？

（②）のために、みんなの前《まえ》で反省文《はんせいぶん》を書《か》かされた。

0233

おくゆかしい

奥ゆかしい

上品《じょうひん》でおとなしく、心《こころ》ひかれる魅力《みりょく》がある。

……!!

（③）さと強《つよ》さをかね備《そな》えた人《ひと》が、ぼくの理想《りそう》だ。

答え ①偽造 ②見せしめ ③おくゆかしい

0234
サクセス
成功《せいこう》すること。出世《しゅっせ》すること。地位《ちい》や名誉《めいよ》を得《え》ること。

豊臣秀吉《とよとみひでよし》

豊臣秀吉《とよとみひでよし》は、百姓《ひゃくしょう》から出世《しゅっせ》した（　④　）ストーリーの持《も》ち主《ぬし》だ。

0235
板《いた》ばさみ
二《ふた》つのものの間《あいだ》にはさまれてなやむこと。

鬼退治《おにたいじ》に行《い》こうぜ!
ぐい
ぐい
おい、ブレーメンに行《い》くんだろ!

ぼくは、友達二人《ともだちふたり》の間《あいだ》で（　⑤　）になった。

0236
説《と》きふせる
説き伏せる

よく説明《せつめい》して、自分《じぶん》の意見《いけん》に従《したが》わせる。説得《せっとく》する。

ゲームばっかりして!
ヨシ、今《いま》だ…
こんなにためになるゲームもあるんだよ。
ぼくが平社員《ひらしゃいん》で終《お》わっていいの? それにね…。
大出世《だいしゅっせ》ゲーム
キミも社長《しゃちょう》に!
ウ〜ン

母《はは》を（　⑥　）ために、入念《にゅうねん》に準備《じゅんび》をする。

答え ④サクセス ⑤板ばさみ ⑥説きふせる

0237

押《お》しつけがましい

相手《あいて》を気《き》にしない、無理《むり》やり押《お》しつけるような態度《たいど》である。

いっしょにタヌキそば、たのんでおいたからね！
お礼《れい》はいいって！
ありがとう…。
こ、こいつ～！
余計《よけい》なマネを…っ!!
カレーライスがよかったのに!!

（　①　）親切《しんせつ》は、かえって迷惑《めいわく》だ。

0238

羅列《られつ》

次々《つぎつぎ》に並《なら》べ連《つら》ねること。

MENU
BEEF《ビーフ》, JUICE《ジュース》...

知《し》っている英単語《えいたんご》を（　②　）するだけでは話《はなし》が伝《つた》わらない。

0239

晴耕雨読《せいこううどく》

晴《は》れた日《ひ》は田畑《たはた》を耕《たがや》し、雨《あめ》の日《ひ》は読《どく》書《しょ》をするような、せわしい世間《せけん》からはなれ、心《こころ》のままに生活《せいかつ》すること。

田舎暮《いなかぐ》らし、最高《さいこう》！
…って、キミいくつだよ！

将来《しょうらい》、田舎《いなか》に引《ひ》っ越《こ》して、（　③　）の日々《ひび》を送《おく》りたい。

答え　①押しつけがましい　②羅列　③晴耕雨読

言葉《ことば》のワザをみがいて使《つか》いこなそう！

アタック・ザ・言葉《ことば》クイズ 10

意味《いみ》に合《あ》うように、文字《もじ》を正《ただ》しく並《なら》べかえよう。

①貴重《きちょう》な物《もの》を持《も》っていても、持《も》ち手《て》によっては何《なん》の価値《かち》もないということのたとえ。

こ	ね	こ	に	ば	ん

②手応《てごた》えがなく、張《は》り合《あ》いがないことのたとえ。

に	し	の	お	で	ん	う	れ

③相手《あいて》を気《き》にしない、無理《むり》やり押《お》しつけるような態度《たいど》である。

お	け	つ	が	し	し	ま	い

⇒答《こた》えは 136 ページにあります。

0240

安泰《あんたい》

変《か》わったことがなく、おだやかで無事《ぶじ》なこと。

こっそり筋《きん》トレしてきたかいがあった!
これで、優勝確実《ゆうしょうかくじつ》!
カメ、いつの間《ま》にマッチョに!?
ムキ
ムキ

これだけ努力《どりょく》し続《つづ》けていれば、1位《い》の座《ざ》は今年《ことし》も（　①　）だ。

0241

横《よこ》やりを入《い》れる

関係《かんけい》のない人《ひと》が、横《よこ》から口《くち》を出《だ》してじゃますること。

あんただけずるいわよーっ!!
ビュッ!!

母《はは》とおこづかいの交渉《こうしょう》をしていたら、姉《あね》に（　②　）られた。

0242

うとい

疎い

関係《かんけい》があまり深《ふか》くない。よく知《し》らない。

タケシ。
オハヨウ。
パオーン
だめだろーゾウに乗《の》ってきちゃー

アフリカ育《そだ》ちの彼女《かのじょ》は、日本《にほん》の生活習慣《せいかつしゅうかん》に（　③　）。

答え ①安泰 ②横やりを入れ ③うとい

0243

一見《いっけん》

ちょっと見《み》ること。また、ひととおり見《み》ること。

0244

一変《いっぺん》

すっかり変《か》わること。 類 一転《いってん》

（④）、若《わか》く見《み》える母《はは》は、メイクに時間《じかん》をかけている。

通知表《つうちひょう》を見《み》せたら、にこやかだった母《はは》の表情《ひょうじょう》が（⑤）した。

0245

いたいけ

幼《おさな》くて、かわいい様子《ようす》。子《こ》どもらしく懸命《けんめい》な姿《すがた》が、痛々《いたいた》しくかわいそうなさま。

（⑥）な女《おんな》の子《こ》が、一人《ひとり》で砂《すな》の城《しろ》を作《つく》って遊《あそ》んでいる。

答え ④一見 ⑤一変 ⑥いたいけ

0246

おこがましい

生意気《なまいき》だ。出《で》しゃばりだ。

先輩《せんぱい》！
シークレットブーツは校則違反《こうそくいはん》です!!
キャー
ガバッ
やめてーっ

（　①　）と思《おも》いながらも、先輩《せんぱい》の校則違反《こうそくいはん》を注意《ちゅうい》した。

0247

胸《むね》を打《う》つ

強《つよ》く感動《かんどう》させる。心《こころ》を打《う》つ。

危《あぶ》ないところだったぜ！
ワーーッ!!
やれやれ

勇敢《ゆうかん》な救助隊員《きゅうじょたいいん》の行動《こうどう》は、見守《みまも》っていた人々《ひとびと》の（　②　）った。

0248

うわさをすれば影《かげ》が差《さ》す

人《ひと》のうわさをすると、その人《ひと》がちょうどやってくるものであるということ。

だれがハゲデブだって？
ヒエエエ

（　③　）というからね、悪口《わるくち》は言《い》わないほうがいいよ。

答え　①おこがましい　②胸を打　③うわさをすれば影が差す

0249

見境《みさかい》

物事《ものごと》の区別《くべつ》。きちんとした判断《はんだん》。

久《ひさ》しぶり！
かみ切《き》った？
持《も》つよ。
その本《ほん》、おもしろい？

彼《かれ》は、女《おんな》の子《こ》ならだれにでも（④）なく声《こえ》をかける。

0250

圧倒的《あっとうてき》

比《くら》べものにならないくらい、相手《あいて》よりも優勢《ゆうせい》であるさま。

ヒョイ

大会三連覇《たいかいさんれんぱ》の選手《せんしゅ》は、今日《きょう》も（⑤）な強《つよ》さを見《み》せつけた。

0251

心許《こころもと》ない

たよりなくて心配《しんぱい》だ。

魔王退治《まおうたいじ》もこのメンバーで…？
鬼《おに》とちがって、退治《たいじ》できるかわからないな…。
ねーきびだんごはー

今回《こんかい》のミッションをこなすには、いささか（⑥）メンバーだ。

答え ④見境 ⑤圧倒的 ⑥心許ない

0252

馬脚《ばきゃく》を現《あらわ》す

かくしていたことが現《あらわ》れる。

えーっと…
初《はじ》めて会《あ》ったときから、
キミの…、キミ…が？
チラ
チラッ
しどろもどろ
カンペ
もう！ ちゃんとセリフ言《い》ってよ！

暗記《あんき》が得意《とくい》と言《い》っていたのに、せりふを忘《わす》れて（ ① ）した。

0253

ふり出《だ》しにもどる

それまでの努力《どりょく》がむだになる。スタート地点《ちてん》にもどる。

またチョイ役《やく》からお願《ねが》いしまーす。
てへっ
あっ…
あの人気《にんき》
俳優《はいゆう》が…!?

せっかく人気《にんき》が出《で》たのに、また（ ② ）ってしまった。

0254

ネイティブ

その土地《とち》に元々《もともと》いた人《ひと》。自然《しぜん》の。「ネイティブスピーカー」は、その言葉《ことば》を母国語《ぼこくご》として話《はな》す人《ひと》。

◎！・△♫□？
※△□!!◎
わっ、
わかるのか…？

彼《かれ》は（ ③ ）スピーカー並《な》みに、数《すう》か国語《こくご》を話《はな》すことができる。

答え ① 馬脚を現 ② ふり出しにもど ③ ネイティブ

0255

裏《うら》づけ

確《たし》かなことだと証明《しょうめい》すること。証拠《しょうこ》。■裏打《うらう》ち

ウキッ
キッ
5秒《びょう》!
(オレより速《はや》い…)
カチッ
スッ…

「サルは頭《あたま》がいい」ことが、実験《じっけん》で(④)られた。

0256

息《いき》をこらす

息《いき》をおさえて集中《しゅうちゅう》する。「息《いき》をつめる」とも。

来《く》るか…
来《く》るか…?
フフフ、どっちかな。
10
サササ

ぼくは(⑤)して、相手《あいて》の選手《せんしゅ》の動《うご》きを見《み》つめた。

0257

足手《あして》まとい

自由《じゆう》に動《うご》けずに、じゃまになること。お荷物《にもつ》になること。

だれだっ!
こいつら
連《つ》れてきたのは!?

(⑥)になるから、冒険《ぼうけん》の旅《たび》には連《つ》れて行《い》けない。

答え ④裏づけ ⑤息をこら ⑥足手まとい

0258

大《おお》っぴら

周《まわ》りを気《き》にせず、少《すこ》しもかくしだてをしない様子《ようす》。

孫《まご》のタカシちゃんは学校《がっこう》の成績《せいせき》も、模試《もし》も、
1位《い》
あたくし、100点《てん》しか見《み》たことがありませんのよ!
すごいわあ〜

あの奥様《おくさま》は、（　①　）に孫《まご》のじまん話をする。

0259

サンプル

見本《みほん》や標本《ひょうほん》のこと。実物《じつぶつ》に似《に》せて作《つく》った物《もの》。

いただきまーす…。
ガチーン
食品《しょくひん》サンプル
※よい子《こ》はマネしないように

その食品《しょくひん》（　②　）は、まるで本物《ほんもの》のようにおいしそうだ。

0260

要領《ようりょう》を得《え》ない

要点《ようてん》がはっきりせず、内容《ないよう》がよくわからない。

おば
おお、…
おばばば…
おばさんがどうしたのかな?
ちょっと落《お》ちついてね〜。

あわてているせいか、彼《かれ》の話《はなし》は少《すこ》しも（　③　）。

答え　①大っぴら　②サンプル　③要領を得ない

0261

気《き》にかける

気《き》にして、心配《しんぱい》する。

どうかね、進《すす》み具合《ぐあい》は？
カンカン カン
安《あん》全《ぜん》第《だい》一《いち》
順調《じゅんちょう》そうじゃないか。
アッ 社《しゃ》長《ちょう》

計画《けいかく》が予定《よてい》どおりに進《すす》んでいるかを（④）。

0262

几帳面《きちょうめん》

まじめで、細《こま》かいところまできちんとしていること。

この柱《はしら》、0・01ミリ、ズレていないか？
社《しゃ》長《ちょう》…

社長《しゃちょう》の（⑤）な性格《せいかく》は、度《ど》が過《す》ぎていることで有名《ゆうめい》だ。

0263

弱《よわ》り目《め》にたたり目《め》

悪《わる》いことが重《かさ》なって起《お》きること。ふんだりけったり。

なんて、ついていないんだ…。
大丈夫《だいじょうぶ》かーい？

通《とお》り雨《あめ》に降《ふ》られて、穴《あな》にも落《お》ちた。（⑥）だよ。

答え ④気にかける ⑤几帳面 ⑥弱り目にたたり目

0264

暗示《あんじ》

それとなく、人《ひと》にあることを示《しめ》したり、知《し》らせたりすること。

類 示唆《しさ》　対 明示《めいじ》

明日《あした》、海《うみ》でカメを助《たす》けろ！
そういや昨日《きのう》変《へん》な夢《ゆめ》みた!!

昨日《きのう》見《み》た夢《ゆめ》が、何《なに》かを（ ① ）しているかのようだ。

0265

異様《いよう》

普通《ふつう》ではない様子《ようす》。変《か》わっている様子《ようす》。

ウァ〜ッ
町《まち》がモンスターだらけだ！
何《なに》寝《ね》ぼけてんの？
ハロウィーンでしょハイ

目《め》が覚《さ》めると、窓《まど》の外《そと》には（ ② ）な姿《すがた》をした人《ひと》たちがいた。

0266

よそおう　装う

身支度《みじたく》をする。そのようなふりをする。

なるほど…。世《よ》の中《なか》のしくみはこうなっているのか。
フムフム…
なるほど
本《ほん》が逆《さか》さまだよ…。

急《きゅう》に優等生《ゆうとうせい》を（ ③ ）っても、すぐにバレてしまうよ。

答え ①暗示 ②異様 ③よそおう

言葉《ことば》のワザをみがいて使《つか》いこなそう！

アタック・ザ・言葉《ことば》クイズ 11

意味《いみ》に合《あ》う言葉《ことば》になるように、それぞれ正《ただ》しいものに○をつけよう。

①そのようなふりをする。

優等生《ゆうとうせい》
- におもねる（　）
- にあやかる（　）
- をよそおう（　）

②激《はげ》しい言葉《ことば》で悪口《わるくち》をいう。

相手《あいて》
- をののしる（　）
- をたぶらかす（　）
- にうそぶく（　）

③上《うえ》の人《ひと》に指示《しじ》や助言《じょげん》などを求《もと》める。

指示《しじ》
- を束《たば》ねる（　）
- をあおぐ（　）
- に委《ゆだ》ねる（　）

④ある感情《かんじょう》を引《ひ》き起《お》こしたり、その気《き》にさせたりする。

興味《きょうみ》
- をそらす（　）
- をそぐ（　）
- をそそる（　）

⇒答《こた》えは136ページにあります。

0267

手《て》を貸《か》す

手助《てだす》けをする。

荷物《にもつ》、お持《も》ちします！
あら、ありがとう。

困《こま》っている人《ひと》がいたので、（①）した。

0268

情《なさ》けは人《ひと》のためならず

人《ひと》に思《おも》いやりのある行動《こうどう》をしていれば、よいこととなって自分《じぶん》に返《かえ》ってくるということわざ。

今年《ことし》の誕生日《たんじょうび》は、きみのためにプレゼントを奮発《ふんぱつ》したよ。
えっ!?

人助《ひとだす》けをしたら、いいことがあった。まさに（②）だ。

0269

息抜《いきぬ》き

いそがしい合間《あいま》に、ちょっと休《やす》むこと。

あ～つかれた。
息抜《いきぬ》きにちょっと寝《ね》よ…ぐー。
Z

勉強《べんきょう》の（③）に横《よこ》になったら、そのまま眠《ねむ》ってしまった。

答え ① 手を貸 ② 情けは人のためならず ③ 息抜き

0270

うとましい　疎ましい

いやなので、はなれていたい。気味《きみ》が悪《わる》い感《かん》じがする。

今朝《けさ》オレが食《た》べたものは、何《なん》でしょうか？
何《なん》だと思《おも》う？？
ねぇねぇ何《なん》だと思《おも》う？？
意外《いがい》だよ
マジ意外《いがい》!!
……。
ささささ

彼《かれ》のしつこい性格《せいかく》は、たまに（④）く思《おも》われることがある。

0271

スクープ

重要《じゅうよう》なニュースを、だれよりも早《はや》く報道《ほうどう》すること。

スクープ写真《しゃしん》、いただき!!
パシャ
パシャ
文《ぶん》
うわー!?
バーン

パパラッチは（⑤）をねらって、朝《あさ》も夜《よる》も張《は》り込《こ》み続《つづ》けた。

0272

スキャンダル

人《ひと》や会社《かいしゃ》の名前《なまえ》にはじをかかせるような、不都合《ふつごう》な事件《じけん》。

熱愛《ねつあい》
離婚《りこん》
ワイロ

今年《ことし》は、有名人《ゆうめいじん》の（⑥）が多《おお》く報道《ほうどう》された一年《いちねん》だった。

※パパラッチ…有名人《ゆうめいじん》のスクープをねらう、しつこいカメラマン。

答え　④うとまし　⑤スクープ　⑥スキャンダル

0273

尻《しり》が重《おも》い

なかなか行動《こうどう》に移《うつ》さない。

探偵《たんてい》さん、うちの娘《むすめ》をさがしてください。
ウム
1か月後《げつご》
イヤてッ
ず〜っと、娘《むすめ》さんの資料《しりょう》を研究《けんきゅう》してました。
ステキな娘《むすめ》さんですね
もう戻《もど》ってきたわ!

あの探偵《たんてい》は（　①　）く、用《よう》をたのんでもなかなか動《うご》かない。

0274

見《み》るかげもない

前《まえ》と比《くら》べて、すっかり変《か》わっている。

あの人《ひと》の名《な》は‥

今《いま》は（　②　）が、母《はは》は若《わか》いとき、映画《えいが》スターだったらしい。

0275

味気《あじけ》ない

おもしろみや魅力《みりょく》がない。つまらない。

…味気《あじけ》ない人生《じんせい》だなぁ…。
だろ〜?
アメはあまいけど…

一生働《いっしょうはたら》くだけなんて、（　③　）人生《じんせい》ではないですか。

答え ① 尻が重 ② 見るかげもない ③ 味気ない

0276

試《こころ》み

ためしてみること。

ドローンで試験《しけん》を監視《かんし》!
初《はじ》めてやるよ!
わー落《お》ちた!

※ドローン…遠隔操作《えんかくそうさ》で動《うご》く、無人《むじん》の航空機《こうくうき》。

新《あたら》しく考《かんが》えた（ ④ ）が、あえなく失敗《しっぱい》した。

0277

おうよう

小《ちい》さなことにこだわらず、大《おお》きな気持《きも》ちでいる様子《ようす》。

サイフをなくしたんですか〜。それは大変《たいへん》だ。いくら入《はい》ってました?
100万円《まんえん》です。
100万《まん》!?
ま、仕方《しかた》ないですね〜

（ ⑤ ）な彼《かれ》は、サイフをなくしても少《すこ》しもあわてない。

0278

チャージ

何《なに》かをたくわえること。また、たくわえられたもの。燃料《ねんりょう》を入《い》れたり、充電《じゅうでん》したりすること。料金《りょうきん》。

クリア寸前《すんぜん》なのに……!
充電《じゅうでん》がなくなりそう!

充電《じゅうでん》は、なくならないように常《つね》に（ ⑥ ）しておこう。

答え ④試み ⑤おうよう ⑥チャージ

0279

苦《くる》しいときの神頼《かみだの》み

普段《ふだん》は神《かみ》にいのったりしない人《ひと》が、困《こま》ったときにだけ神《かみ》や人《ひと》にすがろうとすること。

何《なに》とぞ…!!
何《なに》とぞ。
希望校《きぼうこう》に合格《ごうかく》させてくださいまし!!
合格
合格
合格

（ ① ）とわかっていても、今はとにかくいのるしかない。

0280

天《てん》は二物《にぶつ》を与《あた》えず

天《てん》は一人《ひとり》の人間《にんげん》に、すぐれたものをいくつもあたえることはない。

がんばれば大丈夫《だいじょうぶ》!!
体力《たいりょく》
学力《がくりょく》
どっちも…
ないけど!

（ ② ）だから、できないことがあるのは当《あ》たり前《まえ》だよ。

0281

いさかい

言《い》い争《あらそ》い。ケンカ。

キーッ! あなた、またこんなもの拾《ひろ》ってきて!
キーッ! うるさいんだよお前《まえ》は!
またケンカしてる…。

あの夫婦《ふうふ》は、毎日《まいにち》（ ③ ）が絶《た》えない。

答え ① 苦しいときの神頼み ② 天は二物を与えず ③ いさかい

0282 とげとげしい

言動《げんどう》がやわらかくない様子《ようす》。角《かど》が立《た》つ言《い》い方《かた》のこと。

だいたい、お前《まえ》な！
そういうところがな、腹《はら》が立《た》つんだよ。
チョッと言《い》いすぎたかな

腹《はら》が立《た》って、（ ④ ）態度《たいど》をとったことがくやまれる。

0283 とぎれとぎれ

とぎれながら続《つづ》く様子《ようす》。

だい…まえ……ういう…とこ…はら…？
何《なに》言《い》ってんだろ？
星《ほし》の裏側《うらがわ》で電波状況《でんぱじょうきょう》が悪《わる》いからな。

電話《でんわ》の声《こえ》が（ ⑤ ）だったので、用件《ようけん》がよくわからない。

0284 音頭《おんど》を取《と》る

人《ひと》の先頭《せんとう》に立《た》って、物事《ものごと》を進《すす》めること。

桃太郎《ももたろう》くんの前途《ぜんと》を祝《しゅく》して、
カンパーイ!!
金
気《き》をつけてなーっ
ガンバレよーっ

若者《わかもの》の前途《ぜんと》を祝《しゅく》して、かんぱいの（ ⑥ ）。

答え ④ とげとげしい ⑤ とぎれとぎれ ⑥ 音頭を取る

0285

お株《かぶ》をうばう

お株を奪う

人《ひと》が得意《とくい》なことを、ほかの人《ひと》がうまくやってのける。

シコでもふんでよー。
バイーン
シュートがまったく入《はい》らん!!
バイーン

相撲部《すもうぶ》の彼《かれ》は、サッカー部《ぶ》の（①）見事《みごと》なプレーを見《み》せた。

0286

雄弁《ゆうべん》

はっきりと力強《ちからづよ》く話《はな》すこと。＝能《のう》弁《べん》

○月○日
どんだけしゃべってんだよ…。
答《こた》えを言《い》えばいいだけなのに…。

彼《かれ》は教室《きょうしつ》で丸《まる》1時間《じかん》、（②）をふるい続《つづ》けた。

0287

風前《ふうぜん》の灯火《ともしび》

危険《きけん》がせまっていて、今《いま》にもほろびそうなこと。風《かぜ》のふくところの火《ひ》は消《き》えやすいことから。

あ〜もう、こりゃダメだね。
今《いま》にも負《ま》けそう。
ワーワー
敵《てき》だらけ

城《しろ》の周《まわ》りを敵《てき》に囲《かこ》まれて、我々《われわれ》はもう、（③）だ。

答え ①お株をうばう ②雄弁 ③風前の灯火

言葉《ことば》のワザをみがいて使《つか》いこなそう！

アタック・ザ・言葉《ことば》クイズ 12

正《ただ》しいものを選《えら》んで、○をつけよう。

①計画《けいかく》に加《くわ》わって協力《きょうりょく》する。

げん／縁起《えんぎ》／片棒《かたぼう》　をかつぐ

②とてもできそうにない大《おお》きなことを言《い》ったり、計画《けいかく》したりする。

大風呂敷《おおぶろしき》／大《おお》だいこ／大口《おおぐち》　を広《ひろ》げる

③人《ひと》が得意《とくい》なことを、ほかの人《ひと》がうまくやってのける。

お里《さと》／お株《かぶ》／お門《かど》　をうばう

④人《ひと》に何《なに》かをさせようといくら仕向《しむ》けても、少《すこ》しも応《おう》じないことのたとえ。

ほら／風《かぜ》／笛《ふえ》　吹《ふ》けども踊《おど》らず

⇒答《こた》えは 136 ページにあります。

0288
安易《あんい》
たやすいこと。簡単《かんたん》なこと。深《ふか》く考《かんが》えないこと。＝容易《ようい》・安直《あんちょく》

白雪姫《しらゆきひめ》、とってもおいしいリンゴだよ！ お食《た》べ！
まぁ、本当《ほんとう》に？ おいしそう！ いただくわ。

知《し》らない人《ひと》の言《い》うことを、（ ① ）に信《しん》じないほうがいい。

0289
シークレット
秘密《ひみつ》。人《ひと》に対《たい》してかくしているもの。

みんなありがとー!!
キャー
キャー
カツラ→
ふー……
←カカトの高《たか》いブーツ

このことは、マネージャーしか知《し》らないトップ（ ② ）だ。

0290
破《やぶ》れかぶれ
がっかりした気持《きも》ちなどから、自分《じぶん》のことをどうでもいいふうにあつかう様子《ようす》。やけくそになること。

あの細《ほそ》い道《みち》に入《はい》って、着陸《ちゃくりく》するんですか!?
一《いち》か八《ばち》か、やけくそだーっ、やってみます!!
ココ

ぼくは（ ③ ）の気持《きも》ちで、最難関《さいなんかん》の任務《にんむ》にのぞんだ。

答え ①安易 ②シークレット ③破れかぶれ

0291 居直《いなお》る

おとなしい態度《たいど》から、急《きゅう》に強《つよ》い態度《たいど》に変《か》える。 ＝ 開《ひら》き直《なお》る

エ〜ンエ〜ン
鬼ヶ島《おにがしま》に行《い》きたくないよ〜。こわいよ〜。
何《なに》をいまさらキビダンゴやったろ!
きびだんごごときで、命《いのち》かけられっかよ。
ヘン!
ごもっとも!

彼《かれ》は演技《えんぎ》を見破《みやぶ》られると、(④)って文句《もんく》を言《い》い始《はじ》めた。

0292 一考《いっこう》

一度《いちど》、よく考《かんが》えてみること。

我々《われわれ》も考《かんが》えさせてください。
パタパタ
えー、お前《まえ》らも!?
キジもう逃《に》げる気《き》だろ?

私《わたし》たちも、今後《こんご》については(⑤)させてください。

0293 いそしむ

一生懸命《いっしょうけんめい》に努《つと》めはげむ。

お医者《いしゃ》さんになるために、勉強《べんきょう》をがんばるの!
ガリガリ

将来《しょうらい》の夢《ゆめ》をかなえるために、今《いま》は勉学《べんがく》に(⑥)もう。

答え ④居直 ⑤一考 ⑥いそし

0294

おとしいれる

陥れる

だまして苦《くる》しい状況《じょうきょう》に追《お》いやる。

戦《たたか》えよ、ヒーロー!!

とつじょ現《あらわ》れた怪獣《かいじゅう》は、人々《ひとびと》を恐怖《きょうふ》と混乱《こんらん》に（　①　）た。

0295

大目《おおめ》に見《み》る

あまり厳《きび》しくしからず、寛大《かんだい》な心《こころ》であつかっておく。

少《すこ》しくらいならいいかのう。
ワイ　ワイ
うわー!?

少《すこ》しの落書《らくが》きを（　②　）たら、壁中《かべじゅう》に落書《らくが》きされた。

0296

くもの子《こ》を散《ち》らす

たくさんの人々《ひとびと》が、一度《いちど》に散《ち》り散《ぢ》りになる。

コラーー!!
うわあああああ
ダッ

いたずらっ子《こ》たちは、（　③　）ようににげ去《さ》った。

0297
こき使《つか》う
手加減《てかげん》なく人《ひと》を使《つか》う。

シンデレラ！
ちゃんと掃除《そうじ》
しておくんだよ！
ほら、
すみずみまで！
終《お》わったら、
次《つぎ》は料理《りょうり》だよ！

シンデレラは継母《ままはは》に、いつも（④）われている。

0298
うながす　促す
さいそくする。早《はや》める。そうするように働《はたら》きかける。

よっ！
待《ま》ってました!!
おもしろくなってきた〜っ!!
しぃぃ〜っ

映画館《えいがかん》の中《なか》では静《しず》かにするよう、注意《ちゅうい》を（⑤）した。

0299
鬼《おに》の目《め》にも涙《なみだ》
鬼《おに》のようにこわい人《ひと》でも、時《とき》には温《あたた》かい人間味《にんげんみ》を見《み》せることがあるということのたとえ。

卒業《そつぎょう》
おめでとう。
ウウ…

あの先生《せんせい》がこんなに喜《よろこ》んでくれるなんて、（⑥）だなあ。

答え　④こき使　⑤うなが　⑥鬼の目にも涙

0300

ぐうの音《ね》も出《で》ない

悪《わる》いところを指摘《してき》されて、言《い》い返《かえ》す言葉《ことば》も出《で》ない様子《ようす》。

0301

支離滅裂《しりめつれつ》

まとまりがなく、ばらばらな様《よう》子《す》。筋道《すじみち》が通《とお》っていない様子《ようす》。

0302

根《ね》にもつ

うらみに思《おも》って、いつまでもしつこく忘《わす》れない。

私《わたし》のにんじん、食《た》べたでしょ？
食《た》べてないよ。
じゃあ、これは何《なん》なの？
……。
あっ…それは双子《ふたご》の弟《おとうと》で…。
あんた、一人《ひとり》っ子《こ》でしょ。
いや双子《ふたご》の弟《おとうと》って言《い》っても、親戚《しんせき》の…。
食《た》べられちゃうから、先《さき》ににんじん食《た》べよ。
まだ言《い》ってる…。
食《た》べ物《もの》のうらみはこわいな…。

決定的《けっていてき》な写真《しゃしん》を見《み》せられては、（①）。

悪事《あくじ》がばれてしまい、（②）な言《い》い訳《わけ》をする。

妻《つま》は、結婚前《けっこんまえ》のケンカを未《いま》だに（③）っている。

答え ① ぐうの音も出ない ② 支離滅裂 ③ 根にも

0303

いきどおり　憤り

いかりの気《き》持《も》ち。腹《はら》を立《た》てること。

おのれ、タヌキ…。
また
だましおったなっ!
おかね
でーす
ヒラ
ヒラ

ずるばかりするタヌキに、強《つよ》い（　④　）を覚《おぼ》えた。

0304

パイオニア

ほかの人《ひと》たちよりも早《はや》く、新《あたら》しい分野《ぶんや》を切《き》りひらく人《ひと》。開拓者《かいたくしゃ》。草分《くさわ》け。

コロンブス
先生《せんせい》、ずるい!
グラ
グラ
しゃかり
き――っ!!
グラ
グラ

人《ひと》とちがうことをする人《ひと》が、次世代《じせだい》の（　⑤　）となる。

0305

おいおい

だんだんに。少《すこ》しずつ。

せっせ
せっせ
ZZZZ

子《こ》どもたちにも、（　⑥　）親《おや》の苦労《くろう》がわかるだろう。

答え　④ いきどおり　⑤ パイオニア　⑥ おいおい

0306
足《あし》をすくう
相手《あいて》のすきをつき、失敗《しっぱい》させる。

ミス スイーツ コンテスト
あ〜ら、ごめんなさい♡
わー!?
!?
ドンッ
最終審査《さいしゅうしんさ》

油断《ゆだん》していたら、ライバルに（ ① ）われた。

0307
足取《あしど》り
歩《ある》くときの調子《ちょうし》。犯人《はんにん》がにげた道筋《みちすじ》。

あんなに練習《れんしゅう》したのに…。
応援《おうえん》してくれたお母《かあ》さんになんて言《い》おう…。
ワー
トボトボ…

落選《らくせん》してしまった出場者《しゅつじょうしゃ》は、重《おも》い（ ② ）で退場《たいじょう》した。

0308
後味《あとあじ》
物事《ものごと》が終《お》わったあとに残《のこ》る、感《かん》じや気分《きぶん》。

これでよかったのかしら?

相手《あいて》をおとしいれての優勝《ゆうしょう》では、（ ③ ）が悪《わる》い。

0309

おじ気《け》づく

こわがる。かなわないという気《き》持《も》ちになる。

森《もり》をあらすやつらをたおそう!!
おーーっ!
ウホッ
グキッ
退《たい》避《ひ》ーっ

強敵《きょうてき》の姿《すがた》を見《み》て、私《わたし》たちはすっかり(④)いた。

0310

由来《ゆらい》

その物事《ものごと》の始《はじ》まりや歴史《れきし》のこと。いわれ。訳《わけ》。

これが家宝《かほう》なの?
800年《ねん》、我《わ》が家《や》に伝《つた》わるはにわじゃよ。

代々《だいだい》、家《いえ》に伝《つた》わる家宝《かほう》の(⑤)を祖父《そふ》にたずねる。

0311

目《め》くじらを立《た》てる

目《め》をつり上《あ》げて人《ひと》のあら探《さが》しをする。「目《め》くじら」は、目《め》じりのこと。

オイ、ちょっとイヌ! オレのきびだんご、まちがえて食《た》べただろ!
いつもお前《まえ》ってそうな!
キー
キー

過《す》ぎたことに(⑥)ても、もう、どうにもできないよ。

答え ④おじ気づ ⑤由来 ⑥目くじらを立て

0312

あわてふためく　慌てふためく

あわてて、おろおろする。あたふたする。

なんだ、キミはぁ〜。
げげっ！先生《せんせい》！

先生《せんせい》のモノマネをしていたら、本人《ほんにん》がいたので（　①　）いた。

0313

口《くち》が軽《かる》い

秘密《ひみつ》にしていることを言《い》ってしまう。

王様《おうさま》のヒミツ、みんなに言《い》っちゃおうかな〜。
ダメでしょ、キミ！
オロ
勘弁《かんべん》してよ〜。
オロ

あの子《こ》は（　②　）から、秘密《ひみつ》は話《はな》しちゃだめだと言《い》ったのに。

0314

うなだれる

しょんぼりと、首《くび》を下《した》に向《む》ける。

試合《しあい》、始《はじ》まったばかりなんですけど!?
フッ…
最後《さいご》の夏《なつ》が終《お》わった…
あきらめるの早《はや》くね!?

打《う》たれた投手《とうしゅ》はマウンドで、しばらく（　③　）たままだった。

答え　①あわてふためい　②口が軽い　③うなだれ

言葉《ことば》のワザをみがいて使《つか》いこなそう！

アタック・ザ・言葉《ことば》クイズ 13

入試問題《にゅうしもんだい》に挑戦《ちょうせん》！

意味《いみ》に合《あ》うものを一《ひと》つだけ選《えら》びなさい。

（明治学院中学校・改題）

①きまりが悪《わる》そうな

ア　自信《じしん》がありそうな　　イ　おこっているような

ウ　はずかしそうな

②うなだれた

ア　首《くび》を横《よこ》にかたむけた　　イ　がっくりと首《くび》を下《した》に向《む》けた

ウ　勢《いきお》いよく首《くび》をたてにふった

③顔《かお》をしかめる

ア　機嫌《きげん》の悪《わる》そうな表情《ひょうじょう》をする　　イ　明《あか》るい表情《ひょうじょう》をする

ウ　無表情《むひょうじょう》になる

⇒答《こた》えは 136 ページにあります。

0315
火《ひ》の車《くるま》
家計《かけい》が苦《くる》しくて、やりくりができない貧《まず》しい状態《じょうたい》。

0316
精《せい》が出《で》る
元気《げんき》に物事《ものごと》にはげむ。

0317
蛍雪《けいせつ》の功《こう》
大変《たいへん》苦労《くろう》して学問《がくもん》にはげみ、それが成功《せいこう》してむくわれること。

▼車胤《しゃいん》
蛍《ほたる》を集《あつ》めて明《あ》かりにすれば、夜《よる》でも勉強《べんきょう》できるよ。
我《わ》が家《や》が貧《まず》しいばっかりに、お前《まえ》には苦労《くろう》をかける…。
窓《まど》の雪明《ゆきあ》かりでも本《ほん》が読《よ》める。
勉強《べんきょう》にはげむぞ！
▶孫康《そんこう》
やがて車胤《しゃいん》と孫康《そんこう》は、共《とも》に地位《ちい》の高《たか》い役人《やくにん》になった。
蛍《ほたる》の光《ひかり》～
窓《まど》の雪《ゆき》～

家計《かけい》が（①）で、満足《まんぞく》な生活《せいかつ》ができない。

家族《かぞく》の応援《おうえん》もあって、ますます勉強《べんきょう》に（②）。

あの人《ひと》は苦学《くがく》して成功《せいこう》したんだ。まさに（③）のお手本《てほん》だよ。

答え ①火の車 ②精が出る ③蛍雪の功

0318

さまになる

何《なん》とか一応《いちおう》の格好《かっこう》がつく。

バババッ
カン
カン
おー、あいつもうまくなってきたじゃねえか。
グニャア
カッコだけかい!

修業《しゅぎょう》を重《かさ》ねて、仕事《しごと》ぶりもようやく(④)ってきた。

0319

傍若無人《ぼうじゃくぶじん》

周囲《しゅうい》をまったく気《き》にしないで、勝手気《かってき》ままにふるまうこと。

ふん、ふふん♪

(⑤)な態度《たいど》は、周囲《しゅうい》の人《ひと》の迷惑《めいわく》だ。

0320

犬猿《けんえん》の仲《なか》

何《なに》かにつけて、いがみ合《あ》うような仲《なか》の悪《わる》さのたとえ。

イー
べー

あの人《ひと》たちはとなり同士《どうし》なのに、先祖代々《せんぞだいだい》、(⑥)なんだよ。

答え ④さまになる ⑤傍若無人 ⑥犬猿の仲

0321

一笑《いっしょう》に付《ふ》す

バカにして笑《わら》い、相手《あいて》にしない。

どう、この迷彩《めいさい》？これでライオンに見《み》つからないよ。
この辺《へん》あんまり緑《みどり》ないのにな
ヒヒッ

すばらしいアイデアを思《おも》いついたが、（　①　）された。

0322

水《みず》かけ論《ろん》

自分《じぶん》の主張《しゅちょう》を言《い》い合《あ》うだけで、解決《かいけつ》しない議論《ぎろん》。

カメなんかに負《ま》けないって言《い》いました！
言《い》ってません！
言《い》いました！
言《い》ってません！

話《はな》し合《あ》いは歩《あゆ》み寄《よ》ることなく、（　②　）で終《お》わった。

0323

有終《ゆうしゅう》の美《び》を飾《かざ》る

最後《さいご》までやり通《とお》して、よい結果《けっか》を残《のこ》す。

ワー
ワー
ワー
200 201
逆転《ぎゃくてん》シュートで優勝《ゆうしょう》！

彼《かれ》は引退試合《いんたいじあい》でゴールを決《き》め、はなやかに（　③　）った。

答え　①一笑に付　②水かけ論　③有終の美を飾

0324

あまんじる　甘んじる

あたえられたものを仕方《しかた》ないと思《おも》って受《う》け入《い》れる。

0325

あやかる

よい影響《えいきょう》を受《う》けて、自分《じぶん》も同《おな》じようになる。

0326

洗《あら》いざらい

何《なに》もかくさず、すっかり全部《ぜんぶ》。何《なに》もかも。

商店街《しょうてんがい》での売《う》り上《あ》げ、また最下位《さいかい》か…。
父《とう》ちゃん、何《なん》とかしなよ。
オルゴールのタナカ
オウンゴールのタナカ
ようし、店《みせ》の名前《なまえ》を変《か》えて大逆転《だいぎゃくてん》だ!!
これで売《う》れる
ウン オルゴールのタナカ
父《とう》…ちゃん…!?
オウンゴールの意味《いみ》、知《し》っているのかよ！
父《とう》ちゃんは昔《むかし》からそうだよ!! そもそもオレはオルゴール好《す》きじゃないし!!
ほかにもいろいろあるよ!!
うちの店《みせ》、サッカーと関係《かんけい》ないし!!
シュン…

いつも最下位《さいかい》に（　④　）ている場合《ばあい》じゃないよ。

サッカー人気《にんき》に（　⑤　）って、父《ちち》は店《みせ》の名前《なまえ》を変《か》えた。

これまで感《かん》じていた不平不満《ふへいふまん》を（　⑥　）ぶちまける。

※オウンゴール…サッカーの試合《しあい》でまちがって味方《みかた》のゴールに入《い》れて、相手《あいて》の得点《とくてん》になること。

答え　④ あまんじ　⑤ あやか　⑥ 洗いざらい

0327

息《いき》がはずむ

呼吸《こきゅう》が激《はげ》しくなる。激《はげ》しい息《いき》づかいをする。

早《はや》く帰《かえ》って、ポチと遊《あそ》ぼう！
ワン
ハァ

早《はや》く犬《いぬ》と遊《あそ》びたくて、走《はし》って帰《かえ》ったら（　①　）んだ。

0328

選《え》り好《ごの》み

自分《じぶん》の好《す》きなものだけを選《えら》んで、取《と》ること。

ズラーッ
不《ふ》合《ごう》格《かく》
シャッ

（　②　）ばかりしていると、大切《たいせつ》なことを見落《みお》とすよ。

0329

跡形《あとかた》もない

すっかり何《なに》も残《のこ》っていない。

ギャー
くたばれ！
わーっ！

うたれた怪獣《かいじゅう》は、たちまち（　③　）く姿《すがた》を消《け》した。

答え　① 息がはずむ　② 選り好み　③ 跡形もな

0330

アレンジ

並《なら》べて整《ととの》えること。手配《てはい》すること。編曲《へんきょく》したり、脚色《きゃくしょく》したりすること。

オレの衣装《いしょう》、まねしたな。
正義仕様《せいぎしよう》にアレンジだ。
ハッハッハッ

人気者《にんきもの》の衣装《いしょう》を、自分仕様《じぶんしよう》に（④）した。

0331

オフィシャル

公《おおやけ》に認《みと》められていること。公式《こうしき》のものであるさま。

ニセモノを売《う》るのか！
うるさい！
こっちがオフィシャルグッズだ！
アストロマスク
オフィシャルグッズ

ヒーローの（⑤）グッズだと思《おも》ったら、本物《ほんもの》ではなかった。

0332

耳寄《みみよ》り

聞《き》いておくと得《とく》なこと。聞《き》く価値《かち》があること。

やったー！
今度《こんど》の遠足《えんそく》、海《うみ》に行《い》くらしいぜ!!
海《うみ》にすんでる…
マジかよ。

「（⑥）な話《はなし》がある」と、彼《かれ》はみんなに話《はなし》を広《ひろ》めた。

答え ④アレンジ ⑤オフィシャル ⑥耳寄り

0333

悠長《ゆうちょう》

気《き》が長《なが》く、のんびりしていること。

私《わたし》、前《まえ》から〜キミオくんのことがぁ〜、なんか〜とっても
気《き》になってて〜、それでねぇ〜あのねぇ〜。
トイレいきたい…
早《はや》めにお願《ねが》いします〜。
モジモジ
モジモジ
モジモジ
モジモジ

今《いま》、そんな（ ① ）な話《はなし》を聞《き》いている時間《じかん》はないよ。

0334

弁《べん》**が立**《た》**つ**

話《はな》しぶりがうまい。雄弁《ゆうべん》である。

民衆《みんしゅう》の民衆《みんしゅう》による民衆《みんしゅう》のための森《もり》…。そんな森《もり》を私《わたし》はつくりたい！
フクロウさんの話《はなし》はすごいなぁ！政治家《せいじか》になれるかも。

（ ② ）ことは、政治家《せいじか》になるための必須条件《ひっすじょうけん》だ。

言葉《ことば》クイズの答《こた》え

07 ① いいがかり ② うさんくさい ③ いたれりつくせり

08 ① ×かしげる（○手《て》が空《あ》く／手《て》がかかる／手《て》をこまねく） ② ×汗《あせ》をにぎる（○身《み》に染《し》みる／身《み》に余《あま》る／身《み》を固《かた》める） ③ ×毛《け》がよだつ（○肩《かた》を並《なら》べる／肩《かた》の荷《に》が下《お》りる／肩《かた》で風《かぜ》を切《き》る）

09 ① 心配《しんぱい》 ② 反撃《はんげき》 ③ 名声《めいせい》 ④ 安心《あんしん》

10 ① ねこにこばん（猫《ねこ》に小判《こばん》） ② のれんにうでおし（のれんに腕《うで》おし） ③ おしつけがましい（押《お》しつけがましい）

11 ① 優等生《ゆうとうせい》をよそおう ② 相手《あいて》をののしる ③ 指示《しじ》をあおぐ ④ 興味《きょうみ》をそそる

12 ① 片棒《かたぼう》をかつぐ ② 大風呂敷《おおぶろしき》を広《ひろ》げる ③ お株《かぶ》をうばう ④ 笛吹《ふえふ》けども踊《おど》らず

13 ① ウ ② イ ③ ア

言葉《ことば》のワザをみがいて使《つか》いこなそう！

アタック・ザ・言葉《ことば》クイズ 14

入試問題《にゅうしもんだい》に挑戦《ちょうせん》！

例《れい》のように、反対《はんたい》になる言葉《ことば》をひらがなで入《い》れて慣用句《かんようく》をつくりなさい。（鎌倉学園中学校・改題）

例《れい》
口《くち》が かるい ⇔ 尻《しり》が おもい

① 恩《おん》に □□ ⇔ 一肌《ひとはだ》 □□

② 横車《よこぐるま》を □□ ⇔ 糸《いと》を □□

③ しっぽを □□ ⇔ 探《さぐ》りを □□□

⇒答《こた》えは 200 ページにあります。

0335

対岸《たいがん》の火事《かじ》

自分《じぶん》には関係《かんけい》がないからと、ただ見《み》ていること。

ケンカ
してらぁ～。
ギャ!
ギャ!

向《む》こうでもめているけど、（ ① ）だから関《かか》わらないでおこう。

0336

あとずさり

前《まえ》を向《む》いたまま、少《すこ》しずつ後《うし》ろに下《さ》がること。

ススス…

クマと向《む》き合《あ》ったまま、ぼくはじりじりと（ ② ）した。

0337

はらはら

軽《かる》い物《もの》が静《しず》かに落《お》ちる様子《ようす》。

はら
はら
やっぱり月《つき》に帰《かえ》りたいのかの～
アーイヤだイヤだ
あんな水《みず》も空気《くう》も草木《くさき》もないところ!!

月《つき》を見《み》ながら、かぐや姫《ひめ》は（ ③ ）と涙《なみだ》を落《お》とした。

答え ① 対岸の火事 ② あとずさり ③ はらはら

0338

覆水盆《ふくすいぼん》に返《かえ》らず

一度《いちど》やってしまったことを元《もと》にもどすのは難《むずか》しい。「覆水《ふくすい》」は、ひっくり返《かえ》した水《みず》のこと。

太《ふと》りすぎて、出《で》られないのか〜〜？
く…苦《くる》しい…。

昔《むかし》は竹《たけ》の中《なか》でも広々《ひろびろ》していたのに、（　④　）だね。

0339

去《さ》る者《もの》は追《お》わず

自分《じぶん》のもとを去《さ》ろうとする者《もの》を無理《むり》に引《ひ》きとめない。

気《き》をつけてね〜。
さあ〜、飲《の》もう、飲もう！
少《すこ》しは悲《かな》しみなさいよ!!

別《わか》れは悲《かな》しいけれど、（　⑤　）が信条《しんじょう》だ。

0340

シナリオ

映画《えいが》やテレビの脚本《きゃくほん》。台本《だいほん》。

おばあちゃんを返《かえ》せ!!

（　⑥　）どおりにいかないからこそ、人生《じんせい》はおもしろい。

答え　④覆水盆に返らず　⑤去る者は追わず　⑥シナリオ

0341

いとま　暇

ひま。少《すこ》しの時間《じかん》。別《わか》れて去《さ》ること。

ありがとう。そろそろ行《い》きます。
そろそろって言《い》うけど、50年《ねん》だけどね。

おじゃましました。そろそろお（ ① ）します。

0342

たまりかねる　たまり兼ねる

がまんできなくなる。

世界《せかい》の株価《かぶか》について、ヤギ子《こ》さんはどう思《おも》う？
こんな会話《かいわ》ばっかりのデート、もう無理《むり》！

興味《きょうみ》のない話題《わだい》ばかりの会話《かいわ》に（ ② ）て、席《せき》を立《た》った。

0343

心外《しんがい》

思《おも》ってもいなかったこと。予想《よそう》とちがっていて、よく思《おも》わないこと。

こうら干《ぼ》ししたいから、あっち行《い》って。
プンプン
しっしっ

我々《われわれ》が先《さき》にいたのに、そんな言《い》われ方《かた》は（ ③ ）だ。

答え　①いとま　②たまりかねる　③心外

0344

さびれる

寂れる

にぎやかさがなくなり、さびしくなる。勢《いきお》いがおとろえる。

駅前《えきまえ》のお店《みせ》も、だいぶ閉《し》まっちゃったなあ…。
パンや
閉店《へいてん》
にく
ガラーーン

故郷《こきょう》の商店街《しょうてんがい》が（ ④ ）のは、とても残念《ざんねん》だ。

0345

腰《こし》をぬかす

腰を抜かす

びっくりして立《た》ち上《あ》がる力《ちから》を失《うしな》う。

ねえ…。
うわーーっ
なによ!
た…立《た》てない…。

いきなり背後《はいご》からおどかされて、（ ⑤ ）。

0346

枕《まくら》を高《たか》くする

何《なん》の不安《ふあん》もなく寝《ね》る。安心《あんしん》して暮《く》らす。

おやすみ〜。
お兄《にい》ちゃんこわいからやめてーーっ

明日《あした》の準備《じゅんび》は万全《ばんぜん》だ。これで、（ ⑥ ）して寝《ね》られる。

答え ④さびれる ⑤腰をぬかす ⑥枕を高く

0347

ぎょうぎょうしい

仰仰しい

大《おお》げさである。

ヨシッ！
フォームはカンペキ
そうそう
足《あし》上《あ》げて！
早《はや》くしてくれよ！

運動会《うんどうかい》にトレーナーをつけるとは、（ ① ）にもほどがある。

0348

たたずむ

その場所《ばしょ》にじっといる。

カキーン
ぼーぜん

彼《かれ》は、マウンド上《じょう》でぼう然《ぜん》と（ ② ）んだ。

0349

おもむき

趣

味《あじ》わい。雰囲気《ふんいき》。

うわ〜!!
シーサー！

沖縄《おきなわ》には、暑《あつ》い地方《ちほう》ならではの（ ③ ）がある。

答え ①ぎょうぎょうしい ②たたずむ ③おもむき

0350
歯切《はぎ》れ

ものの言《い》い方《かた》。調子《ちょうし》がはっきりしている度合《どあ》い。

オレは森沿《もりぞ》いに壁《かべ》をつくるぞ！
ハイエナは出《で》て行《い》け！
村長《そんちょう》
おーっ!!

あの村長《そんちょう》は（④）のよい演説《えんぜつ》で、村人《むらびと》たちに大人気《だいにんき》だ。

0351
負《ま》けるが勝《か》ち

無理《むり》して争《あらそ》わず、相手《あいて》に勝《か》ちをゆずったほうが、時《とき》にはいい結《けっ》果《か》になるということ。

ここはひとつ、勝《か》ちをゆずるか。
ははーっ

今《いま》は戦《たたか》わない、（⑤）というしね。最後《さいご》に天下《てんか》を取《と》ろう。

0352
あいまい

曖昧

はっきりしない様子《ようす》。確《たし》かでない様子《ようす》。

受《う》け取《と》りなさいよーっ！
いや…
その…
チョコきらいだし…。
って、いうか。

私《わたし》の告白《こくはく》に、彼《かれ》は（⑥）な返事《へんじ》しか返《かえ》してこない。

答え ④歯切れ　⑤負けるが勝ち　⑥あいまい

0353

枯《か》れ木《き》も山《やま》のにぎわい

つまらないものでも、ないよりはましであるということのたとえ。

殺風景《さっぷうけい》な部屋《へや》なので、私《わたし》のかいた絵《え》をかざっておきますね。
自画像《じがぞう》なんですけど
…いや、いいです。

(　①　)で、絵《え》をかざったら部屋《へや》が明《あか》るくなった。

0354

アスリート

運動選手《うんどうせんしゅ》のこと。特《とく》に、陸上《りくじょう》や水泳《すいえい》、球技《きゅうぎ》などの選手《せんしゅ》をいう。

0355

アピール

人々《ひとびと》の心《こころ》や世論《よろん》などにうったえること。

ちゃんとおどれよ!
見《み》ろ! 俺《おれ》の筋肉《きんにく》のダンスを!!
ピョン
ピョン
キャ〜
ワ〜ッ
SMASH 握手会《あくしゅかい》
キャ〜ッ
どう? どう?
またやってんのか!

彼《かれ》らは、(　②　)のように体《からだ》をきたえている。

じまんな点《てん》を(　③　)するのも、やりすぎると逆効果《ぎゃくこうか》だ。

0356

皆無《かいむ》

まったくないこと。

さばくの
カーリング大会《たいかい》
!?
ツルーーッ
パカーン

現状《げんじょう》で、試合《しあい》に勝《か》てる可能性《かのうせい》は（④）だ。

0357

妥当《だとう》

状況《じょうきょう》によく当《あ》てはまっていること。

目玉焼《めだまや》きにしょう油《ゆ》かソースか…。5時間《じかん》も議論《ぎろん》することじゃない。それは個人《こじん》の自由《じゆう》だ。もう帰《かえ》ろうぜ。
ごもっとも!

議題《ぎだい》に沿《そ》って、何《なに》が（⑤）かをよく考《かんが》えて話《はな》し合《あ》おう。

0358

千載一遇《せんざいいちぐう》

千年《せんねん》に一度《いちど》くらいしか出合《であ》えないようなよい機会《きかい》。

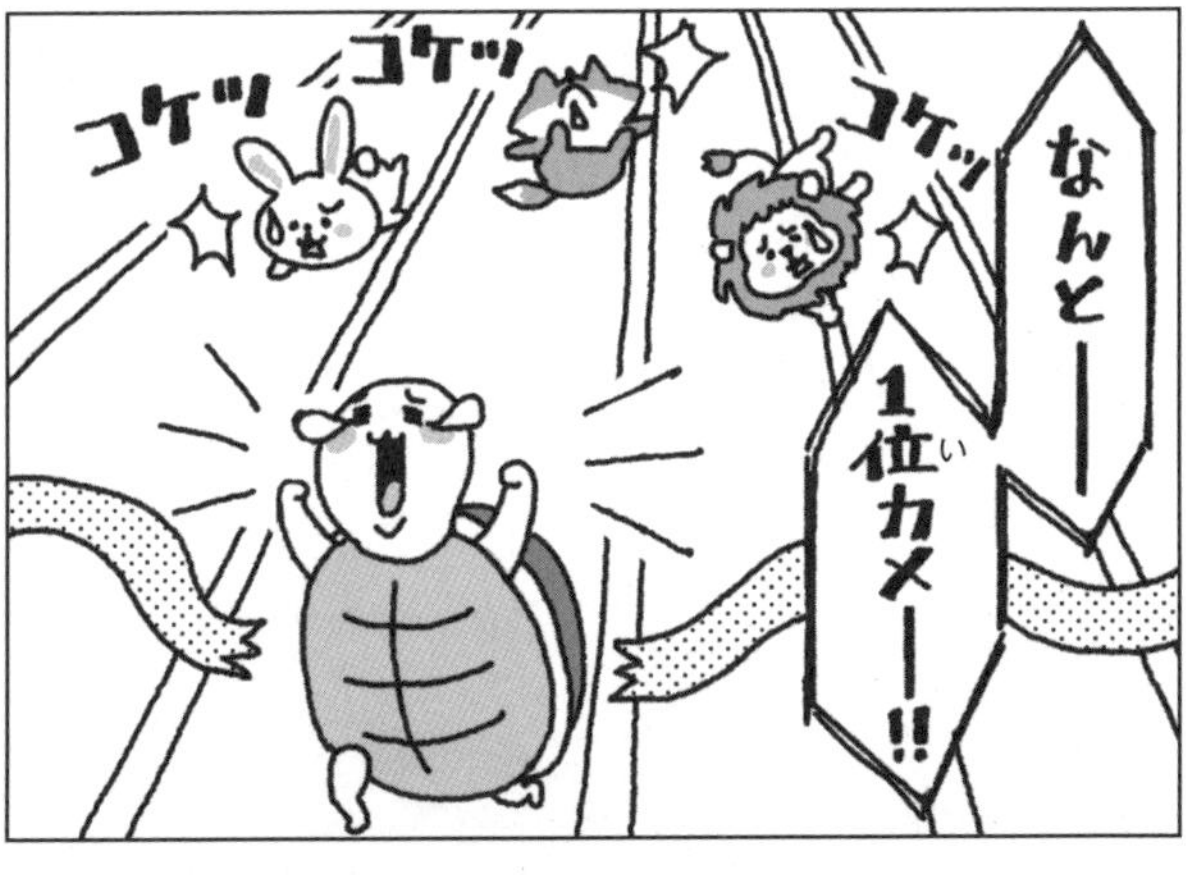
コケッ
コケッ
コケッ
なんとーー
1位《い》カメーー!!

競走相手《きょうそうあいて》がみんな転《ころ》んで、（⑥）のチャンスをつかんだ。

答え ④皆無 ⑤妥当 ⑥千載一遇

0359

徒《と》党《とう》を組《く》む

ある目的《もくてき》のために仲間《なかま》が団結《だんけつ》する。

桃太郎《ももたろう》!!
今度《こんど》こそ
やっつけてやる!!

鬼《おに》たちが、（ ① ）んで乗《の》り込《こ》んできた。

0360

早計《そうけい》

十分《じゅうぶん》に考《かんが》えない、早《はや》まった判断《はんだん》。

ひとめぼれ! 結婚《けっこん》する! 今日《きょう》しよう!
そんな重大《じゅうだい》なこと すぐ決《き》めるの!?

出会《であ》ってすぐに結婚《けっこん》を決《き》めるなんて、（ ② ）すぎるよ。

0361

ちゃかす

人《ひと》のまじめな態度《たいど》を笑《わら》いのねたにする。からかう。また、はぐらかす。ごまかす。

ぼくと 結婚《けっこん》して くだたい!
くだたい! くだたいだって! アハハハハ!
ゲラゲラ

まじめな話《はなし》をしている人《ひと》を（ ③ ）してはいけない。

答え ①徒党を組 ②早計 ③ちゃか

言葉《ことば》のワザをみがいて使《つか》いこなそう！

アタック・ザ・言葉《ことば》クイズ 15

□に入《はい》る言葉《ことば》を、［ ］から選《えら》ぼう。関係《かんけい》ないものもあるよ。

①この段階《だんかい》で結論《けつろん》を出《だ》したのは□だった。

②「サンドイッチ」という料理《りょうり》は、人《ひと》の名前《なまえ》に□する。

③政治家《せいじか》をめざしているだけあって、彼《かれ》は□だ。

④どこを観光《かんこう》したいのか、お客様《きゃくさま》の□を聞《き》く。

雄弁《ゆうべん》　後味《あとあじ》　意向《いこう》　暗示《あんじ》　由来《ゆらい》　早計《そうけい》

⇒答《こた》えは200ページにあります。

0362

勝《か》って兜《かぶと》の緒《お》を締《し》めよ

戦《たたか》いに勝《か》っても気《き》をぬかず、心《こころ》を引《ひ》きしめておくことが大事《だいじ》だということ。

グラグラ
もう勝利《しょうり》は我《わ》がもの！
ワ
そ～っと

（①）というからね、最後《さいご》まで油断《ゆだん》は禁物《きんもつ》だ。

0363

スムーズ

じゃまや支障《ししょう》などがなく、物事《ものごと》がなめらかに進《すす》むさま。「スムース」とも。

えっ、うそ…。
オレって、天才《てんさい》…!?
スラ
スラ
スラ
スラ
スラ～

問題《もんだい》が（②）に解《と》けたのは、きっと毎日《まいにち》の勉強《べんきょう》の成果《せいか》だ。

0364

カバー

物《もの》をかぶせること。また、かぶせるもの。補《おぎな》うこと。助《たす》けること。

難《むずか》しい問題《もんだい》はあとにしてっと…。
スラスラ～
アキだらけ～

苦手《にがて》教科《きょうか》の失点《しってん》は、得意《とくい》な教科《きょうか》で（③）しよう。

答え ①勝って兜の緒を締めよ ②スムーズ ③カバー

0365

およびもつかない

とてもかなわない。

はっ！
パシッ
ほっ！
ダーン
クルッ
はいっ！
!!

彼《かれ》の野球《やきゅう》センスには、ぼくなど（④）。

0366

自腹《じばら》を切《き》る

本来《ほんらい》支払《しはら》わなくてもよいお金《かね》を、自分《じぶん》で負担《ふたん》する。

2月《がつ》14日《か》
すげー!! 本命《ほんめい》チョコ、もらったのか！
まぁね…
本当《ほんとう》は自分《じぶん》で買《か》ったんだけどね…。
わん吉《きち》くんへ

なけなしのおこづかいから（⑤）って、チョコを買《か》った。

0367

逆鱗《げきりん》に触《ふ》れる

目上《めうえ》の人《ひと》などを激《はげ》しくおこらせる。

社長《しゃちょう》はいつもシャケばっかり食《た》べてますねぇ。
お前《まえ》だって！
ユーカリの葉《は》っぱばっかりじゃないかよっ！
社長《しゃちょう》
課長《かちょう》

調子《ちょうし》に乗《の》って言《い》い過《す》ぎたことが、社長《しゃちょう》の（⑥）た。

答え ④およびもつかない ⑤自腹を切 ⑥逆鱗に触れ

0368
痛《いた》しかゆし
どちらを選《えら》んでも具合《ぐあい》が悪《わる》い。かけば痛《いた》いし、かかないとかゆいという意味《いみ》から。

0369
逆境《ぎゃっきょう》
苦《くる》しく、厳《きび》しい状況《じょうきょう》。＝苦境《くきょう》

0370
ばつが悪《わる》い
きまりが悪《わる》い。気《き》まずい。

こっちは近道《ちかみち》だけど、坂《さか》がキツいしなぁ。
こっちは時間《じかん》がかかりそうだし…。
ウ〜ン
早《はや》くしないと姫《ひめ》が！
早《はや》く助《たす》けに来《き》てよ！
ケケケケケ
今《いま》に見《み》てなさい！
おそい！もう自分《じぶん》でやっつけたわ！
タハハハッそれはそれは
楽《らく》して遠回《とおまわ》りするから。

それぞれ欠点《けってん》があって、どちらの道《みち》を進《すす》んでも（①）だ。

（②）にたえてこそ、人《ひと》は大《おお》きく成長《せいちょう》できる。

相手《あいて》をずっと待《ま》たせてしまい、（③）思《おも》いをする。

答え ①痛しかゆし ②逆境 ③ばつが悪い

0371

恩《おん》に着《き》る

受《う》けた恩《おん》をありがたく思《おも》い、感《かん》謝《しゃ》の気《き》持《も》ちをもち続《つづ》ける。

助《たす》けたよな？ オレ。いじめっ子《こ》からキミ、助《たす》けたよな？ あのとき、キミ、すごい助《たす》かったよな。
な？

いつまでも忘《わす》れず、助《たす》けてもらったことを（ ④ ）。

0372

めかす

お化粧《けしょう》したり、おしゃれをしたりする。

行《い》ってきます！
がんばって…。

姉《あね》は、（ ⑤ ）し込《こ》んで、101回目《かいめ》のお見合《みあ》いに出《で》かけた。

0373

腕《うで》によりをかける

能力《のうりょく》や技術《ぎじゅつ》を発揮《はっき》しようと張《は》り切《き》る。

おいしくできたわ。
ごちそう何《なに》かな～
キツネうどんのみ!?
こんなにいる!?

今日《きょう》は（ ⑥ ）て、ごちそうを用意《ようい》した。

答え ④恩に着る ⑤めかす ⑥腕によりをかけ

0374

ハイ

質《しつ》や高《たか》さ、順位《じゅんい》などが高《たか》いこと。
感情《かんじょう》が高《たか》まっていること。⇔ロー

キャー
スーハー　スーハー
今日《きょう》のゲストはこの方《かた》!

思《おも》わぬゲストの登場《とうじょう》で、みんな興奮《こうふん》して（　①　）になった。

0375

お茶《ちゃ》の子《こ》さいさい

物事《ものごと》が簡単《かんたん》にできるさま。「お茶《ちゃ》の子《こ》」は、お茶《ちゃ》にそえて出《だ》すおかしのこと。

大食《おおぐ》い大会《たいかい》
〜たこやき対決《たいけつ》〜
大好物《だいこうぶつ》だし、余裕《よゆう》で優勝《ゆうしょう》だぜ!

好《す》きな物《もの》をたくさん食《た》べることなんて、そんなの（　②　）だ。

0376

足元《あしもと》にもおよばない

相手《あいて》が自分《じぶん》よりも数段《すうだん》すぐれていて、比《くら》べものにならない。

もう無理《むり》…。
まだまだー!!
バクバクバクバク
すごい…

参《まい》りました。この勝負《しょうぶ》、きみの（　③　）びません。

0377

折《お》り合《あ》い

納得《なっとく》して、うまくやること。一致《いっち》するところ。

オレ、その日《ひ》旅行《りょこう》だわ…。
オレはデートだ。
オレ、予定《よてい》ないけど。
コンサート、無理《むり》ですね…。
オレ、つり！

日程《にってい》の（ ④ ）がつかず、コンサートは中止《ちゅうし》になった。

0378

かいがいしい

どんな苦労《くろう》もいやがらず、一生《いっしょう》懸命《けんめい》につくす様子《ようす》。

ママの代《か》わりをありがとう。
ハイ
宿題《しゅくだい》やったの!?
パパ、飲《の》みすぎよ!!
ブーッ

母《はは》の入院中《にゅういんちゅう》、妹《いもうと》が（ ⑤ ）く家事《かじ》をしてくれた。

0379

定《さだ》める

決《き》める。規則《きそく》などを決定《けってい》する。安定《あん》させる。また、物事《ものごと》を判定《はんてい》する。

これが我《わ》が家《や》の法律《ほうりつ》です!!
バーン
・ゲームは1日《にち》30分《ぷん》まで
・おこづかいは月《つき》200円《えん》
・朝《あさ》は6時《じ》に起《お》きる
えーっ

今日《きょう》から我《わ》が家《や》では、法律《ほうりつ》が（ ⑥ ）られた。

答え ④折り合い ⑤かいがいし ⑥定め

0380

先決《せんけつ》

先《さき》に解決《かいけつ》しておかなければいけないこと。

ヨーロッパ、楽《たの》しみだなぁ～！
フランス旅行《りょこう》にイタリア旅行《りょこう》♥
まずはお金《かね》をためないとね！

旅行《りょこう》の計画《けいかく》を立《た》てるより、お金《かね》をためることが（　①　）だ。

0381

あおぐ　仰ぐ

下《した》から見上《みあ》げる。敬《うやま》う。上《うえ》の人《ひと》に指示《しじ》や助言《じょげん》などを求《もと》める。

サイン、複雑《ふくざつ》すぎ…。
シュッ
シュッ
シュッ
全然《ぜんぜん》わからない…。

試合中《しあいちゅう》、ベンチからの指示《しじ》を（　②　）。

0382

根《ね》こそぎ

何《なに》もかもすべて。余《あま》すところなく。

あーっ、何《なに》もない!!

畑《はたけ》があらされて、野菜《やさい》を（　③　）食《た》べられた。

答え　①先決　②あおぐ　③根こそぎ

言葉《ことば》のワザをみがいて使《つか》いこなそう！

アタック・ザ・言葉《ことば》クイズ 16

文字《もじ》を線《せん》で結《むす》んで、意味《いみ》に合《あ》う言葉《ことば》をつくろう。

①言《い》い争《あらそ》い。ケンカ。
↓
い・　・こ・　・そ・　・り

②何《なに》もかもすべて。余《あま》すところなく。
↓
ね・　・さ・　・よ・　・ぎ

③聞《き》いておくと得《とく》なこと。聞《き》く価値《かち》があること。
↓
み・　・み・　・か・　・い

⇒答《こた》えは 200 ページにあります。

0383

ビジョン

将来《しょうらい》の展望《てんぼう》。見通《みとお》し。遠《とお》くまで見《み》わたすこと。景色《けしき》。

将来《しょうらい》はゾウ美《み》と結婚《けっこん》して、
男《おとこ》の子《こ》と女《おんな》の子《こ》のコゾウができて…。

結婚後《けっこんご》の（ ① ）は、固《かた》まっている。

0384

介入《かいにゅう》

何《なに》かをするために、当事者《とうじしゃ》ではない者《もの》が横《よこ》から入《はい》り込《こ》むこと。

家《いえ》に帰《かえ》るまでが応援《おうえん》ですよ！
配慮《はいりょ》のない行動《こうどう》は、イエローカードです！
DJ《でぃーじぇい》ポリス

※サポーター…サッカーで特定《とくてい》のチームを熱心《ねっしん》に応援《おうえん》するファンのこと。

サポーター間《かん》の騒動《そうどう》をしずめるために、警察《けいさつ》が（ ② ）する。

0385

たぶらかす

人《ひと》をだまして、その気《き》にさせたり、心《こころ》を迷《まよ》わせたりする。

あなたが落《お》としたのは金《きん》のオノですか、銀《ぎん》のオノですか、銅《どう》のオノですか？ほれほれ、金《きん》のオノだよ。
本当《ほんとう》は銅《どう》のオノって、知《し》ってるくせに！

（ ③ ）ような質問《しつもん》で、私《わたし》の心《こころ》をためさないでください。

答え ①ビジョン ②介入 ③たぶらかす

0386

親近感《しんきんかん》

自分《じぶん》と似《に》ている人《ひと》に、親《した》しみを感《かん》じる気持《きも》ち。

キミは
この星《ほし》の
支配者《しはいしゃ》か？
エッ
何《なん》とか
言《い》ったら
どーうだ？
そのプシュー
ってなんだ？
攻《こう》ゲキなのか
えっ？
プシュ〜

初《はじ》めて会《あ》ったときから、なぜか（④）を覚《おぼ》えていた。

0387

折《おり》

機会《きかい》。タイミング。季節《きせつ》。

あ〜、
ヒマだ
なぁ〜。
あそぼうぜ〜!!
おっ!!
ナイス
タイミング！

ひまを持《も》て余《あま》していたら、（⑤）よく友達《ともだち》が遊《あそ》びに来《き》た。

0388

大《だい》それた

大胆《だいたん》で身《み》のほど知《し》らずな。常識《じょうしき》外《はず》れな。とんでもない。

マグロ王《おう》に、
オレはなる！

（⑥）夢《ゆめ》だと笑《わら》われても、彼《かれ》は決《けっ》してあきらめなかった。

答え ④親近感 ⑤折 ⑥大それた

0389

明《あか》るみに出《で》る

知《し》られたくないことや、かくしていたことがばれてしまう。世《せ》間《けん》に知《し》られるようになる。

やべっ!

おばあさんの証言《しょうげん》で、犯人《はんにん》の悪事《あくじ》がすべて（ ① ）。

0390

君子《くんし》は危《あや》うきに近寄《ちかよ》らず

立派《りっぱ》な人《ひと》は、危険《きけん》なことには近《ちか》づかず、無用《むよう》な災難《さいなん》にもあわない。

キケン
この先《さき》毒《どく》ヘビがいます!!
…よし! 別《べつ》ルートを探《さが》すぞ!!
えっ! ここまで来《き》てっ!?

（ ② ）だよ。危険《きけん》な道《みち》はさけたほうがいい。

0391

手《て》を引《ひ》く

それまで関《かか》わってきたことをやめる。

もうオレたち、財宝探《ざいほうさが》しの探検隊《たんけんたい》をやめます!!
ガーン

いつまでたっても先《さき》に進《すす》めない。もう（ ③ ）よ。

答え ①明るみに出る ②君子は危うきに近寄らず ③手を引く

0392

グルメ

料理《りょうり》にくわしい人《ひと》。おいしい物《もの》を好《この》んで食《た》べている人《ひと》。食通《しょくつう》。美食家《びしょくか》。

ウッ……
どうかされましたか？
アイツ、えらそうだから、わざとまずくしてやった。さあ どうする？

（④）レポーターは、言葉《ことば》と表情《ひょうじょう》でおいしさを表現《ひょうげん》する。

0393

そしる

人《ひと》を悪《わる》く言《い》う。人《ひと》をけなす。

歌手《かしゅ》のイヌ太郎《たろう》さん、かっこいいよね！
え〜、そう？かっこつけてばっかりでダサくない？私《わたし》はきらい！
プッ

あの有名人《ゆうめいじん》は、かげで（⑤）られることも多《おお》い。

0394

雨垂《あまだ》れ石《いし》をうがつ

根気《こんき》よくやれば、最後《さいご》には成功《せいこう》する。「うがつ」は、穴《あな》を空《あ》けること。

これに50年《ねん》かけたなんて…。すばらしい作品《さくひん》だ!!
何《なん》でもコツコツだよ。
え…すばらしい…？
ハッ
昭和《しょうわ》

この作品《さくひん》は、完成《かんせい》に50年《ねん》かかったそうだ。（⑥）だね。

答え ④グルメ ⑤そしる ⑥雨垂れ石をうがつ

0395

過言《かごん》ではない

大《おお》げさや言《い》いすぎではない。

0396

風上《かざかみ》に置《お》けない

同《おな》じ仲間《なかま》にしておけないほど、低《てい》レベルで根性《こんじょう》がよくないという意味《いみ》。

0397

言《い》わぬが花《はな》

口《くち》に出《だ》して言《い》わないほうがよい。

こっ…こわい…。
お前《まえ》ら、どこだ!?
日本一
どこにかくれてたんだよ!!
大変《たいへん》だったんだからな!!
ゼェ ゼェ
役《やく》に立《た》たないやつらめ。
だんご返《かえ》せ
シュン…
鬼《おに》を一人《ひとり》でたおすのって、けっこう大変《たいへん》だったんだけど〜。
ファン
オレが本気出《ほんきだ》せば、イチコロだよね〜。一人《ひとり》でだよ、ひ・と・り☆
またか…。
もういや…。

この戦《たたか》いは、彼一人《かれひとり》の力《ちから》で勝《か》ったといっても（　①　）。

大事《だいじ》なときにいないなんて、家来《けらい》の（　②　）。

ただのじまん話《ばなし》になるから、武勇伝《ぶゆうでん》は（　③　）だよ。

答え ① 過言ではない ② 風上に置けない ③ 言わぬが花

0398

ロジカル

物事《ものごと》を筋道《すじみち》立《だ》ってとらえる考《かん》え方《かた》。論理的《ろんりてき》。

キミがこのオムツをはくのがイヤだとすると、服《ふく》がよごれ、床《ゆか》がよごれ、キミの名誉《めいよ》が傷《きず》つくけど、そのことをわかったうえで拒否《きょひ》するというのなら止《と》めはしないさ。
バブ……

（ ④ ）な考《かん》え方《かた》を身《み》につけることも、人生《じんせい》では重要《じゅうよう》だ。

0399

けむに巻《ま》く

訳《わけ》のわからないことを言《い》って、ごまかす。

どーする？どうなる？学《がっ》級《きゅう》討《とう》論《ろん》会《かい》
それは、グローバル・スタンダードなミッションで、ジェネリックなものにこそ、エビデンスがあるんだ～。
何《なん》だかわからないけどスゴ～イ！

よくわからない言葉《ことば》を連発《れんぱつ》して、相手《あいて》を（ ⑤ ）。

0400

化《ば》けの皮《かわ》がはがれる

かくしていた本性《ほんしょう》が明《あき》らかになる。「化《ば》けの皮《かわ》を現《あらわ》す」とも。

だが、その言葉《ことば》の使《つか》い方《かた》はメチャクチャおかしい!!
ワ～ッ
ついに意味《いみ》知《し》らないのバレた～！
この本《ほん》読《よ》まなくちゃ！

優等生《ゆうとうせい》のふりをしていたが、そろそろ（ ⑥ ）そうだ。

答え ④ ロジカル ⑤ けむに巻く ⑥ 化けの皮がはがれる

0401

一悶着《ひともんちゃく》

ちょっとした争《あらそ》い。もめ事《ごと》。

試合中《しあいちゅう》、だれも見《み》ていないところで（　①　）あったようだ。

0402

しゃちほこ張《ば》る

緊張《きんちょう》して、かしこまった態度《たいど》をとる。「しゃっちょこばる」とも。

初《はじ》めての面接《めんせつ》は、（　②　）ったあいさつになってしまった。

0403

あお向《む》け　仰向け

横《よこ》になって顔《かお》や体《からだ》を上《うえ》に向《む》けること。⇔うつぶせ

彼《かれ》は、屋上《おくじょう》で（　③　）になって、空《そら》を見上《みあ》げた。

答え　①一悶着　②しゃちほこ張　③あお向け

0404

ののしる 罵る

激《はげ》しい言葉《ことば》で悪口《わるくち》をいう。大声《おおごえ》でわめく。

しかる
花《か》だんの花《はな》を折《お》っちゃダメ！
おこる
コラァ！何《なに》やってんだ！
ののしる
このボケカスがぁ!!

機嫌《きげん》が悪《わる》かったようで、ひどい言葉《ことば》で（ ④ ）られた。

0405

坊主憎《ぼうずにく》けりゃ袈裟《けさ》まで憎《にく》い

その人《ひと》を憎《にく》む心《こころ》があると、その人《ひと》に関係《かんけい》あるすべてが憎《にく》らしくなる。

サルの使《つか》ったタオルなんて使《つか》えるか！
サルの通《とお》った道《みち》なんて行《い》くのやめた！
サルに関《かん》するもの、全部《ぜんぶ》がいやだ！

（ ⑤ ）で、きらいになると、何《なに》もかもがいやになるね。

0406

助長《じょちょう》

成長《せいちょう》や発展《はってん》のために手助《てだす》けすること。また、よくしようとしたことが逆効果《ぎゃくこうか》になって、害《がい》をあたえること。

女王《じょおう》バチ様《さま》、今日《きょう》もきれいですね。
よしよし、今日《きょう》は働《はたら》かなくてもよいぞ。

世話《せわ》を焼《や》きすぎるのは、あまえ心《ごころ》を（ ⑥ ）するよ。

答え ④ののし ⑤坊主憎けりゃ袈裟まで憎い ⑥助長

0407

メジャー

広《ひろ》く知《し》られていること。有名《ゆうめい》なこと。規模《きぼ》が大《おお》きなこと。⇔マイナー

南極《なんきょく》
何《なん》だよ、サッカー知《し》らないのかよ。みんな知《し》ってるぜ！
マジかよ！

サッカーは、世界《せかい》で最《もっと》も（①）なスポーツの一《ひと》つだ。

0408

捨《す》て身《み》

命《いのち》を捨《す》てるつもりで、全力《ぜんりょく》を出《だ》すこと。

ええい、こうなったら！
!!
ドカッ

（②）の攻撃《こうげき》で、ぼくたちは敵《てき》に立《た》ち向《む》かった。

0409

かわいい子《こ》には旅《たび》をさせよ

世《よ》の中《なか》のつらさや厳《きび》しさを経験《けいけん》させたほうが、その子《こ》の将来《しょうらい》のためになるという意味《いみ》。

ん〜
がんばれっ…!!

（③）、見守《みまも》るのも親《おや》の務《つと》めだ。

答え ① メジャー ② 捨て身 ③ かわいい子には旅をさせよ

言葉《ことば》のワザをみがいて使《つか》いこなそう！

アタック・ザ・言葉《ことば》クイズ 17

入試問題《にゅうしもんだい》に挑戦《ちょうせん》！

次《つぎ》のことわざの（　　）にあてはまる言葉《ことば》をあとから選《えら》び、記号《きごう》で答《こた》えなさい。

（京都共栄学園中学校・改題）

①海老《えび》で（　　）を釣《つ》る

ア　蟹《かに》　イ　蛸《たこ》　ウ　鯛《たい》　エ　烏賊《いか》

②（　　）に油揚《あぶらあ》げをさらわれる

ア　からす　イ　つばめ　ウ　ひばり　エ　とび

③かわいい子《こ》には（　　）をさせよ

ア　昼寝《ひるね》　イ　旅《たび》　ウ　家事《かじ》　エ　貯金《ちょきん》

④（　　）をすれば影《かげ》が差《さ》す

ア　うわさ　イ　予言《よげん》　ウ　返事《へんじ》　エ　陰口《かげぐち》

⇒答《こた》えは 200 ページにあります。

0410

そばだてる

注意《ちゅうい》して見《み》たり、聞《き》いたりする。一方《いっぽう》のはしを高《たか》くしてかたむかせる。

何《なに》か聞《き》こえる…!
ほほー

深夜《しんや》、外《そと》からきみょうな音《おと》がして、そっと耳《みみ》を（　①　）。

0411

あかぬける

あか抜ける

すっきりと洗練《せんれん》される。しゃれて、格好《かっこう》がよくなる。

オラ、都会《とかい》に行《い》くズラ。
1年後《ねんご》
ただいまーーっ
キラ
キラ

息子《むすこ》は、都会《とかい》で暮《く》らすうちにどんどん（　②　）ていった。

0412

焼《や》け石《いし》に水《みず》

助《たす》けや努力《どりょく》があまりに少《すく》なくて、何《なん》の役《やく》にも立《た》たないことのたとえ。

1 2 3 4 5 6 7 8 9 R
7 9 5 11 8 13 6 10 12 81
0 0 0 0 0 0 0 0 1 1
出《で》た！9回裏《かいうら》4番《ばん》のホームラン！
でも、1点《てん》だけじゃあね…。

最終回《さいしゅうかい》のホームランでやっと1点返《てんかえ》したが、（　③　）だ。

答え　① そばだてる　② あかぬける　③ 焼け石に水

0413

能天気《のうてんき》

のんきで、何《なに》も考《かんが》えていない様《よう》子《す》。また、そのような人《ひと》。

残業《ざんぎょう》、一人《ひとり》で大丈夫《だいじょうぶ》ですか?
ああヨユウ
それじゃお先《さき》…。
カチャカチャカチャ

（④）な返事《へんじ》をしたけれど、始《はじ》めてみたら大仕事《おおしごと》だった。

0414

マイナー

あまり重要《じゅうよう》でないもの。有名《ゆうめい》でないもの。少《すく》ないこと。⇔メジャー

そんなんじゃ、オリンピックにいけないぞ!!
ピョン
ピョン
ピョン

競技人口《きょうぎじんこう》が少《すく》ない（⑤）競技《きょうぎ》で、オリンピック出場《しゅつじょう》をめざす。

0415

くったくがない

心配事《しんぱいごと》やなやみ事《ごと》がない。こだわりがない。

もう宿題《しゅくだい》、終《お》わったよ。
あそびに行《い》ってきます
!!
終《お》わってない!!
まっしろ

母親《ははおや》は、子《こ》ども（⑥）笑顔《えがお》にいつもだまされる。

答え ④能天気 ⑤マイナー ⑥くったくがない

0416

背《せ》に腹《はら》はかえられない

目《め》の前《まえ》の重大《じゅうだい》なことのためには、ほかをぎせいにすることもやむを得《え》ないというたとえ。

橋《はし》がなくなっている！
しょうがない…カメくんの背中《せなか》に乗《の》ってわたろう！
えっ!?

多少《たしょう》の不便《ふべん》は仕方《しかた》がない。（ ① ）からね。

0417

悪《わる》あがき

しても仕方《しかた》がない、むだな努力《どりょく》をすること。

試験前《しけんまえ》に必死《ひっし》だね〜。
うるさいなー
数学
エ〜ッ
今日《きょう》、数学《すうがく》の試験《しけん》だったの？
国語《こくご》だと思《おも》ってた

テストの直前《ちょくぜん》に、（ ② ）でもう一度《いちど》ノートを見返《みかえ》した。

0418

暴《あば》く

かくしていたことを探《さぐ》り出《だ》して、みんなに知《し》らせる。

これでもチョコを食《た》べてないと言《い》うんですか！
ちょっ…やめ…
コラー
ぐいぐい

あまい物《もの》が好《す》きという秘密《ひみつ》を（ ③ ）いて、犯人《はんにん》を当《あ》てた。

答え ① 背に腹はかえられない ② 悪あがき ③ 暴

0419

明《あ》けわたす

今《いま》までいたところを立《た》ちのいて、人《ひと》にわたす。

大食《おおぐ》い選《せん》手《しゅ》権《けん》
バリバリ
金《きん》
ウェッ
メダルも食《た》べちゃうんだ…。
銀《ぎん》

努力《どりょく》およばず、首位《しゅい》の座《ざ》を（④）した。

0420

のっぴきならない

さけることも引《ひ》くこともできない。

あいたたた…。
おなかが痛《いた》い〜〜。
テストを受《う》けたくないからって、仮病《けびょう》はダメ！

学校《がっこう》を休《やす》むために、（⑤）理由《りゆう》をつくり出《だ》した。

0421

テイスト

食《た》べ物《もの》の味《あじ》。物事《ものごと》から感《かん》じ取《と》られる味《あじ》わいやおもしろさ。好《この》み。

これが芸術《げいじゅつ》…？
おー これはスゴイ！
よくわからない…。
へへっ♪

あの子《こ》のかく絵《え》は、いつも独特《どくとく》の（⑥）だ。

答え ④明けわたす ⑤のっぴきならない ⑥テイスト

0422

仲《なか》たがい

仲《なか》が悪《わる》くなること。不《ふ》仲《なか》。⇔仲《なか》直《なお》り

昨日《きのう》は、
ずっと友達《ともだち》♥
って言《い》ってたのに…。
プイ
プイ

どんなに親《した》しい間柄《あいだがら》でも（　①　）することはある。

0423

やきもき

気《き》になって落《お》ち着《つ》かず、いらいらすること。

ハラハラ
どうなるのかしら?
ドキドキ
よくわからないけど…。

主人公《しゅじんこう》のはっきりしない態度《たいど》に、（　②　）させられっぱなしだ。

0424

めり張《は》り

力《ちから》を入《い》れたりぬいたりする、はっきりした変化《へんか》。

ガリ
ガリ
5分《ふん》しか勉強《べんきょう》してないじゃない…。
あー疲《つか》れた
しっかり勉強《べんきょう》して、ちゃんと休《やす》む!

勉強《べんきょう》も運動《うんどう》もだらだらしないで、（　③　）をつけることが大切《たいせつ》だ。

答え ①仲たがい ②やきもき ③めり張り

0425
気安《きやす》い
遠慮《えんりょ》がいらなくて、気楽《きらく》だ。

0426
きゃしゃ
ほっそりして上品《じょうひん》で、弱々《よわよわ》しい様子《ようす》。

0427
逆上《ぎゃくじょう》
頭《あたま》に血《ち》がのぼって、普通《ふつう》でいられなくなること。

宿題《しゅくだい》、また教《おし》えてよ。
アタシも！ノート写《うつ》させて！
エッ
エ〜ッ
マモルくん、やせてるわね〜。
たまには外《そと》で遊《あそ》ばなくちゃ。
何《なに》、言《い》ってやがる。
お前《まえ》らがたのみ事《ごと》ばかりするからだろ〜っ！
ウオ〜ッ
この前《まえ》、キレちゃってやーねー。
ナア〜ッ
意外《いがい》と細《ほそ》マッチョ！
もう宿題《しゅくだい》は自分《じぶん》でしま〜す！
イイカゲンにしろ〜ッ！

さっぱりした性格《せいかく》で、（④）く話《はな》せるのが彼《かれ》のいいところだ。

（⑤）な体《からだ》つきからは想像《そうぞう》できないほど、声《こえ》が大《おお》きい。

温和《おんわ》な彼《かれ》だが、とうとう（⑥）して反撃《はんげき》を始《はじ》めた。

答え ④気安 ⑤きゃしゃ ⑥逆上

0428

一寸先《いっすんさき》は闇《やみ》

すぐ先《さき》のことでも、何《なに》が起《お》こるかわからない。

何《なに》が起《お》こるか、
わからないからね。
ぼくは、常《つね》に
気《き》をつけているよ。
ドヤァ…
!!

（ ① ）というからね、うまくいっていても、油断《ゆだん》は禁物《きんもつ》だよ。

0429

たらい回《まわ》し

面倒《めんどう》なことを解決《かいけつ》しないまま、ほかへほかへとおしつけること。

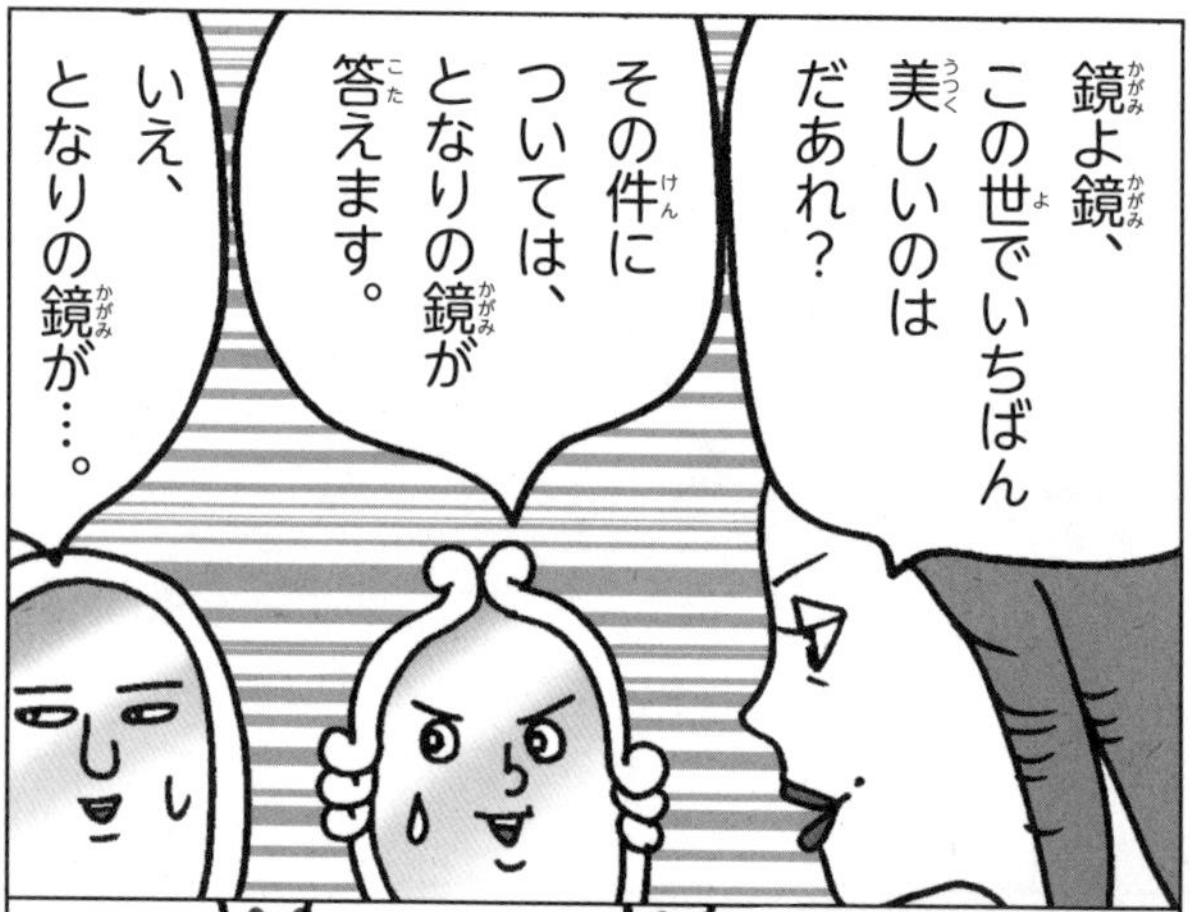
鏡《かがみ》よ鏡《かがみ》、
この世《よ》でいちばん
美《うつく》しいのは
だあれ？
その件《けん》に
ついては、
となりの鏡《かがみ》が
答《こた》えます。
いえ、
となりの鏡《かがみ》が…。

問《と》いかけても（ ② ）にされ、だれも答《こた》えてくれない。

0430

空空《そらぞら》しい

わざとらしく、気持《きも》ちが全然《ぜんぜん》こもっていない様子《ようす》。

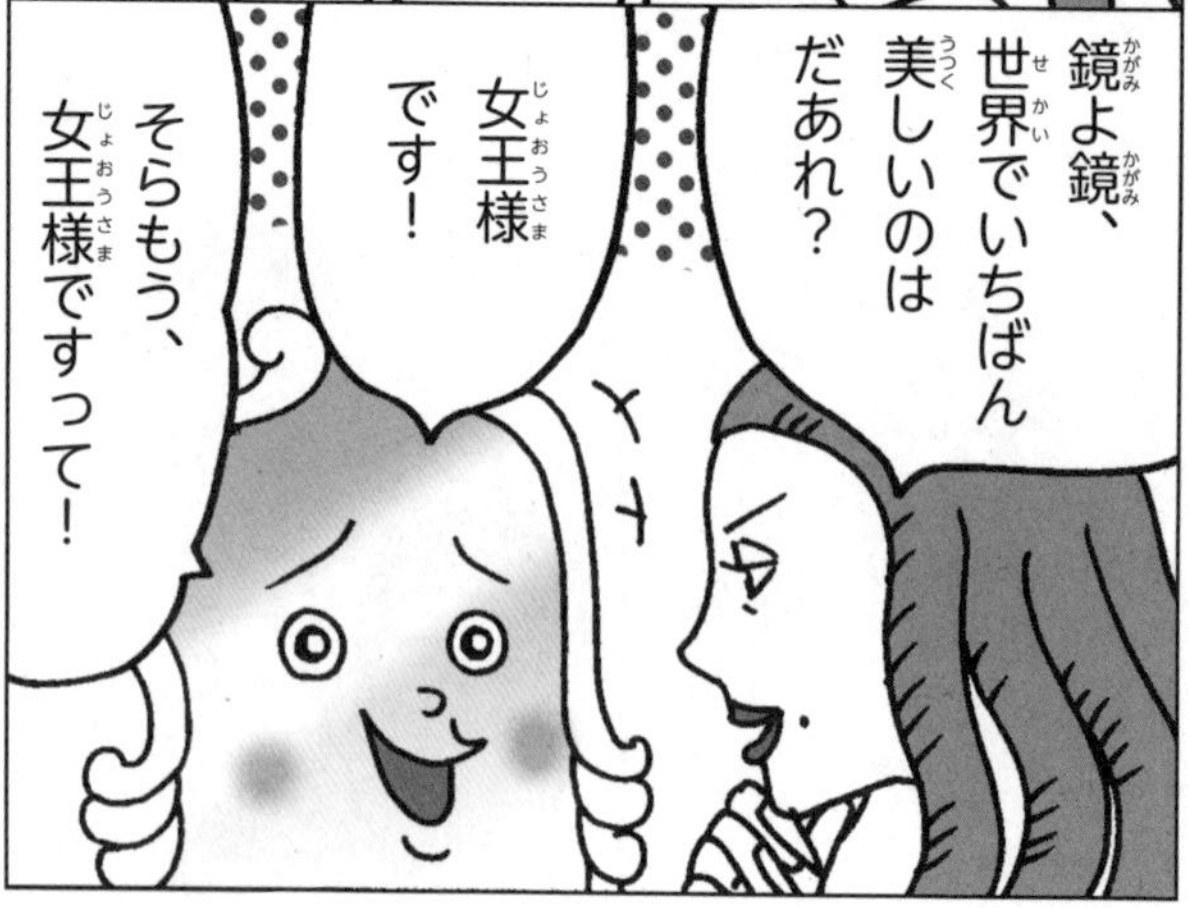
鏡《かがみ》よ鏡《かがみ》、
世界《せかい》でいちばん
美《うつく》しいのは
だあれ？
女王様《じょおうさま》
です！
そらもう、
女王様《じょおうさま》ですって！

女王様《じょおうさま》の周《まわ》りには、（ ③ ）言葉《ことば》があふれるようになった。

答え ① 一寸先は闇 ② たらい回し ③ 空空しい

言葉《ことば》のワザをみがいて使《つか》いこなそう！

アタック・ザ・言葉《ことば》クイズ 18

入試問題《にゅうしもんだい》に挑戦《ちょうせん》！

様子《ようす》を表《あらわ》す言葉《ことば》について、次《つぎ》の問《と》いにそれぞれ記号《きごう》で答《こた》えなさい。（須磨学園中学校・改題）

①次《つぎ》の言葉《ことば》のうち、「一生懸命《いっしょうけんめい》な様子《ようす》」を表《あらわ》しているものを選《えら》びなさい。

ア　よそよそしい　　イ　おくゆかしい

ウ　空空《そらぞら》しい　　エ　かいがいしい

②次《つぎ》の慣用句《かんようく》のうち、「うれしい様子《ようす》」を表《あらわ》しているものを選《えら》びなさい。

ア　居《い》ても立《た》ってもいられない　　イ　開《あ》いた口《くち》がふさがらない

ウ　足《あし》が地《ち》に着《つ》かない　　エ　二《に》の句《く》がつげない

③次《つぎ》の言葉《ことば》のうち、「顔《かお》が青《あお》ざめる様子《ようす》」を表《あらわ》しているものを選《えら》びなさい。

ア　色《いろ》めき立《た》つ　　イ　色《いろ》を失《うしな》う

ウ　気色《けしき》ばむ　　エ　青筋《あおすじ》を立《た》てる

⇒答《こた》えは200ページにあります。

0431

ベーシック

基本的《きほんてき》なこと。だれでも知《し》っているような初歩的《しょほてき》なこと。

今日《きょう》の給食《きゅうしょく》、カレーだって!!
ヒャッホー♡
I know that's right!《アイ ノウ ザッツ ライト》
(そのとおり)
フッ…

これからの時代《じだい》、小学生《しょうがくせい》にも（　①　）な英語力《えいごりょく》は必要《ひつよう》だ。

0432

買《か》いかぶる

その人《ひと》のことを、実際《じっさい》以上《いじょう》にすごいと思《おも》って高《たか》く評価《ひょうか》する。

いや、あいつは、やるときはやる男《おとこ》だよ!!
期《き》待《たい》の大型《おおがた》新人《しんじん》だ
ドヘタ
やめて…。

コーチはぼくを（　②　）っているが、ただのかんちがいだ。

0433

そそる

ある感情《かんじょう》を引《ひ》き起《お》こしたり、その気《き》にさせたりする。

竜宮城《りゅうぐうじょう》には、タイやヒラメの美《うつく》しいおどりと、乙姫様《おとひめさま》からのごちそうが待《ま》っていますよ!
いいな、いいなぁ～、おもしろそう!

それは初《はじ》めて聞《き》く話《はなし》ばかりで、ぼくの興味《きょうみ》を（　③　）った。

答え ①ベーシック ②買いかぶ ③そそ

0434

才色兼備《さいしょくけんび》

頭《あたま》のよさと美《うつく》しさの両方《りょうほう》をかね備《そな》えていること。主《おも》に女性《じょせい》に使《つか》う。

小野小町《おののこまち》は、（ ④ ）な歌人《かじん》として有名《ゆうめい》である。

0435

にわか仕込《じこ》み

その場限《ばかぎ》りの間《ま》に合《あ》わせで、知識《ちしき》などを急《いそ》いで覚《おぼ》えること。

（ ⑤ ）では通用《つうよう》しないと、改《あらた》めて思《おも》い知《し》らされる。

0436

やつれる

病気《びょうき》やなやみ事《ごと》などのせいで、やせて元気《げんき》がなくなる。

すっかり（ ⑥ ）て、青白《あおじろ》い顔《かお》をしているので心配《しんぱい》だ。

答え ④ 才色兼備 ⑤ にわか仕込み ⑥ やつれ

0437
スマート

体形《たいけい》がすらりとしている様子《ようす》。行動《こうどう》にむだがない様子《ようす》。服装《ふくそう》などがあかぬけている様子《ようす》。

ちょうど立《た》ちたい気分《きぶん》だったので、この席《せき》にすわってもらえませんか?
ス…
部長《ぶちょう》、かっこいいな〜。
あかぬけてる!!
ステキだね!

あの人《ひと》みたいに、（ ① ）に席《せき》をゆずれるようになりたい。

0438
さんさん

明《あか》るく光《ひか》りかがやく様子《ようす》。

今日《きょう》は太陽《たいよう》が出《で》ていないので、昼間《ひるま》から…。
ギャーッ
急《きゅう》に太陽《たいよう》が〜!
さんさん
天気予報《てんきよほう》見《み》てねーのか!

雨空《あまぞら》が急《きゅう》に晴《は》れて、太陽《たいよう》の光《ひかり》が（ ② ）と降《ふ》り注《そそ》いだ。

0439
しんしん

音《おと》もなく、静《しず》かな様子《ようす》。

本日《ほんじつ》は一日中《いちにちじゅう》雪《ゆき》です
しんしん
ヨシッ!
ウァ〜ッ
やべー季節《きせつ》だった!!
オレにもカツヤクさせろよ

窓《まど》の外《そと》には、雪《ゆき》が（ ③ ）と降《ふ》り積《つ》もっている。

答え ①スマート ②さんさん ③しんしん

0440

健気《けなげ》

小《ちい》さな子《こ》どもが一生懸命《いっしょうけんめい》にがんばっている様子《ようす》。

ママ、大丈夫《だいじょうぶ》?
だいぶ、よくなってきたわ。

息子《むすこ》は、病気《びょうき》の母《はは》を（④）に看病《かんびょう》し続《つづ》けた。

0441

計《はか》らい

取《と》りあつかい。適切《てきせつ》な処置《しょち》。

3学期《がっき》も終《お》わりだし、今日《きょう》は授業《じゅぎょう》をやめて、ドッジボールだ!
わー!

先生《せんせい》のいきな（⑤）で、クラスがとても盛《も》り上《あ》がった。

0442

足《あし》かけ

足掛け

年月《ねんげつ》をかぞえるときに、半端《はんぱ》な数《かず》も1とするかぞえ方《かた》。

石《いし》の上《うえ》にも足《あし》かけ3年《ねん》。
今《いま》1月《がつ》だからまだ1年《ねん》と2か月《げつ》じゃん。

2年前《ねんまえ》の12月《がつ》から、ここにいるから、（⑥）3年《ねん》になる。

答え ④健気 ⑤計らい ⑥足かけ

0443

竹《たけ》を割《わ》ったよう

性格《せいかく》がまっすぐで、さっぱりしていることのたとえ。

まちがえたおつりくらい、もらったっていいんじゃないかい？
てやんでえ！ おれぁ、不正《ふせい》は大《だい》きらいでい！ ちゃんと返《かえ》すよ！
スパーッとね‼

（ ① ）な性格《せいかく》で、曲《ま》がったことが大《だい》きらいだ。

0444

針小棒大《しんしょうぼうだい》

小《ちい》さいことを大《おお》げさに言《い》うこと。針《はり》ほどの大《おお》きさのものを、棒《ぼう》のように大《おお》きく言《い》うことから。

宇宙人《うちゅうじん》あらわる！
ほんとに〜？
!!

この情報《じょうほう》サイトのニュースは、（ ② ）に言《い》うネタが多《おお》い。

0445

手《て》をこまねく

何《なに》もせず、そばで見《み》ている。

東京《とうきょう》に宇宙人《うちゅうじん》あらわる
キャ
ワ
108
……

人々《ひとびと》は、宇宙人《うちゅうじん》が暴《あば》れるのを（ ③ ）いて見《み》ていた。

答え ① 竹を割ったよう ② 針小棒大 ③ 手をこまねく

0446

重《おも》んじる

大切《たいせつ》にする。尊重《そんちょう》する。⇔軽《かろ》んじる

かみの毛《け》、寝《ね》ぐせ。
ええっ!?
お前《まえ》、スタメンから外《はず》す。

規律《きりつ》を（　④　）コーチなので、身《み》だしなみには要注意《ようちゅうい》だ。

0447

はち合《あ》わせ　鉢合わせ

たまたま出会《であ》うこと。出会《であ》い頭《がしら》にぶつかること。

この前《まえ》さ～
へ～ッ
ワッ!
ライオンだ!!
グルルッ

危険《きけん》はないと油断《ゆだん》していたら、敵《てき》と（　⑤　）した。

0448

肝《きも》を冷《ひ》やす

危《あぶ》ないことに出合《であ》って、ひやりとする。

エ～ッ
こっちからも!?
コイツはオレの獲物《えもの》だ!
ボカッボカッ
ピュ～ッ

敵《てき》におそわれそうになって、（　⑥　）した。

答え　④重んじる　⑤はち合わせ　⑥肝を冷やす

0449

打算的《ださんてき》

何事《なにごと》も、自分《じぶん》の損得《そんとく》ばかりを考《かんが》えて行《おこな》う様子《ようす》。

今日《きょう》は、ぼくがおごるよ。
ここで、恩《おん》を売《う》っておいたほうがあとあとよさそうだ。
わーい
ありがとう

「今後《こんご》に役立《やくだ》つかも」という、（ ① ）な考《かんが》えをしてしまう。

0450

もくろむ

〜しようと考《かんが》える。計画《けいかく》する。たくらむ。

のどじまん大会《たいかい》
う〜ん。
ひえ〜。

アイドルになろうと（ ② ）んで、のどじまん大会《たいかい》に出場《しゅつじょう》する。

0451

あからさま

かくさないで、はっきりとしているさま。ありのまま。

ここはパスタ屋《や》だよ！
ボク、きつねうどん…。
たぬきうどん…。

メニューにない品《しな》を注文《ちゅうもん》したら、（ ③ ）にいやな顔《かお》をされた。

答え ① 打算的 ② もくろ ③ あからさま

0452

目《め》がくらむ

心《こころ》をうばわれて、分別《ふんべつ》がなくなる。

全部《ぜんぶ》食《た》べられたら
10万円《まんえん》!!
ビッグパフェ
やります!
ピーポーピーポー
※よい子《こ》はマネしないでね

賞金《しょうきん》に（　④　）んで、大食《おおぐ》いにチャレンジした。

0453

親《した》しき仲《なか》にも礼儀《れいぎ》あり

どんなに親《した》しい間柄《あいだがら》でも、礼儀《れいぎ》は守《まも》らなければならない。

ちょっと!
家族《かぞく》だからって、
目《め》の前《まえ》でオナラ
しないでよ!
ブーッ

家族《かぞく》でも、マナーは守《まも》ろう。（　⑤　）だよ。

0454

取《と》りざた

取り沙汰

うわさすること。世間《せけん》の評判《ひょうばん》。

最近《さいきん》、
いそがしいのって、
先生《せんせい》が
アイドルのライブに
行《い》ってるから
らしいよ。
ヒソヒソ
えーそうなの?
バレてるー!!
LOVE チュンコ

最近《さいきん》、いそがしそうな先生《せんせい》の実態《じったい》を生徒《せいと》たちが（　⑥　）した。

答え ④目がくら　⑤親しき仲にも礼儀あり　⑥取りざた

0455

ワイルド

野性的《やせいてき》で力強《ちからづよ》いさま。あらあらしい様子《ようす》。

真冬《まふゆ》にタンクトップ!?
ブルブル
ブルブル
オレってワイルドだろぉ?

筋肉質《きんにくしつ》な彼《かれ》は、体《からだ》だけでなく、性格《せいかく》も服装《ふくそう》も（　①　）だ。

0456

意味深長《いみしんちょう》

言葉《ことば》や態度《たいど》に、深《ふか》い意味《いみ》がかくれていること。「意味深《いみしん》」とも。

MARUTA VISION
ハリウッドスターとくしゅう
今回《こんかい》、日本《にほん》に行《い》く大《おお》きな目的《もくてき》があります♡
ワッ
えっ、なになにー!?
えーっ!?

（　②　）な言葉《ことば》に、ファンの期待《きたい》が高《たか》まった。

0457

目白押《めじろお》し

大人数《おおにんずう》が混《こ》み合《あ》って並《なら》ぶこと。また、物事《ものごと》が集中《しゅうちゅう》していること。

スター来日《らいにち》!!
セレブ来日《らいにち》!!
アスリート来日《らいにち》!!
今年《ことし》は、日本《にほん》に大勢《おおぜい》来《く》るなぁ。

今年《ことし》は、有名《ゆうめい》なスターの来日予定《らいにちよてい》が（　③　）だ。

答え ①ワイルド ②意味深長 ③目白押し

言葉《ことば》のワザをみがいて使《つか》いこなそう！

アタック・ザ・言葉《ことば》クイズ 19

入試問題《にゅうしもんだい》に挑戦《ちょうせん》！

ばらばらに並《なら》べられた十二《じゅうに》の漢字《かんじ》から四字熟語《よじじゅくご》を二《ふた》つずつ見《み》つけ出《だ》し、□に書《か》きなさい。（大妻中野中学校・改題）

①

深《しん》	大《だい》	帯《おび》
浅《せん》	中《ちゅう》	短《たん》
意《い》	小《しょう》	長《ちょう》
味《み》	棒《ぼう》	針《しん》

②

抱《ほう》	才《さい》	青《あお》
腹《ふく》	読《どく》	色《しょく》
兼《けん》	備《び》	息《いき》
晴《せい》	耕《こう》	雨《う》

⇒答《こた》えは200ページにあります。

0458

くどくど

同《おな》じことを、しつこくくり返《かえ》して言《い》う様子《ようす》。

だいたいお前《まえ》らはな…。今日《きょう》の試合《しあい》だって…。
くどくどくど
くどくどくど
いつまで続《つづ》くんだよ…。
SARU

試合《しあい》への取《と》り組《く》みについて、監督《かんとく》が（　①　）と説教《せっきょう》をする。

0459

くよくよ

済《す》んだことを、いつまでも思《おも》いなやむ様子《ようす》。

…というわけで、くよくよしてもしょうがないので、明日《あした》からがんばろう！
今《いま》までの時間《じかん》、何《なん》だったんだよ。
くよくよ
くよくよ
SARU

失敗《しっぱい》を（　②　）と後悔《こうかい》しても、仕方《しかた》がない。

0460

健《すこ》やか

体《からだ》も心《こころ》も、元気《げんき》で丈夫《じょうぶ》な様子《ようす》。

それ行《い》けーっ！進《すす》めーっ！
元気《げんき》すぎ…‼
ドカ
金《きん》
ビシッ

よく食《た》べ、よく寝《ね》る子《こ》は、（　③　）に育《そだ》つ。

答え　①くどくど　②くよくよ　③健やか

0461

やるせない

どんよりして、心《こころ》が晴《は》れない。

失恋《しつれん》28連続《れんぞく》!!
ポイ
読《よ》まな〜い
つらい…。

うまくいかないことが続《つづ》くと、（④）気持《きも》ちになるね。

0462

キーワード

重要《じゅうよう》な意味《いみ》をもつ言葉《ことば》。問題《もんだい》を解《と》くときに、手《て》がかりとなる言葉《ことば》や記号《きごう》。

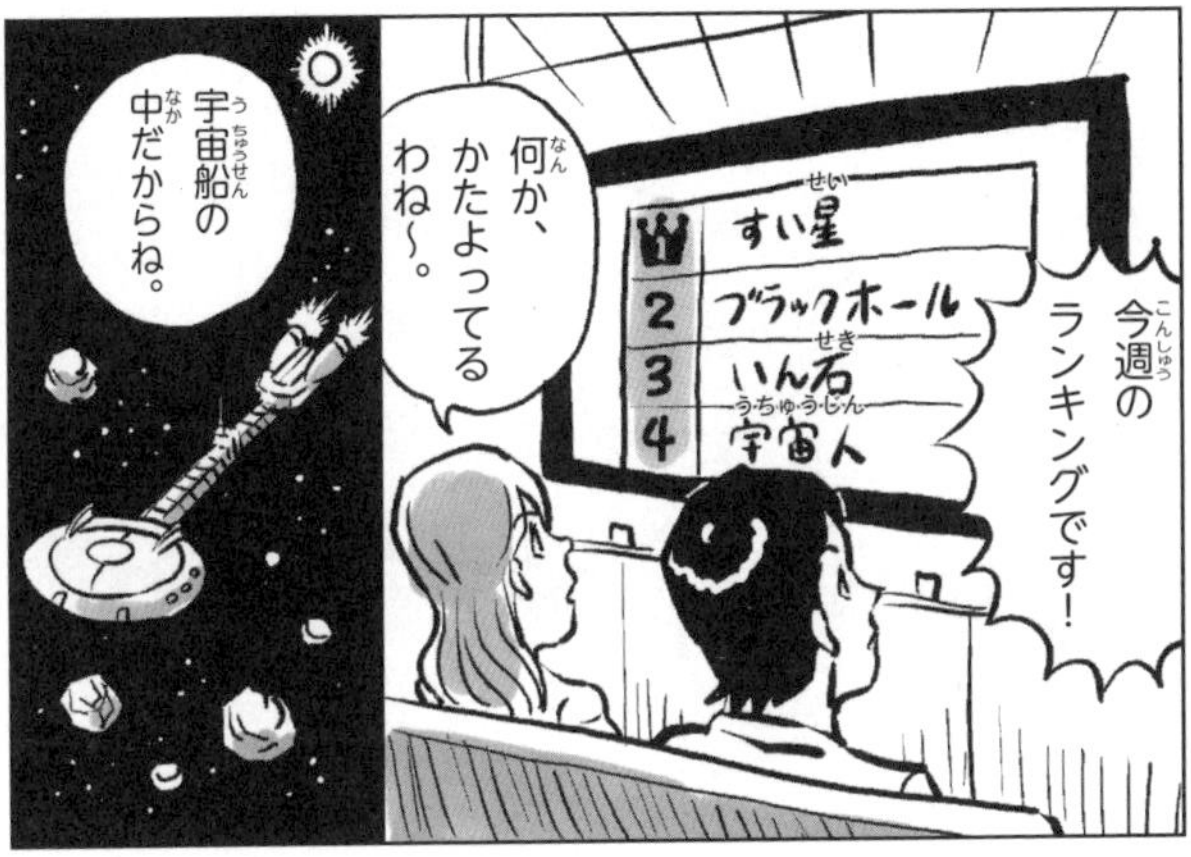
今週《こんしゅう》のランキングです!
1 すい星《せい》
2 ブラックホール
3 いん石《せき》
4 宇宙人《うちゅうじん》
何《なん》か、かたよってるわね〜。
宇宙船《うちゅうせん》の中《なか》だからね。

人気《にんき》の検索《けんさく》（⑤）を、ランキングで発表《はっぴょう》する。

0463

皆目《かいもく》

まったく。「皆目《かいもく》〜ない」の形《かたち》で使《つか》うことが多《おお》い。

くせものだ!!
では、これにて。
ドロン
であえであえ
消《き》えた…!?
いったいどこに…!?

彼《かれ》がどこに消《き》えたのか、（⑥）見当《けんとう》もつかない。

答え ④やるせない ⑤キーワード ⑥皆目

0464
もどかしい

じれったい。思《おも》うようにならずにいらいらする。

ワールドカップ
ブラジル、ゴール！日本《にっぽん》0対《たい》2！
あーっ！オレが出《で》ていれば!!

「もしぼくが出場《しゅつじょう》していたら」と、（　①　）思《おも》いで試合《しあい》を観戦《かんせん》する。

0465
温存《おんぞん》

使《つか》わないで、あとのためにとっておくこと。

そんなに温《あたた》めてもらわなくても…。
ストーブあたれよ
ほらホットコーヒーのめよ
大丈夫《だいじょうぶ》ですから…。

負《ま》けられない試合《しあい》に備《そな》えて、エースを（　②　）する。

0466
疎遠《そえん》

以前《いぜん》より、つき合《あ》いが少《すく》なくなること。

私《わたし》が南《みなみ》へわたってから、しばらく会《あ》っていなかったわね。
お元気《げんき》だった？お変《か》わりない？
アヒルさん…
グエーッ

（　③　）になっていた友人《ゆうじん》と、久《ひさ》しぶりに再会《さいかい》した。

0467

腕《うで》をみがく

腕を磨く

自分《じぶん》の技術《ぎじゅつ》を、よりすぐれたものにする。

ウホウホ
ハイ!!
やったー!!
全国大会《ぜんこくたいかい》
1年目《ねんめ》
3年目《ねんめ》
5年目《ねんめ》
金《きん》

名《めい》コーチの元《もと》で（ ④ ）き、ついに金《きん》メダルを獲得《かくとく》した。

0468

難色《なんしょく》を示《しめ》す

提案《ていあん》に対《たい》して、賛成《さんせい》できないという素《そ》ぶりをする。

話《はな》し合《あ》いの結果《けっか》、早寝早起《はやねはやお》き、規則正《きそくただ》しい生活《せいかつ》のためには、宿題《しゅくだい》はないほうがよいというふうに意見《いけん》がまとまりました！
う〜ん…。

ぼくたちからの提案《ていあん》に、先生《せんせい》は（ ⑤ ）した。

0469

足《あし》が出《で》る

予算《よさん》をオーバーする。赤字《あかじ》になる。

ふ〜〜っ
くったくった
監督《かんとく》、相撲部《すもうぶ》のやつが混《ま》じってますよ。
お会計《かいけい》、5万円《まんえん》で〜す。
レジ
予算《よさん》

参加人数《さんかにんずう》が増《ふ》えたため、予算《よさん》よりも（ ⑥ ）た。

0470

さかのぼる　遡る

過去《かこ》にもどる。根本《こんぽん》に立《た》ち返《かえ》る。

わしとばあさんの出会《であ》いは学生《がくせい》のころだから、今《いま》から60年前《ねんまえ》にな…。
も〜おじいさんたら〜
またこの話《はなし》か…。

なぜこういうことになったのか、話《はなし》は60年前《ねんまえ》に（　①　）。

0471

とどのつまり

行《い》き着《つ》くところ。結局《けっきょく》。思《おも》わしくない結果《けっか》である場合《ばあい》に使《つか》う。

出世魚《しゅっせうお》でトドになると、これ以上成長《いじょうせいちょう》しないんだよ。
オボコ↓イナッコ↓スバシリ↓イナ↓ボラ↓トド
へ〜ッ
じゃあ、とどのつまり、おじいさんなんですね。
トド
ウ〜ン

（　②　）、これが最終形態《さいしゅうけいたい》ということです。

0472

たくす　託す

自分《じぶん》の希望《きぼう》などを、人《ひと》にお願《ねが》いして任《まか》せる。

オレたちが行《い》けなかった甲子園《こうしえん》、お前《まえ》たちが来年代《らいねんか》わりに行《い》ってくれ！
ハイ!!

自分《じぶん》たちがかなえられなかった夢《ゆめ》を、後輩《こうはい》に（　③　）。

答え　①さかのぼる　②とどのつまり　③たくす

勉強《べんきょう》なんてどうせつまらないよ。
あきらめちゃう…
まあまあ
でもさ、それってだれが決《き》めたの？
ジャジャ〜〜ン
これを読《よ》んでみてよ！
マンガでわかる！
10才までに覚えたい 社会のしくみ
政治 経済 生活 国際 SDGs
ニュースの言葉がよくわかる！
世の中のことが笑ってわかる！
中学受験の「公民」の準備に最適！
高濱正伸 加藤崇浩 監修
マンガ？ だったら簡単《かんたん》に読《よ》めるよ！
えっ!?
マンガを読《よ》むだけで勉強《べんきょう》になるの？
そう！
『楽《たの》しいから続《つづ》けられる』。これこそが勉強《べんきょう》なんだよ！

0473

あざける 嘲る

バカにして、悪口《わるくち》を言《い》ったり、笑《わら》ったりする。

いってー。
バナナの皮《かわ》で転《ころ》ぶなんて…。
お前《まえ》、マンガみたいなヤツだな。

人《ひと》の失敗《しっぱい》を（④）のは、よくないことだ。

0474

破格《はかく》

並外《なみはず》れていること。基準《きじゅん》どおりでないこと。

質《しち》
SALE
¥10
あぁっ!!
だれかに先《さき》をこされた!
安《やす》!
こんなところに!

探《さが》していた宝物《たからもの》が、（⑤）の安値《やすね》で売《う》られていた。

0475

パーソナル

個人《こじん》の。個人用《こじんよう》の。公《おおやけ》でない様子《ようす》。＝プライベート

は〜、落《お》ち着《つ》く〜。
いいなあ〜、オレも入《はい》りたいよ〜。

たとえ親友《しんゆう》でも、（⑥）な空間《くうかん》には立《た》ち入《い》ってほしくない。

答え ④あざける ⑤破格 ⑥パーソナル

0476

身《み》の毛《け》がよだつ

恐怖《きょうふ》のために、全身《ぜんしん》の毛《け》が逆立《さかだ》つほどぞっとする様子《ようす》。

あっ
ツルッ
危《あぶ》なかった…!!
あ…

包丁《ほうちょう》を落《お》としたのは、（①）出来事《できごと》だった。

0477

有《あ》り得《う》る

そういう可能性《かのうせい》はある。そういうことはあるだろう。

金太郎《きんたろう》とさえ当《あ》たらなければ、優勝《ゆうしょう》だって夢《ゆめ》じゃない。

組《く》み合《あ》わせによっては、優勝《ゆうしょう》も（②）だろう。

0478

ありがた迷惑《めいわく》

人《ひと》が親切《しんせつ》でしてくれたことが、かえって迷惑《めいわく》になること。

ありがたいけど…
正直《しょうじき》迷惑《めいわく》！
FIGHT《ファイト》金太郎《きんたろう》

あの人《ひと》たちの応援《おうえん》はすごくはずかしくて、（③）だ。

答え ①身の毛がよだつ ②有り得る ③ありがた迷惑

言葉《ことば》のワザをみがいて使《つか》いこなそう！

アタック・ザ・言葉《ことば》クイズ 20

正《ただ》しいほうを選《えら》んで、◯をつけよう。

①恐怖《きょうふ》のために、全身《ぜんしん》の毛《け》が逆立《さかだ》つほどぞっとする様子《ようす》。

身《み》の毛《け》が
- よだつ
- よじる
- よれる

②目《め》をつり上《あ》げて人《ひと》のあら探《さが》しをする。

目《め》くじらを
- 放《はな》つ
- のばす
- 立《た》てる

③かくしていた本性《ほんしょう》が明《あき》らかになる。

化《ば》けの皮《かわ》が
- はがれる
- むかれる
- さかれる

④たくさんの人々《ひとびと》が、一度《いちど》に散《ち》り散《ぢ》りになる。

くもの子《こ》を
- 飛《と》ばす
- 散《ち》らす
- 降《ふ》らす

⇒答《こた》えは200ページにあります。

0479

本末転倒《ほんまつてんとう》

大事《だいじ》なことと、そうでないことを逆《ぎゃく》にあつかってしまうこと。

穴《あな》ほるの、楽《たの》しい〜！
ここほれ、ワンワン！ワンワン！
穴《あな》がたくさんありすぎて、いったいどこに宝《たから》があるのやら…？
どこほれ？

宝探《たからさが》しなのに、穴《あな》ほりに夢中《むちゅう》になるなんて、（ ① ）だよ。

0480

筋金《すじがね》入《い》り

強《つよ》い考《かんが》えや信念《しんねん》をもっていること。

ワー
ワー
ガンバレ日本《にっぽん》!!
今度《こんど》こそ、優勝《ゆうしょう》しないと承知《しょうち》せんぞ！
I ♥ スポーツ

応援団長《おうえんだんちょう》は、（ ② ）の陸上競技《りくじょうきょうぎ》ファンだ。

0481

我《が》が強《つよ》い

自分《じぶん》の意見《いけん》を絶対《ぜったい》に曲《ま》げようとしない様子《ようす》。

ロミオ様《さま》、その名《な》をお捨《す》てになって!!
ジュリエットこそ、捨《す》てておくれ！
ロミオ様《さま》が捨《す》てて!!
いーや、ジュリエットが！

二人《ふたり》とも（ ③ ）ので、話《はなし》がちっとも進《すす》まない。

答え ① 本末転倒 ② 筋金入り ③ 我が強い

0482

インスタント

労力《ろうりょく》や時間《じかん》がかからないこと。手軽《てがる》にできること。即席《そくせき》。即座《そくざ》。

ギラッ
ギラッ
送《おく》ってもらったのはいいけど…。お湯《ゆ》がないよ!!
いいなあラクダは…
カップラーメン

海外《かいがい》に住《す》む友人《ゆうじん》に、（④）のカップ麺《めん》をプレゼントした。

0483

束縛《そくばく》

自由《じゆう》にさせないこと。⇔解放《かいほう》　＝拘束《こうそく》

5時《じ》までには帰《かえ》りなさい!
メールはちゃんと見《み》なさい!
土日《どにち》は、家族《かぞく》と過《す》ごさないとだめよ!

（⑤）する前《まえ》に、されるほうの気持《きも》ちを考《かんが》えてみよう。

0484

ささやか

小《ちい》さくわずかな様子《ようす》。

ほっこり

ネコとのんびり過《す》ごすのが、（⑥）な楽《たの》しみだ。

答え　④インスタント　⑤束縛　⑥ささやか

0485
白眉《はくび》

同類《どうるい》の中《なか》で最《もっと》もすぐれているもの。

ペットボトルリサイクル　コンテスト最優秀賞《さいゆうしゅうしょう》
おお
ピュ〜
ピュ〜〜
おお

彼《かれ》の発想《はっそう》は、このコンテストの作品《さくひん》の中《なか》の（　①　）である。

0486
ぬき差《さ》しならない

身動《みうご》きができない。どうしようもできない。

困《こま》ったときは、いつでも言《い》って来《こ》いよ。オレが助《たす》けてやるから。
センパイ！
たすけて〜！
いや、オレ泳《およ》げないし。
底《そこ》なし沼《ぬま》

底《そこ》なし沼《ぬま》にはまって、（　②　）状況《じょうきょう》におちいる。

0487
足《あし》がつく

犯人《はんにん》がだれかが明《あき》らかになる。犯人《はんにん》のにげた先《さき》がわかる。

カニを痛《いた》めつけた犯人《はんにん》がわかったぞ!!
今《いま》さら？
サル山サル夫

事件現場《じけんげんば》に残《のこ》された物《もの》から（　③　）き、犯人《はんにん》がつかまった。

答え　①白眉　②ぬき差しならない　③足がつ

0488

メソッド

方法《ほうほう》。物事《ものごと》のやり方《かた》。効果的《こうかてき》な指導《しどう》の方法《ほうほう》。

明日《あした》までに、英語《えいご》が話《はな》せるようになりたいんですけど。
バブー
English
まだ言葉《ことば》もろくに話《はな》せないじゃないか！

一日《いちにち》で語学《ごがく》ができるようになる（④）など、存在《そんざい》しないよ。

0489

残《のこ》り物《もの》には福《ふく》がある

人《ひと》が選《えら》ばなかったものや最後《さいご》に残《のこ》ったものには、意外《いがい》によいものがある。

あっ、宝箱《たからばこ》だ！でも、空《から》っぽかな…。
ヤッター！
こんなのが残《のこ》ってた！

箱《はこ》の底《そこ》には宝《たから》が一《ひと》つ残《のこ》っていた。（⑤）とは、このことだね。

0490

あぶれる

決《き》まった人数《にんずう》からはみ出《で》る。仕《し》事《ごと》にありつけないでいる。

ひねもすのたりのたりかな。
これからシャケをとりに行《い》くぞっ！
おー!!

仕事《しごと》に（⑥）たから、川《かわ》でつりでもしていよう。

※ひねもすのたりのたりかな…一日中《いちにちじゅう》、のんびりしているものだなあ。

答え ④メソッド ⑤残り物には福がある ⑥あぶれる

0491

群《むら》がる

みんなが集《あつ》まる。

キャーーッ!
助《たす》けて～。

人気《にんき》のアイドルに、大勢《おおぜい》のファンが（ ① ）。

0492

襟《えり》を正《ただ》す

衣服《いふく》の乱《みだ》れを整《ととの》える。気持《きも》ちを引《ひ》きしめて、人《ひと》や物《もの》に接《せっ》する。

せっ せっ
準備《じゅんび》できました! お説教《せっきょう》どうぞ!
……。
ピシッ

行《おこな》いを深《ふか》く反省《はんせい》し、（ ② ）して話《はなし》を聞《き》く。

0493

たしなむ

好《す》きなことに打《う》ち込《こ》む。好《す》きな物事《ものごと》に親《した》しむ。

けっこうな
お手前《てまえ》で

彼女《かのじょ》は幼《おさな》いころから、お茶《ちゃ》を（ ③ ）んでいる。

答え ①群がる ②襟を正 ③たしな

0494

穏便《おんびん》

おだやかに、目立《めだ》たないように行《おこな》う様子《ようす》。

ペコ
ペコ
ペコ
もう～、仕方《しかた》ないわね。
通信簿《つうしんぼ》

大事《おおごと》になりそうだったが、（ ④ ）に切《き》りぬけられた。

0495

図《はか》らずも

意外《いがい》にも。思《おも》いがけず。

よかったね…。
まぁ
アモーレ！

※コメディー…思《おも》わず笑《わら》ってしまうような内容《ないよう》の劇《げき》や芝居《しばい》のこと。

コメディー映画《えいが》なのに、（ ⑤ ）涙《なみだ》があふれそうになった。

0496

おっくう

めんどうで、それをやるのに気《き》が進《すす》まない様子《ようす》。

おつかれのようですね～。
報道《ほうどう》

試合《しあい》のあとは、話《はな》すのも（ ⑥ ）なほどつかれている。

答え ④穏便 ⑤図らずも ⑥おっくう

0497

我先《われさき》に

人《ひと》をおしのけても、自分《じぶん》が先《さき》に行《い》こうとする様子《ようす》。

ガッ
ワァ〜
にげろ!

怪獣《かいじゅう》の姿《すがた》を見《み》たとたん、みんな（①）とにげ出《だ》した。

0498

痛《いた》ましい

見《み》ていられないほど、かわいそうである。胸《むね》が痛《いた》む。

次《つぎ》はキミが鬼《おに》ね。
エ〜ッ
つ〜かまえた!

怪獣《かいじゅう》の通《とお》ったあとには、（②）風景《ふうけい》が広《ひろ》がっていた。

0499

シニア

年上《としうえ》の人《ひと》。その分野《ぶんや》ですぐれた能力《のうりょく》をもつ人《ひと》。お年寄《としよ》り。⇔ジュニア

50th Fashion
すてきな
マダム

最近《さいきん》は、（③）向《む》けの雑誌《ざっし》が人気《にんき》らしい。

0500

おもねる

人《ひと》に気《き》に入《い》られるように、調子《ちょうし》よくふるまう。

さっき、あげたばっかりなのに…。
また〜っ?
ニャー

ネコは、ぼくに（ ④ ）ようにあまえた声《こえ》で近《ちか》づいてきた。

0501

すごすご

元気《げんき》がなく、しょんぼりしてその場《ば》を去《さ》る様子《ようす》。

まさか初戦敗退《しょせんはいたい》とはね…。
パンダのしっぽの色《いろ》は何色《なにいろ》!?
黒《くろ》!
ブー
しょんぼり

クイズ大会《たいかい》で初戦敗退《しょせんはいたい》した兄《あに》は、（ ⑤ ）と会場《かいじょう》をあとにした。

0502

なまじ

中途半端《ちゅうとはんぱ》な様子《ようす》。十分《じゅうぶん》に行《い》き届《とど》いていない様子《ようす》。いい加減《かげん》。なまじっか。

早《はや》く行《い》けよ〜
ガオーーッ
ファーストペンギン《いちばん》

（ ⑥ ）経験《けいけん》があるだけに、思《おも》い切《き》った行動《こうどう》ができない。

答え ④おもねる ⑤すごすご ⑥なまじ

0503

腰《こし》をすえる

腰を据える

じっくりと落《お》ち着《つ》いて、一《ひと》つのことに取《と》り組《く》む。

何《なん》でもおかしにする薬《くすり》が、ついにできたぞーっ！
命名《めいめい》「砂糖《さとう》」じゃ!!

（　①　）て研究《けんきゅう》に取《と》り組《く》んだ結果《けっか》、新商品《しんしょうひん》を開発《かいはつ》できた。

0504

さげすむ

蔑む

相手《あいて》を、自分《じぶん》よりもおとっていると見下《みくだ》す。

ぼくのほうがたくさんとれた。
フン

自信《じしん》があるからといって、人《ひと》を（　②　）んではいけない。

言葉《ことば》クイズの答《こた》え

14 ①恩《おん》にきる（着《き》る）・一肌《ひとはだ》ぬぐ（脱《ぬ》ぐ）②横車《よこぐるま》をおす（押《お》す）・糸《いと》をひく（引《ひ》く）③しっぽをだす（出《だ》す）・探《さぐ》りをいれる（入《い》れる）

15 ①早計《そうけい》 ②由来《ゆらい》 ③雄弁《ゆうべん》 ④意向《いこう》

16 ①いさかい ②ねこそぎ（根《ね》こそぎ）③みみより（耳寄《みみよ》り）

17 ①ウ ②エ ③イ ④ア

18 ①エ ②ウ ③イ

19 ①針小棒大《しんしょうぼうだい》・意味深長《いみしんちょう》 ②才色兼備《さいしょくけんび》・晴耕雨読《せいこううどく》（※どちらが先《さき》でも正解《せいかい》です）

20 ①身《み》の毛《け》がよだつ ②目《め》くじらを立《た》てる ③化《ば》けの皮《かわ》がはがれる ④くもの子《こ》を散《ち》らす

答え ① 腰をすえ ② さげす

言葉《ことば》のワザをみがいて使《つか》いこなそう！

アタック・ザ・言葉《ことば》クイズ 21

入試問題《にゅうしもんだい》に挑戦《ちょうせん》！

次《つぎ》の——線部《せんぶ》の意味《いみ》として最《もっと》も適当《てきとう》なものを次《つぎ》の中《なか》から選《えら》び、記号《きごう》で答《こた》えなさい。

（関西大倉中学校・改題）

① 彼《かれ》は竹《たけ》を割《わ》ったような性格《せいかく》だ。

ア　ささくれだった
イ　空《から》っぽな
ウ　さっぱりした
エ　ねちねちした

② 腰《こし》をすえて仕事《しごと》に取《と》り組《く》む。

ア　てきぱきと
イ　のんびりと
ウ　座《すわ》ったままで
エ　じっくりと

③ しゃちほこ張《ば》って、あいさつをする。

ア　逆立《さかだ》ちして
イ　かしこまって
ウ　大《おお》きく口《くち》を開《あ》けて
エ　手慣《てな》れた感《かん》じで

⇒答《こた》えは262ページにあります。

0505

コレクション

集《あつ》めたり、収集《しゅうしゅう》したりすること。また、集《あつ》めたものや収集品《しゅうしゅうひん》。

どう？
ぼくの
ミニカー
コレクション。
へ〜ッ
どう？
ぼくの車《くるま》
コレクション。
親《おや》のだろ!!

友達《ともだち》と、ミニカーの（　①　）をじまんし合《あ》う。

0506

やおら

ゆっくりと。しずかに。

ぐる〜…り
……。
それではひとつ、
お話《はな》ししましょう…。

先生《せんせい》は教室《きょうしつ》を見回《みまわ》してから、（　②　）話《はな》し始《はじ》めた。

0507

門戸《もんこ》

家《いえ》の門《もん》と戸口《とぐち》。出入《でい》り口《ぐち》。外部《がいぶ》のものと交流《こうりゅう》するための入《い》り口《ぐち》。

我《わ》がクラブチームへ
ようこそ！
すっげー、
やりにくい
んだけど。

紹介制《しょうかいせい》のサッカーチームが、一般向《いっぱんむ》けに（　③　）を開《ひら》いた。

答え ①コレクション ②やおら ③門戸

0508

解釈《かいしゃく》

物事《ものごと》や言葉《ことば》の意味《いみ》を考《かんが》えて、明《あき》らかにすること。また、解《と》き明《あ》かして説明《せつめい》すること。

チラ
チラ
さっきから、かわいい子《こ》に見《み》られているんだけど、何《なん》だろー!?
ドキドキ

彼女《かのじょ》の態度《たいど》から、ぼくは彼女《かのじょ》に好《す》かれていると（ ④ ）した。

0509

色《いろ》を失《うしな》う

大変《たいへん》おどろいたり、びっくりしたりして、どうしたらよいかわからず顔《かお》が青《あお》ざめる。

あの…チャック開《あ》いてますよ…。

丸一日《まるいちにち》チャックが開《あ》いていたなんて…ぼくは（ ⑤ ）った。

0510

造作《ぞうさ》ない

簡単《かんたん》だ。たやすい。

聖徳太子様《しょうとくたいしさま》! この間《あいだ》の件《けん》…。
この書類《しょるい》ですが…。
あの話《はなし》の続《つづ》きが…。
はいはい、みなさん、わかりましたよ。

聖徳太子《しょうとくたいし》は（ ⑥ ）く、同時《どうじ》に7人《にん》の話《はなし》を聞《き》けたそうだ。

答え ④解釈 ⑤色を失 ⑥造作な

0511

こうかつ

ずるがしこいさま。

0512

ぬけぬけと

はずかしいことを平気《へいき》でする様子《ようす》。また、平気《へいき》でいるさま。

0513

おもはゆい

面はゆい

照《て》れくさい。気《き》はずかしい。

シッポで足《あし》を!!
反則《はんそく》でしょ
ワッ
アウトてッ
見《み》えなかったなて
今日《きょう》の勝利投手《しょうりとうしゅ》は、オレで決《き》まりだな!
イエてッ
カメ選手《せんしゅ》、ホームランです!!
カーン
アニマルズ、大逆転《だいぎゃくてん》です!!
のそ
のそ
のそ
なんてこったカッコわりッて
てへへっ
よくやった!

見《み》えないところで反則《はんそく》するなんて、（　①　）だなあ。

勝利宣言《しょうりせんげん》なんて、よくも（　②　）言《い》えたものだ。

慣《な》れていないので、みんなからほめられると（　③　）。

答え ①こうかつ ②ぬけぬけと ③おもはゆい

0514

先《さき》がけ　先駆け

どこよりもだれよりも、先《さき》に行《こう》動《どう》すること。

全社員《ぜんしゃいん》にいやしロボット、ニャン吉《きち》くんを配《くば》ります!!
かわいい〜

世界《せかい》に（ ④ ）て、画期的《かっきてき》なロボットシステムを導入《どうにゅう》する。

0515

デコレーション

よりよく見《み》えるようにかざること。かざり。

ヨロ
ヨロ
ケーキ入刀《にゅうとう》でーす!
ピョーン

ウェディングケーキに、ごうかな（ ⑤ ）をほどこす。

0516

ぞくに　俗に

一般的《いっぱんてき》に。広《ひろ》く世《よ》の中《なか》では。

残業代《ざんぎょうだい》は出《だ》さないぞ〜。
働《はたら》け、働《はたら》け〜。
休《やす》ませないぞ〜。
会社《かいしゃ》
ブラック企業《きぎょう》めっ!

労働条件《ろうどうじょうけん》が極《きわ》めて悪《わる》い会社《かいしゃ》を、（ ⑥ ）ブラック企業《きぎょう》と呼《よ》ぶ。

答え ④先がけ ⑤デコレーション ⑥ぞくに

0517

二足《にそく》のわらじをはく

二《ふた》つの内容《ないよう》のちがう仕事《しごと》を両方《りょうほう》する。

ヨジラが出《で》た〜!!
ガ〜ッ
よし、変身《へんしん》だ!
オイオイそれってまさか武器《ぶき》?
しまった!こっちじゃなかった。

新聞記者《しんぶんきしゃ》とスーパーヒーローの、（①）いている。

0518

素性《すじょう》

血筋《ちすじ》。家柄《いえがら》。生《う》まれ。育《そだ》ち。

キラーン
お父《とう》さん馬《うま》はあの伝説《でんせつ》の…。
どうりで速《はや》いはずだ!
おお〜
スゲー
サラブレッド

※サラブレッド…競走用《きょうそうよう》の品種改良《ひんしゅかいりょう》された馬《うま》のこと。

競走馬《きょうそうば》は、（②）の確《たし》かなサラブレッドが大半《たいはん》だ。

0519

色《いろ》めき立《た》つ

興奮《こうふん》して、落《お》ち着《つ》かなくなる。

恐竜《きょうりゅう》の赤《あか》ちゃんが生《う》まれたぞ!
え〜っどこどこ!?
写メ《しゃめ》とる!
絶滅《ぜつめつ》してなかったっけ…?

新種《しんしゅ》の恐竜《きょうりゅう》が発見《はっけん》されたと聞《き》いて、みんな（③）った。

答え ①二足のわらじをは ②素性 ③色めき立

0520
断腸《だんちょう》の思《おも》い
はらわたがちぎれるほどの大変《たいへん》つらい気持《きも》ち。

トン子《こ》ー
牧場《ぼくじょう》、チョー楽《たの》しみ♥
うわあんっ

引《ひ》っ越《こ》しすることになり、（④）で別《わか》れを決意《けつい》した。

0521
ほくほく
うれしくてたまらず、気持《きも》ちをかくしきれない様子《ようす》。

桃太郎《ももたろう》を助《たす》けてくれた礼《れい》に、何《なん》でも願《ねが》いをかなえてやるぞ。
ほくほく
ホホホ 何《なん》でも言《い》ってね
それじゃあ、野球《やきゅう》のグローブやバットを…。

全員《ぜんいん》が（⑤）と満面《まんめん》のえみで、宝箱《たからばこ》を見《み》つめている。

0522
ひがむ
自分《じぶん》が悪《わる》くあつかわれているかのように、ひねくれて考《かんが》える。

どうせなら、お前《まえ》たちのために野球《やきゅう》チームをつくってやろう!
ヤッターッ!
なんでオレだけ入《はい》れないんだよ。
すいません、動物《どうぶつ》だけのチームなんで…。
イジイジ
しかもサルがカントク!?

彼《かれ》が（⑥）んでいるのは、仲間外《なかまはず》れにされたせいだ。

答え ④断腸の思い ⑤ほくほく ⑥ひが

0523

ロス

損《そん》をすること。むだ。喪失感《そうしつかん》。

こら、金次郎《きんじろう》！
歩《ある》きながらの
読書禁止《どくしょきんし》！
危《あぶ》ないぞ
空《あ》き時間《じかん》が
もったいないよう！

時間《じかん》の（ ① ）を減《へ》らせば、遊《あそ》びも勉強《べんきょう》も両立《りょうりつ》できる。

0524

暗中模索《あんちゅうもさく》

手《て》がかりのないままに、いろいろとさがし求《もと》めること。

アホ
う〜む、
足《あし》あとはここで
途絶《とだ》えて
いますな…。
続《つづ》きは明日《あした》に
しませんか？

確《たし》かな手《て》がかりがない事件《じけん》で、（ ② ）の状態《じょうたい》が続《つづ》いている。

0525

確約《かくやく》

必《かなら》ずそうすると、はっきり約束《やくそく》すること。

1週間後《しゅうかんご》に…
必《かなら》ずまた
来《き》ます。
はい♥
○○図書館《としょかん》
かしだし期間《きかん》
1週間《しゅうかん》
かしだし

本《ほん》の返却期限《へんきゃくきげん》を（ ③ ）する。

言葉《ことば》のワザをみがいて使《つか》いこなそう！

アタック・ザ・言葉《ことば》クイズ 22

入試問題《にゅうしもんだい》に挑戦《ちょうせん》！

次《つぎ》の□に漢字《かんじ》を一字《いちじ》ずつ入《い》れて、四字熟語《よじじゅくご》を完成《かんせい》させなさい。

（桐朋女子中学校・改題）

①長《なが》い間《あいだ》、同《おな》じことをくり返《かえ》していること。

十《じゅう》年《ねん》一《いち》□

②手《て》がかりのないままに、いろいろとさがし求《もと》めること。

暗《あん》□模《も》索《さく》

③用意《ようい》や準備《じゅんび》などが行《い》き届《とど》いていて、手落《てお》ちがないこと。

□意《い》周《しゅう》到《とう》

④苦《くる》しい戦《たたか》い。苦《くる》しみながら努力《どりょく》すること。

悪《あく》戦《せん》□闘《とう》

⇒答《こた》えは262ページにあります。

0526

役不足《やくぶそく》

その人《ひと》の能力《のうりょく》よりも、低《ひく》い役目《やくめ》をさせられること。

ゾウ男《お》さんは、もっと重《おも》い物《もの》を運《はこ》ぶ役《やく》でよかったんじゃない？

そんな簡単《かんたん》な仕事《しごと》は、彼《かれ》には（　①　）です。

0527

手《て》がつけられない

どうしようもない。手《て》のほどこしようがない。

このネコ、拾《ひろ》ったときは大変《たいへん》だったんだよ。

この子《こ》は昔《むかし》、（　②　）ほどの乱暴者《らんぼうもの》だったそうだ。

0528

さすらう

あてもなく、あちこち歩《ある》き回《まわ》る。さまよい歩《ある》く。

明日《あした》はどこへ行《い》こうかな…。

風《かぜ》の向《む》くまま気《き》の向《む》くまま、広野《こうや》を（　③　）。

答え ① 役不足 ② 手がつけられない ③ さすらう

0529

カミングアウト

これまでだれにも言《い》ってこなかった、自分《じぶん》の秘密《ひみつ》を告白《こくはく》すること。

みんなにはかくしてたけど、アタシ、実《じつ》は…。
フルーツが苦手《にがて》なの！
知《し》ってるよ。いつもごちそうさん。
何《なに》を今《いま》さら。この前《まえ》はオレがもらったし。
ああそう？

実《じつ》は果物《くだもの》が苦手《にが て》だということを（ ④ ）する。

0530

ためらう

決心《けっしん》がつかずに迷《まよ》う。ぐずぐずする。

サ…サル男《お》さん！
うっとり……

見《み》てはいけないものを見《み》た気《き》がして、声《こえ》をかけるのを（ ⑤ ）。

0531

思《おも》いのほか

思《おも》っていたものとちがって。予《よ》想《そう》とちがって。

はっ!!
ZZZZ…
チュン チュン
もう朝《あさ》か!?

すぐ終《お》わると思《おも》った宿題《しゅくだい》に、（ ⑥ ）手間《て ま》取《ど》ってしまった。

答え ④カミングアウト ⑤ためらう ⑥思いのほか

0532

いんぼう　陰謀

ないしょのたくらみ。悪《わる》いことを計画《けいかく》すること。

地球《ちきゅう》の下等生物《かとうせいぶつ》どもよ
オレ様《さま》が征服《せいふく》しちゃるけんね
地球《ちきゅう》

宇宙人《うちゅうじん》が、地球征服《ちきゅうせいふく》の（　①　）をくわだてる。

0533

足《あし》がすくむ

こわかったり、緊張《きんちょう》したりして、足《あし》が自由《じゆう》に動《うご》かなくなる。

ガク
ガク
木《き》の役《やく》だから、よかった…。

初《はじ》めての発表会《はっぴょうかい》は、緊張《きんちょう》のあまり（　②　）んだ。

0534

つぼにはまる

ねらいどおりになる。急所《きゅうしょ》をつく。「つぼ」は、物事《ものごと》の大事《だいじ》なところ。

ふとんがふっとんだ〜！
いや、本当《ほんとう》にふとんがふっとんで！
ゲラゲラ
ゲラゲラ
ゲラゲラ

友達《ともだち》のギャグが（　③　）って、笑《わら》いが止《と》まらない。

答え　①いんぼう　②足がすく　③つぼにはま

ドラゴンが必死《ひっし》に守《まも》ってましたね。
中《なか》に何《なに》が？
ウァッ
うようよ
うようよ
ヒュ〜ッ
ひとまず助《たす》かったな。
ホッ
あんなところに女《おんな》の子《こ》が…？
こんにちは！
キミ〜、そこ危《あぶ》ないよ！
チッ！
ワァァッ！
妖怪《ようかい》だった!!

0535

うようよ

小《ちい》さい生《い》き物《もの》が多数《たすう》集《あつ》まって、うごめいていること。

箱《はこ》を開《あ》けると、きみょうな生《い》き物《もの》が（④）動《うご》いていた。

0536

安《あん》ど

心配事《しんぱいごと》がなくなり、安心《あんしん》すること。

ピンチからぬけ出《だ》して、ほっと（⑤）のため息《いき》をもらした。

0537

露骨《ろこつ》

感情《かんじょう》や本心《ほんしん》をむき出《だ》しにして、あからさまなこと。⇔えん曲《きょく》

忠告《ちゅうこく》しただけなのに、彼女《かのじょ》は（⑥）にいやな顔《かお》をした。

答え ④うようよ ⑤安ど ⑥露骨

0538

先入観《せんにゅうかん》

前《まえ》もってこうだと思《おも》い込《こ》んでいる考《かんが》え。

絶対《ぜったい》、大食《おおぐ》いでしょ！ほら食《た》べて！たんと食《た》べて！
実《じつ》は小食《しょうしょく》…
どーん

ぼくが大食《おおぐ》いだというのは、みなさんの（　①　）です。

0539

くっする　屈する

気持《きも》ちがくじける。相手《あいて》に負《ま》けて従《したが》う。

弱《よわ》い者《もの》いじめはよくないのでは…。
あっ？
何《なん》でもないです…。
…

彼《かれ》は大男《おおおとこ》のおどしに、いとも簡単《かんたん》に（　②　）してしまった。

0540

歯《は》を食《く》いしばる

痛《いた》みや苦《くる》しみなどを、懸命《けんめい》にこらえる。

強《つよ》くなるんだ！

ライバルと戦《たたか》うため、（　③　）ってトレーニングした。

答え　①先入観　②くっ　③歯を食いしば

0541

レガシー

遺産《いさん》。過去《かこ》の人《ひと》が残《のこ》したもの。前《まえ》の時代《じだい》から残《のこ》されたもの。

かさこじぞう48
コンサートツアー20
この会場《かいじょう》、オリンピック用《よう》に建《た》てられたんだって!
ワー

コンサートの会場《かいじょう》は、オリンピックの(　④　)だった。

0542

万事休《ばんじきゅう》す

すべて終《お》わりである。何《なん》とも手《て》のほどこしようがない。

正義《せいぎ》の味方《みかた》、ファイブ・レンジャー参上《さんじょう》!!
時給《じきゅう》、もっと上《あ》げときゃよかった!
ピュ～ッ
レッドがやられた～!
アイツらバイトかい!

味方《みかた》までもがにげてしまい、もはや(　⑤　)だ。

0543

差《さ》し金《がね》

裏《うら》で人《ひと》に指図《さしず》すること。

お命《いのち》、ちょうだいいたします。
シュバッ
やれやれ～
あっ!!

忍者《にんじゃ》がおそってきたのは、どの武将《ぶしょう》の(　⑥　)だろうか。

答え ④レガシー ⑤万事休す ⑥差し金

0544

愛想笑《あいそわら》い

相手《あいて》のごきげんをとろうとして笑《わら》うこと。

ママはいつも
ヘラヘラ
キレイだねえ〜。
通知表《つうちひょう》

お世辞《せじ》と（ ① ）は、母《はは》にはまったく通用《つうよう》しない。

0545

紋切《もんき》り型《がた》

決《き》まりきっていて、新《あたら》しさがないやり方《かた》。

どうせ、いつもオレらがやられて終《お》わりだもんな。

最後《さいご》には悪者《わるもの》が退治《たいじ》される、（ ② ）の退屈《たいくつ》な話《はなし》だ。

0546

節度《せつど》

度《ど》を過《す》ぎないこと。ちょうどよい程度《ていど》。

ああいう、よっぱらいにだけはなりたくないな。
ホントに…。
ほれ〜新人諸君《しんじんしょくん》、飲《の》んでるか〜？

今年度《こんねんど》は、（ ③ ）を守《まも》った生活《せいかつ》をすることが目標《もくひょう》だ。

答え ①愛想笑い ②紋切り型 ③節度

0547
マネージメント
人《ひと》や組織《そしき》、企画《きかく》などをうまく管《かん》理《り》すること。

生《い》き物係《ものがかり》！
ちゃんとメダカに
エサをあげたか？
今《いま》やってるよ〜
掃除係《そうじがかり》！
しっかり
掃除《そうじ》したか？
今《いま》あげてるよ
学級委員長《がっきゅういいんちょう》
細《こま》かいな〜…

委員長《いいんちょう》には、すぐれた（　④　）の能力《のうりょく》も必要《ひつよう》だ。

0548
がさつ
細《こま》かいところまで気《き》が回《まわ》らず、雑《ざつ》であらっぽい様子《ようす》。

ザッザッ
ザッ
ほんと、
あらっぽい
なあ…。
ん？　あれ？
サッ

（　⑤　）な印象《いんしょう》をもたれる彼女《かのじょ》だが、繊細《せんさい》な一面《いちめん》もある。

0549
転《ころ》ばぬ先《さき》のつえ
失敗《しっぱい》しないように、十分《じゅうぶん》に準備《じゅんび》しておくことが大切《たいせつ》だということわざ。

荷物《にもつ》、多《おお》すぎじゃね!?
枕《まくら》とー
かさとー
くつとー
あ、長《なが》ぐつも

登山《とざん》の準備《じゅんび》は念入《ねんい》りにね。（　⑥　）だよ。

答え　④マネージメント　⑤がさつ　⑥転ばぬ先のつえ

0550

取《と》り成《な》す

仲直《なかなお》りさせる。気《き》まずい雰囲気《ふんいき》をうまくまとめる。

フーンだっ!
プイ
プイ

大《おお》ゲンカをした二人《ふたり》の間《あいだ》を（ ① ）せる人《ひと》はいない。

0551

モラトリアム

人《ひと》が成長《せいちょう》して社会《しゃかい》で働《はたら》くようになるまでの期間《きかん》。支払《しはら》いを引《ひ》き延《の》ばし、ゆとりをあたえること。

まだ大人《おとな》になんて、なりたくない!
ぐうたらするなら、働《はたら》け!
まだ、ゆとり期間《きかん》だから、いいんだよ。
だら〜

学生時代《がくせいじだい》は（ ② ）の時間《じかん》で、いろいろとなやむ時期《じき》だ。

0552

火《ひ》の消《き》えたよう

急《きゅう》に活気《かっき》がなくなり、さびしくなった様子《ようす》。

ボク、キューチャン。
コンニチハ。
キューチャン、イイコネー。
カワイイネー。
うるさーい
しーーん
キューちゃんいないと、静《しず》かだね。

あの子《こ》がいなくなって、（ ③ ）に静《しず》かになった。

答え ① 取り成 ② モラトリアム ③ 火の消えたよう

言葉《ことば》のワザをみがいて使《つか》いこなそう！

アタック・ザ・言葉《ことば》クイズ 23

□の言葉《ことば》を□に当《あ》てはめて、パズルを完成《かんせい》させよう。

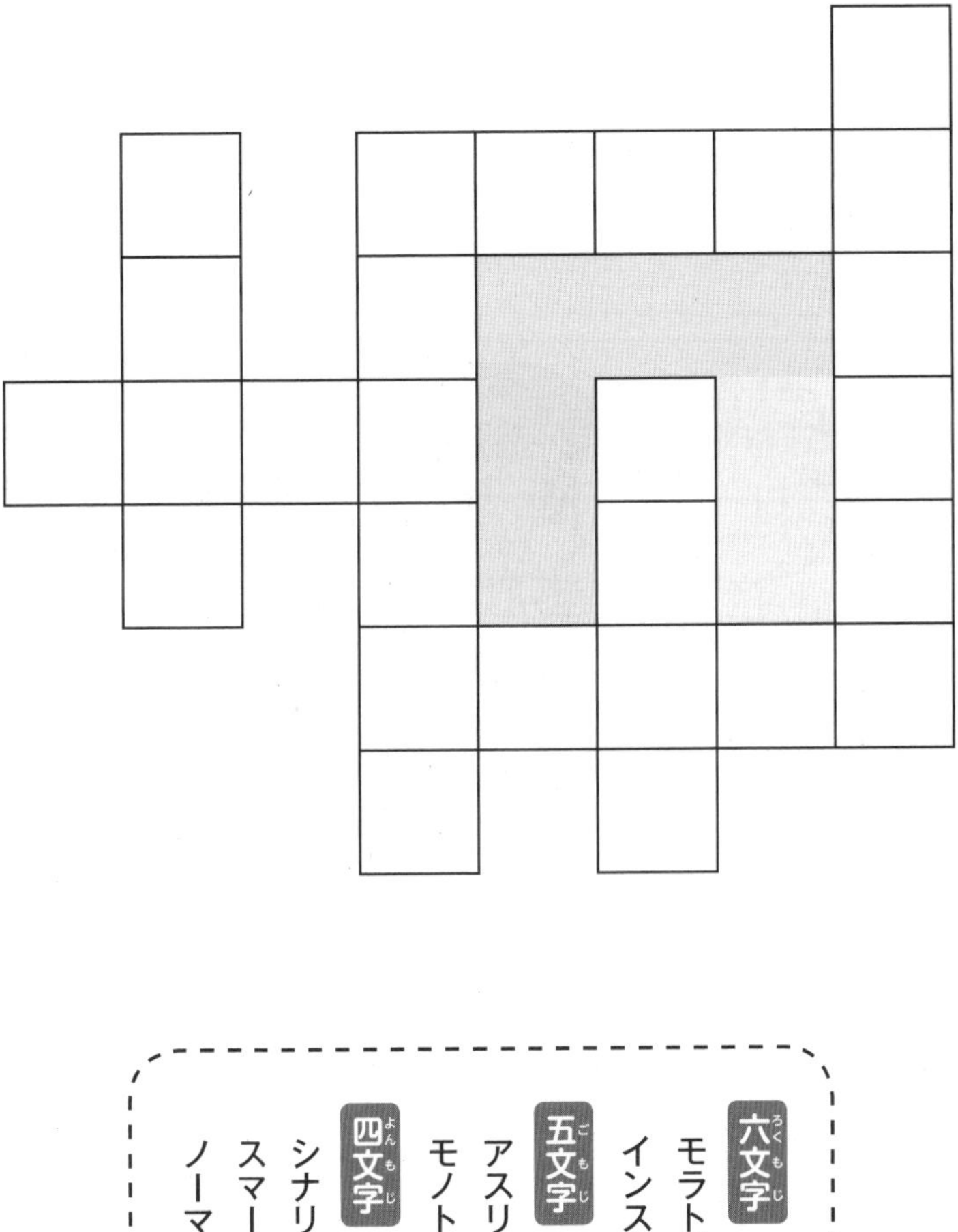

六文字《ろくもじ》
モラトリアム
インスタント

五文字《ごもじ》
アスリート
モノトーン

四文字《よんもじ》
シナリオ
スマート
ノーマル

⇒答《こた》えは 262 ページにあります。

0553
すごむ
相手《あいて》をおどかすような態度《たいど》をとったり、おそれさせるようなことを言《い》ったりする。

見《み》くびられないように、精《せい》いっぱい（　①　）。

0554
無頓着《むとんちゃく》
少《すこ》しも気《き》にしないこと。

彼女《かのじょ》は服装《ふくそう》に（　②　）で、いつも変《か》わった格好《かっこう》をしている。

0555
切羽詰《せっぱつ》まる
追《お》いつめられて、どうにもならなくなる。

同時《どうじ》にたくさんたのまれ、（　③　）ってしまった。

答え ①すごむ ②無頓着 ③切羽詰まる

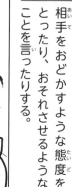

0556

アクセス

近《ちか》づくこと。また、そのための手段《しゅだん》。コンピューターにつなぐこと。

いつになったら、着《つ》くのよ。
ハァハァ
また行《い》き止《ど》まりだ！

あの温泉《おんせん》は、交通《こうつう》（　④　）はよくないが、行《い》く価値《かち》がある。

0557

たって

ぜひとも。どうしても。

およめさん探《さが》しのパーティーをしたい！
絶対《ぜったい》したい！

王子《おうじ》（　⑤　）の希望《きぼう》で、舞踏会《ぶとうかい》をすることになった。

0558

逆《さか》うらみ

逆恨み

親切《しんせつ》や正《ただ》しいことをしたのに、逆《ぎゃく》にうらまれること。

ゴミはゴミ箱《ばこ》へ!!
ポイッ
好《す》きな子《こ》のいる前《まえ》で、はじをかかせやがって!!
ギロッ
ヒエッ!?

ただ注意《ちゅうい》しただけなのに、（　⑥　）されるなんていやだなあ。

答え ④アクセス ⑤たって ⑥逆うらみ

0559

相対《あいたい》する

二人《ふたり》が向《む》かい合《あ》う。お互《たが》いに反《はん》対《たい》の立場《たちば》に立《た》つ。

こんな形《かたち》で再会《さいかい》するとは…。

幼《おさな》なじみの二人《ふたり》は、敵《てき》として（　①　）こととなった。

0560

物心《ものごころ》がつく

いろいろなことが、何《なん》となくわかるようになる。

やはり、毎日《まいにち》の練習《れんしゅう》の積《つ》み重《かさ》ねが大事《だいじ》でちゅね。
もうそんな!?

（　②　）いたころには、もうテニスを始《はじ》めていた。

0561

悪循環《あくじゅんかん》

悪《わる》いことが次々《つぎつぎ》に影響《えいきょう》して、くり返《かえ》されること。

運動《うんどう》して眠気《ねむけ》を覚《さ》ます。
おなかがすく。
グー
ご飯《はん》を食《た》べる。
勉強《べんきょう》する。
眠《ねむ》くなる。

よくない習慣《しゅうかん》の（　③　）で、ちっとも勉強《べんきょう》が進《すす》まない。

答え ① 相対する ② 物心がつく ③ 悪循環

0562

折半《せっぱん》

お金《かね》などを半分《はんぶん》ずつに分《わ》けること。二等分《にとうぶん》。

じゃあ、半分《はんぶん》の5000円《えん》ずつね。
5000

食事代《しょくじだい》は、いつも（ ④ ）している。

0563

茨《いばら》の道《みち》

大変苦労《たいへんくろう》が多《おお》いことのたとえ。「茨《いばら》」は、とげのある低木《ていぼく》。

70周年《しゅうねん》記念《きねん》講演会《こうえんかい》
会社《かいしゃ》は苦《く》もあればまた苦《く》もあり
社長《しゃちょう》をここまで務《つと》めるのは、
本当《ほんとう》に大変《たいへん》でした。
話《はなし》がここに来《き》たら、拍手《はくしゅ》だぞ！
もっと力《ちから》強《づよ》く！
パチパチパチ
それ、今《いま》だ！
……と言《い》うワケで…
ヘナヘナヘナヘナ
手《て》がイタイ！
練習《れんしゅう》させ過《す》ぎたか…。

成功《せいこう》を収《おさ》めるまでは、（ ⑤ ）の連続《れんぞく》だった。

0564

強要《きょうよう》

無理《むり》やりに、それをさせようとすること。

感動《かんどう》を（ ⑥ ）することは、不可能《ふかのう》である。

答え ④折半 ⑤茨の道 ⑥強要

0565

三度目《さんどめ》の正直《しょうじき》

初《はじ》めの1回《かい》、2回《かい》は失敗《しっぱい》しても、3回目《かいめ》ぐらいにはうまくいくものだというたとえ。

がんばれ!!
あきらめちゃダメだ!!
ドミノを完成《かんせい》させよう!!
もう3回目《かいめ》だし帰《かえ》りたい…
うぅっ
うぅっ

（ ① ）、一度《いちど》や二度《にど》の失敗《しっぱい》でくじけてはいけない。

0566

余《あま》すところなく

残《のこ》らず。すべて。すっかり全部《ぜんぶ》。

うおおおおお
神《かみ》ライブ!!

彼女《かのじょ》はステージで、その魅力《みりょく》を（ ② ）ひろうした。

0567

ノルマ

一定《いってい》の期間内《きかんない》に達成《たっせい》しなければならない、仕事《しごと》などの量《りょう》。

手裏剣作《しゅりけんづく》りも
けっこう大変《たいへん》ですね。
消耗品《しょうもうひん》だからねぇ〜。

今日《きょう》の作業《さぎょう》の（ ③ ）を達成《たっせい》することができて、満足《まんぞく》した。

答え ① 三度目の正直 ② 余すところなく ③ ノルマ

0568

授《さず》ける

位《くらい》の上《うえ》の人《ひと》が、下《した》の人《ひと》にあたえる。

戦《たたか》いにいどむ勇者《ゆうしゃ》に伝説《でんせつ》の剣《けん》を授《さず》ける!!
!!
ワーッ
めちゃくちゃ重《おも》い…。

勇者《ゆうしゃ》の活躍《かつやく》をたたえ、王《おう》は伝説《でんせつ》の剣《けん》を（ ④ ）た。

0569

差《さ》しさわり

差し障り

都合《つごう》の悪《わる》いこと。じゃまになること。他人《たにん》に迷惑《めいわく》をかけること。

ぼくの武器《ぶき》が強《つよ》すぎてアレだから、キミのと交換《こうかん》しない？
ズリズリ
まずい負《ま》ける…。
けっこうです。
あっ

この武器《ぶき》では戦《たたか》いに（ ⑤ ）があるから、何《なん》とかしなければ。

0570

じりじり

だんだんと近寄《ちかよ》ってくる様子《ようす》。じれったくて、いらいらする様子《ようす》。

それでは、試合《しあい》のダイジェストです!!
早《はや》く終《お》わらないかな…。見《み》たいドラマがあるのよ。
こっちもジリジリ

終了間際《しゅうりょうまぎわ》に逆転《ぎゃくてん》で勝利《しょうり》し、首位《しゅい》に（ ⑥ ）とせまってきた。

答え ④授け ⑤差しさわり ⑥じりじり

0571

よこしま

正《ただ》しくないこと。よくないこと。

もし、この宝《たから》くじが当《あ》たったら…。
ウサギに盛大《せいだい》なドッキリをしかけよう。
大道具《おおどうぐ》
イヒヒヒ
宝《たから》くじ

宝《たから》くじに当《あ》たった場合《ばあい》の、（①）な想像《そうぞう》をめぐらせる。

0572

悪戦苦闘《あくせんくとう》

苦《くる》しい戦《たたか》い。苦《くる》しみながら努力《どりょく》すること。

もうムリ!!
ああっ!

慣《な》れない料理《りょうり》や洗濯《せんたく》に、（②）する。

0573

一挙両得《いっきょりょうとく》

一《ひと》つのことをして、二《ふた》つの利益《りえき》を得《え》ること。

楽《たの》しいうえに、おかずまでゲットだぜっ!

つりの趣味《しゅみ》は（③）だから、やめられない。

答え ①よこしま ②悪戦苦闘 ③一挙両得

言葉《ことば》のワザをみがいて使《つか》いこなそう！

アタック・ザ・言葉《ことば》クイズ 24

入試問題《にゅうしもんだい》に挑戦《ちょうせん》！

次《つぎ》の①～⑤の――線部《せんぶ》の言葉《ことば》の使《つか》い方《かた》について、正《ただ》しいものをすべて選《えら》び、記号《きごう》で答《こた》えなさい。

（岡山中学校・改題）

①みんなの前《まえ》で、先生《せんせい》からあからさまにほめられた。

②彼《かれ》は、よこしまな考《かんが》えをけんめいに振《ふ》り払《はら》った。

③家柄《いえがら》のいい彼女《かのじょ》は、上品《じょうひん》でまことしやかな女性《じょせい》だ。

④停電《ていでん》になり、家《いえ》の中《なか》は火《ひ》の消《き》えたように真《ま》っ暗《くら》になった。

⑤姉《あね》は、部屋《へや》を散《ち》らかしっぱなしにするがさつな性格《せいかく》だ。

⇒答《こた》えは262ページにあります。

0574

フォロー

足《た》りないところや失敗《しっぱい》したところを、あとから補《おぎな》うこと。ついて行《い》くこと。

あっ、こぼしちゃった。
大丈夫《だいじょうぶ》!
ザッ
ぼくが受《う》けとるよ!
給食委員《きゅうしょくいいん》だからね!

失敗《しっぱい》は（①）し合《あ》おう。仲間《なかま》だからね。

0575

断《だん》じて

決《けっ》して。何《なに》があろうとも。「断《だん》じて～ない」の形《かたち》で使《つか》うことが多《おお》い。

うそついたら休校《きゅうこう》ね～!! うっそ～!!
休《やす》みなんてないよ!!
こ…校長《こうちょう》…

うそをつくのは、（②）許《ゆる》されるべきことではない。

0576

さめざめ

声《こえ》を出《だ》さずに、静《しず》かに泣《な》く様子《ようす》。

子《こ》どもたちをいじめるな～!!
赤《あか》オニさんありがとう!
ボカッ
青鬼《あおおに》、ありがとう。おかげで子《こ》どもたちと仲《なか》よくなれたよ。
さめざめ
やりすぎなんだよ
ハイ治《ち》りょう費《ひ》
イテテ…

青鬼《あおおに》の友情《ゆうじょう》を知《し》って、赤鬼《あかおに》は（③）と泣《な》いた。

答え ①フォロー ②断じて ③さめざめ

0577

界《かい》わい

辺《あた》り。近所《きんじょ》。その辺一帯《へんいったい》。

あー、あった!!
この店《みせ》だ!!
ロボットコンビニ
ROBO CON
このお店《みせ》、有名《ゆうめい》なんだって〜。

あのコンビニは、訳《わけ》あって、この（　④　）では有名《ゆうめい》だ。

0578

画一的《かくいつてき》

どれもが同《おな》じようで、一《ひと》つひとつに個性《こせい》がない様子《ようす》。

イラッシャイマセ。
イラッシャイマセ。
お〜

マニュアルどおりの接客《せっきゃく》は、どの店《みせ》も（　⑤　）だ。

0579

先見《せんけん》の明《めい》

将来《しょうらい》どんなことが起《お》こるのか、先《さき》のことを見《み》ぬく力《ちから》。

シマシマ、はやると思《おも》ってた。
みんなおっそーい
シマ
シマ
ブーム

この流行《りゅうこう》を予想《よそう》していたという彼《かれ》には、（　⑥　）がある。

答え　④界わい　⑤画一的　⑥先見の明

0580

萎縮《いしゅく》

元気《げんき》がなくなって縮《ちぢ》こまること。しなびて小《ちい》さくなること。

いいビブラートですな。
新人《しんじん》歌手《かしゅ》オーディション
ガク
ガク
緊張《きんちょう》して、ふるえてるだけじゃないですかね…。

※ビブラート…歌《うた》や楽器《がっき》の演奏《えんそう》で、上下《じょうげ》にふるえるような音《おと》を出《だ》す技法《ぎほう》。

オーディションの雰囲気《ふんいき》にのまれて、気持《きも》ちが（ ① ）する。

0581

かすむ

ぼんやりして、はっきり見《み》えなくなる。

今《いま》一番《いちばん》泣《な》ける映画《えいが》
見《み》てみようかな…。
もっ…もう、画面《がめん》が見《み》えない…涙《なみだ》で…!!
ううっ…

感動《かんどう》のあまり、涙《なみだ》で（ ② ）んで前《まえ》が見《み》えなくなった。

0582

おぼろげ

はっきりしない様子《ようす》。ぼんやり。

確《たし》か、このあたりだったのじゃが…。
竜宮城《りゅうぐうじょう》
引《ひ》っ越《こ》したんですかね…。

（ ③ ）な記憶《きおく》をたよりに、知人《ちじん》の家《いえ》をたずねる。

0583

まんざら

必《かなら》ずしも。それほど。「まんざら～でもない」の形《かたち》で使《つか》うことが多《おお》い。

イヌ吉《きち》くんは、ウサ子《こ》ちゃんが好《す》きなんだってよ～？
ウリウリ
……。
えっ、あれ？いやじゃないの!?

彼女《かのじょ》は、彼《かれ》に好《す》かれて（④）いやでもないようだ。

0584

イノベーション

これまでにない新《あたら》しい製品《せいひん》やサービスを生《う》み出《だ》すこと。革新《かくしん》。

ロボットカフェ
イラッシャイマセ
こういうのかと思《おも》ってたのに…。
ゴ～ン
ド～ゾ

勢《いきお》いのある企業《きぎょう》は、常《つね》に（⑤）を起《お》こす。

0585

せきを切《き》ったように

おさえられていたものが、一度《いちど》に激《はげ》しく表《あらわ》れる様子《ようす》。「せき」は、水《みず》の流《なが》れをおさえるもの。

あっ あのね、聞《き》きたかったんだけど、テストで悪《わる》い点《てん》取《と》ったとき、どうしてる？初《はじ》めて0点《てん》取《と》っちゃって親《おや》に…。
ペラペラ
ペラペラペラ

（⑥）、彼《かれ》はなやみ事《ごと》を話《はな》し始《はじ》めた。

答え ④まんざら ⑤イノベーション ⑥せきを切ったように

0586

意気消沈《いきしょうちん》

元気《げんき》をなくして、しょげ返《かえ》っていること。

どんより〜
ただいま〜。
まさかの手《て》ぶら!?

「めざせ大漁《たいりょう》！」と言《い》って出《で》たが、（　①　）して帰《かえ》ってきた。

0587

むつまじい

仲《なか》がいい。

今日《きょう》はお給料日前《きゅうりょうびまえ》だから、おかずなしね。
ゴメンね、かせぎが悪《わる》くて。
どうぞ
いただきます

公園《こうえん》には、仲《なか》（　②　）く遊《あそ》ぶ子《こ》どもたちの姿《すがた》があった。

0588

浅《あさ》ましい

下品《げひん》で見苦《みぐる》しい。気持《きも》ちがいやしい。

ピンッ
サッ

人《ひと》の弁当《べんとう》までほしがるなんて、（　③　）やつだ。

0589

面《つら》の皮《かわ》が厚《あつ》い

厚《あつ》かましい。ずうずうしい。

このゴミ、迷惑《めいわく》なんだけど！
わたしゃ平気《へいき》だよ。他人《たにん》のことなんか、知《し》ったことかい！

周《まわ》りに迷惑《めいわく》をかけても平気《へいき》でいるなんて、（④）人《ひと》だ。

0590

なすりつける

自分《じぶん》の失敗《しっぱい》を他人《たにん》におしつける。

なんで、こんな点数《てんすう》なの!!
え、コイツのせい。
いや、ちがうだろ!!
勉《べん》強《きょう》しろよっ
20てん

兄《あに》は、うそをついて弟《おとうと》に責任《せきにん》を（⑤）た。

0591

目《め》星《ぼし》をつける

だいたいの見当《けんとう》や目当《めあ》てをつける。

アイツ、まだ帰《かえ》ってきてない。きっと、あそこだな！
おとなりのトイレで、マンガ読《よ》んでんじゃないよ！

弟《おとうと》が寄《よ》り道《みち》しそうな場所《ばしょ》には、あらかた（⑥）ている。

答え ④面の皮が厚い ⑤なすりつけ ⑥目星をつけ

0592

細大《さいだい》もらさず

細《こま》かいことも、大《おお》きいことも全《ぜん》部《ぶ》。一部始終《いちぶしじゅう》。

ぼくがお化《ば》けを見《み》たのは8月《がつ》17日《にち》午前《ごぜん》2時《じ》32分《ふん》、天気《てんき》はくもり、気温《きおん》27度《ど》、場所《ばしょ》は○○県《けん》△△町《まち》の…。
話《はなし》がなかなか進《すす》まないなあ…。

ぼくが体験《たいけん》した不思議《ふしぎ》な出来事《できごと》について、（ ① ）報告《ほうこく》する。

0593

切《せつ》に

心《こころ》の底《そこ》から。ひたすら。

世界選手権《せかいせんしゅけん》もがんばれよ。負《ま》けたら承知《しょうち》しないぞ…。
ワー
ワー

「（ ② ）健闘《けんとう》をいのる」と、相手《あいて》の選手《せんしゅ》を激励《げきれい》する。

0594

つむじを曲《ま》げる

気《き》に入《い》らないことがあって機嫌《きげん》が悪《わる》く、他人《たにん》の言《い》うことを聞《き》こうとしない。

きびだんごをあげるから、機嫌直《きげんなお》してよ。
……。
鬼退治《おにたいじ》、行《い》こうよ～。
……。

うっかり言《い》ったひと言《こと》で、仲間《なかま》が（ ③ ）てしまった。

0595 顔《かお》をつぶす

その人《ひと》の立場《たちば》や名誉《めいよ》を傷《きず》つけて、はじをかかせる。

今回《こんかい》の鬼退治《おにたいじ》は、ボクらにお任《まか》せください。
たくましくなったなぁ
大丈夫《だいじょうぶ》？
モモさ〜ん
ホラ〜ッ

信頼《しんらい》して任《まか》せてもらったのに、親分《おやぶん》の（　④　）してしまった。

0596 きまりが悪《わる》い

ほかに対《たい》して面目《めんもく》が立《た》たず、何《なん》だかはずかしい。照《て》れくさい。きちんと整《ととの》っていない。

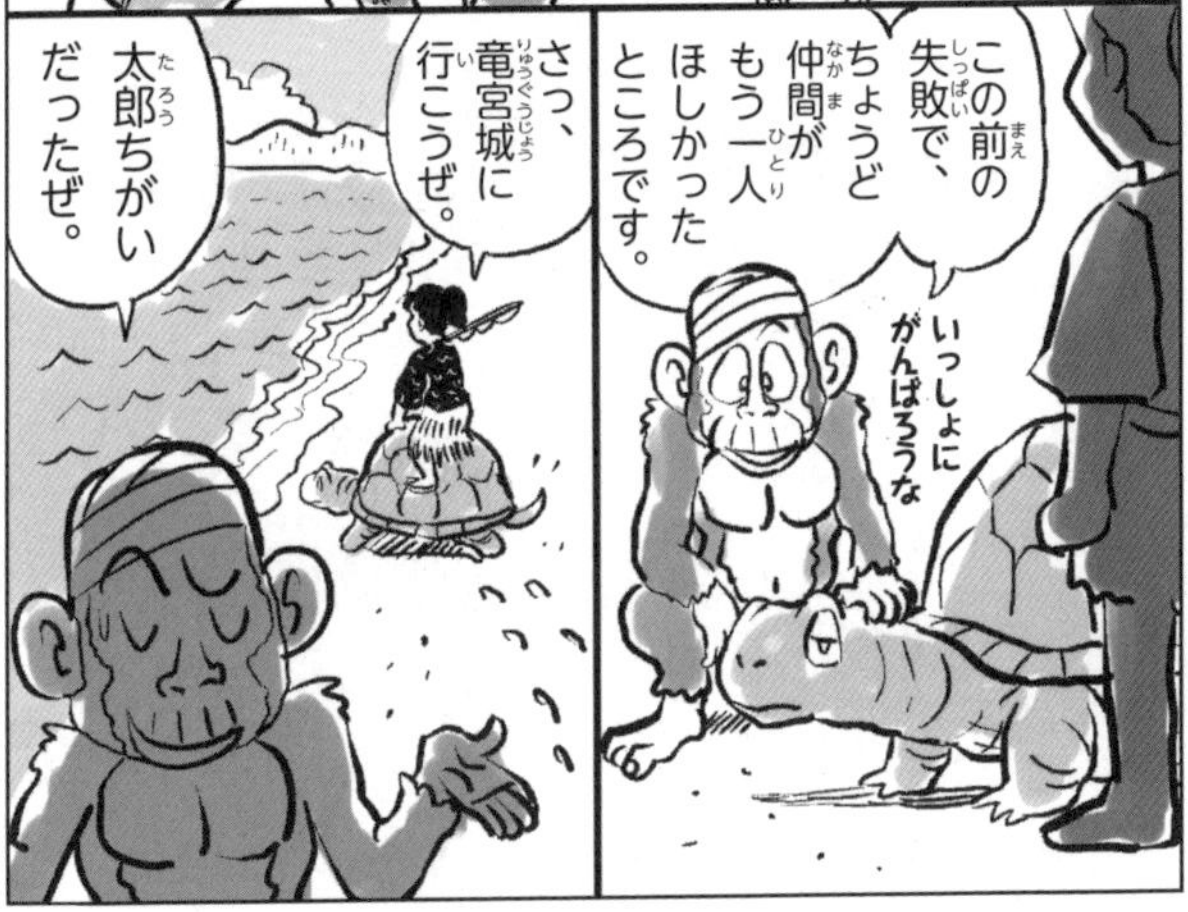
この前《まえ》の失敗《しっぱい》で、ちょうど仲間《なかま》がもう一人《ひとり》ほしかったところです。
いっしょにがんばろうな
さっ、竜宮城《りゅうぐうじょう》に行《い》こうぜ。
太郎《たろう》ちがいだったぜ。

ちがう人《ひと》に話《はな》しかけてしまい、（　⑤　）思《おも》いをした。

0597 レシピ

料理《りょうり》の作《つく》り方《かた》。ほかの人《ひと》が知《し》らない特別《とくべつ》な手法《しゅほう》。

レシピどおりに作《つく》った？
ゲロ〜
レシピどおりに作《つく》ったけども？

（　⑥　）を見《み》ながら料理《りょうり》しても、なぜか味《あじ》がおかしい。

答え ④顔をつぶ ⑤きまりが悪い ⑥レシピ

0598

有数《ゆうすう》

指《ゆび》でかぞえきれるほど、きわ立《だ》っていること。有名《ゆうめい》なこと。

ベアーーズ
あれが、かの有名《ゆうめい》なコグマのラグビー部《ぶ》か！

その学校《がっこう》は、日本《にほん》でも（　①　）の強豪校《きょうごうこう》として知《し》られている。

0599

すえる　据える

物《もの》を置《お》く。動《うご》かないようにする。その人《ひと》を重要《じゅうよう》な役目《やくめ》につかせる。

はーい
オーライ
オーライ
社長《しゃちょう》

人事異動《じんじいどう》にともない、社長室《しゃちょうしつ》に新《あたら》しい家具《かぐ》を（　②　）。

0600

こんたん　魂胆

心《こころ》の中《なか》にあるたくらみ。

お母様《かあさま》、肩《かた》もみしましょうか？お茶《ちゃ》はいかが？
あやしい…。
おこづかいか…？

こんなに下手《したて》に出《で》るなんて、何《なに》か（　③　）があるにちがいない。

答え　①有数　②すえる　③こんたん

言葉《ことば》のワザをみがいて使《つか》いこなそう！

アタック・ザ・言葉《ことば》クイズ 25

〔　〕から漢字《かんじ》を選《えら》び、意味《いみ》に合《あ》う言葉《ことば》をつくろう。関係《かんけい》ないものもあるよ。

(例) 度《ど》を過《す》ぎないこと。ちょうどよい程度《ていど》。

節《せつ》度《ど》

① 並外《なみはず》れていること。基準《きじゅん》どおりでないこと。

□□

② 指《ゆび》でかぞえきれるほど、きわ立《だ》っていること。有名《ゆうめい》なこと。

□□

③ 先《さき》に解決《かいけつ》しておかなければいけないこと。

□□

上《うえ》に入《はい》る漢字《かんじ》

破《は》　見《けん》　先《せん》
有《ゆう》　~~節~~《せつ》　敵《てき》

下《した》に入《はい》る漢字《かんじ》

数《すう》　生《せい》　~~度~~《ど》
決《けつ》　約《やく》　格《かく》

⇒答《こた》えは262ページにあります。

0601

トーク

話《はなし》をすること。しゃべること。

お友達《ともだち》を紹介《しょうかい》してください。
クマったなァ、友達《ともだち》少《すく》なくて…。

この番組《ばんぐみ》の（ ① ）コーナーは、ゲストが友達《ともだち》を紹介《しょうかい》する形式《けいしき》だ。

0602

虫《むし》ずが走《はし》る

気分《きぶん》が悪《わる》くなるほど、いやでいやで仕方《しかた》がなくなる。

記憶《きおく》にございません。
…と、記憶《きおく》しております。
覚《おぼ》えておりません。
調整中《ちょうせいちゅう》です。
想定外《そうていがい》で…。
秘書《ひしょ》のミスで…。
じんましんが…!

彼《かれ》のこんな無責任《むせきにん》な言《い》い訳《わけ》には（ ② ）。

0603

一網打尽《いちもうだじん》

悪者《わるもの》などを、一度《いちど》にすべてつかまえること。

うおお
おおお….

害虫《がいちゅう》を明《あ》かりでさそって、（ ③ ）にしよう。

0604

すみに置《お》けない

隅に置けない

思《おも》っていたよりすぐれていて、あなどれない。

いつのまに!?
クラスのアイドルの席《せき》のとなりに!
犬丸《いぬまる》くんたのしー

目《め》立《だ》たないけど、ああ見《み》えてなかなか（　④　）人《ひと》だ。

0605

興《きょう》ざめ

おもしろく楽《たの》しい気《き》持《も》ちが、冷《さ》めてしまうこと。

ヨジラは最後《さいご》ね、はくせいにされちゃうんだぜ。
エ〜ッ
なんで言《い》っちゃうの? まだ見《み》てないのに。

楽《たの》しみにしていた物語《ものがたり》の結末《けつまつ》を先《さき》に知《し》ってしまい、（　⑤　）だ。

0606

気《き》休《やす》め

そのひとときだけの、なぐさめや安心《あんしん》のこと。

アッ
それは、トロロのほうだったかな。
んなワケないじゃん!
あ〜あ もう見《み》る気《き》しなくなった

彼《かれ》のごまかしは、何《なん》の（　⑥　）にもならない。

答え ④すみに置けない ⑤興ざめ ⑥気休め

0607

浅《あさ》はか

考《かんが》えが浅《あさ》かったり、足《た》りなかったりすること。

けっ！

あんなにせの船《ふね》にだまされるなんて、（ ① ）なやつだ。

0608

もってのほか

とんでもないこと。許《ゆる》されないこと。

カボチャにペンさしてカボチャペーン
食《た》べ物《もの》で遊《あそ》ぶなっ！

食《た》べ物《もの》を粗末《そまつ》にするなんて、（ ② ）だ。

0609

あごを出《だ》す

顎を出す

つかれ切《き》って、どうにもならない様子《ようす》。

よしっ！
つかまえられる！！
もっ、もう無理《むり》…。
よろ
よろ

3日《か》間《かん》走《はし》り続《つづ》けた馬《うま》は、ついに（ ③ ）して止《と》まってしまった。

答え ①浅はか ②もってのほか ③あごを出す

0610

レジェンド

伝説《でんせつ》。言《い》い伝《つた》え。

彼女《かのじょ》が、クマに勝《か》った伝説《でんせつ》のウサギ!?

彼女《かのじょ》は偉大《いだい》な功績《こうせき》を残《のこ》して、のちに（　④　）となった。

0611

首《くび》っ引《ぴ》き

そばから手放《てばな》さないで、それをずっと使《つか》うこと。

え…ココ、どこ？
?
?

知《し》らない土地《とち》なので、地図《ちず》と（　⑤　）で旅《たび》を続《つづ》けた。

0612

くみしやすい

おそれるほどではなく、相手《あいて》にしやすい。

これが今《いま》、人気《にんき》だよ～。
あっ、じゃあ、それ…ください。
※売《う》れ残《のこ》り

知識《ちしき》が足《た》りず、（　⑥　）客《きゃく》だと思《おも》われてしまった。

答え　④ レジェンド　⑤ 首っ引き　⑥ くみしやすい

0613

寸分《すんぶん》

少《すこ》し。「寸分《すんぶん》〜ない」の形《かたち》で使《つか》うことが多《おお》い。「寸分《すんぶん》たがわない」は、まったく同《おな》じという意味《いみ》。

しめしめ…これで、オレの仕事《しごと》が半分《はんぶん》に減《へ》る。
ウィーン

※スペック…製品《せいひん》などの機能《きのう》や大《おお》きさ、能力《のうりょく》などの仕様《しよう》。

自分《じぶん》と（ ① ）たがわないスペックのロボットを造《つく》った。

0614

郷《ごう》に入《い》っては郷《ごう》に従《したが》え

場所《ばしょ》によって文化《ぶんか》やきまりがちがうので、そこで暮《く》らすなら、それに従《したが》うほうがよいということ。

この村《むら》では、これを着《き》るきまりだ。
着《き》ましょう！

そこでのルールは守《まも》らなきゃ。（ ② ）だよ。

0615

医者《いしゃ》の不養生《ふようじょう》

医者《いしゃ》が病気《びょうき》になるように、理屈《りくつ》ではわかっていても実行《じっこう》できないことのたとえ。

ずみまぜん、今日《きょう》ば休診《きゅうしん》でず…。
ハァ ハァ
ゴホ ゴホ
ガラ ガラ
○×病院《びょういん》
先生《せんせい》!?

体調《たいちょう》が悪《わる》いのに無理《むり》をするなんて、まさに（ ③ ）だ。

答え ①寸分 ②郷に入っては郷に従え ③医者の不養生

0616
おずおず
こわがったり、不安《ふあん》になったりする様子《ようす》。おそるおそる。

デッドボール
ボガッ
おずおず
すす、すいません

ボールをぶつけたピッチャーが（④）と近《ちか》づいてきた。

0617
割《わ》り切《き》る
きっぱりと区別《くべつ》する。

あ〜、またデッドボールです!!
ボガッ
ハナがジャマなんだよ!
デッドボール連発《れんぱつ》で、アニマルズ勝利《しょうり》です!!
ヤッタ〜ッ勝利《しょうり》投手《とうしゅ》だ〜!
まっいいか

※デッドボール…野球《やきゅう》で、ピッチャーの投球《とうきゅう》がバッターに当《あ》たってしまうこと。

よい内容《ないよう》ではなかったが、「勝《か》ちは勝《か》ち」と（⑤）った。

0618
ボランティア
自分《じぶん》の意志《いし》で、世《よ》の中《なか》のためになる活動《かつどう》などに参加《さんか》する人《ひと》。また、その活動《かつどう》のこと。

オーイ
ゴミ拾《ひろ》いはいいから、おりにもどってね〜。
ゴミ袋《ぶくろ》

ゴミ拾《ひろ》いの（⑥）活動《かつどう》に夢中《むちゅう》になる。

答え ④おずおず ⑤割り切 ⑥ボランティア

0619

たわわ

枝《えだ》が曲《ま》がるほど、作物《さくもつ》がたくさん実《みの》っている様子《ようす》。

ずっしり!!

苦労《くろう》して育《そだ》てたかいがあって、ぶどうが（　①　）に実《みの》った。

0620

水《みず》と油《あぶら》

水《みず》と油《あぶら》が混《ま》じり合《あ》わないように、性質《せいしつ》や関係《かんけい》などがしっくりこないことのたとえ。

フン
フン
意《い》見《けん》

あの二人《ふたり》の性格《せいかく》は（　②　）で、意見《いけん》もまったくかみ合《あ》わない。

0621

傍目八目《おかめはちもく》

脇《わき》から見《み》ていると、当事者《とうじしゃ》よりも物事《ものごと》の良《よ》し悪《あ》しがわかるということ。

あそこを曲《ま》がれば、ゴールだな♪
ふむふむ

（　③　）というから、なやんだら、周囲《しゅうい》の意見《いけん》も聞《き》いてみよう。

答え　①たわわ　②水と油　③傍目八目

言葉《ことば》のワザをみがいて使《つか》いこなそう！

アタック・ザ・言葉《ことば》クイズ 26

□には、それぞれ同《おな》じ漢字《かんじ》が入《はい》るよ。[　]から選《えら》ぼう。関係《かんけい》ないものもあるよ。

①事態《じたい》が変《か》わるたびに、喜《よろこ》んだり、悲《かな》しんだりすること。

□喜《き》□憂《ゆう》

②脇《わき》から見《み》ていると、当事者《とうじしゃ》よりも物事《ものごと》の良《よ》し悪《あ》しがわかるということ。

傍《おか》□八《はち》□

③3人《にん》、4人《にん》、5人《にん》などで連《つ》れ立《だ》っている人々《ひとびと》が、辺《あた》りに散《ち》らばっている様子《ようす》。

□□五《ご》五《ご》

④とても苦《くる》しいときや、弱《よわ》ったときに出《で》るため息《いき》。また、そのような様子《ようす》。

青《あお》□吐《と》□

[一　二　三　百　息　手　目　龍]

⇒答《こた》えは262ページにあります。

0622

天真爛漫《てんしんらんまん》

純真《じゅんしん》で清《きよ》らかなこと。明《あか》るく無《む》邪気《じゃき》であること。

うふふ、森《もり》のプリンセス、ウサ子《こ》です！
パンがないなら、ケーキを食《た》べるといいわ！

明《あか》るくて、かわいらしくて、（ ① ）なお姫様《ひめさま》みたいだ。

0623

丸《まる》く収《おさ》める

もめ事《ごと》をおだやかに終《お》わらせる。問題《もんだい》をうまく解決《かいけつ》する。

どうしてケンカをしているの？
きっと、おなかが空《す》いているのね！
ほら、これ食《た》べて、仲直《なかなお》りしましょ？
うん

彼女《かのじょ》は、どんな争《あらそ》い事《ごと》も（ ② ）ことができる。

0624

おもむろに

落《お》ち着《つ》いて、ゆっくりと。

ヨッコラッせっと！
まだ午前中《ごぜんちゅう》だよ！
大丈夫《だいじょうぶ》、お昼用《ひるよう》もあるから。
サッ
そういう問題《もんだい》じゃないでしょ

2時間目《じかんめ》のあと、彼《かれ》は（ ③ ）弁当《べんとう》を食《た》べ始《はじ》めた。

答え ① 天真爛漫 ② 丸く収める ③ おもむろに

0625

風当《かざあ》たり

周《まわ》りから、厳《きび》しい意見《いけん》や非難《ひなん》を受《う》けること。

兄《にい》ちゃん、宿題《しゅくだい》やったのかよ。
片《かた》づけサボったの、ママに言《い》うからな。
今《いま》やるよー
オレがおやつ横取《よこど》りしてから、ずっとこの調子《ちょうし》…。

弱《よわ》みをにぎられたせいで、弟《おとうと》からの（ ④ ）が強《つよ》い。

0626

きつねにつままれる

訳《わけ》がわからない状態《じょうたい》になる。「つままれる」は、「化《ば》かされる」という意味《いみ》。

あれっ！
もう、こんな時間《じかん》だっ!!

急《きゅう》に周《まわ》りの人《ひと》がいなくなって、（ ⑤ ）たような気分《きぶん》だ。

0627

無尽蔵《むじんぞう》

いくら取《と》っても、なくならないこと。

アイデアが、次々《つぎつぎ》にわいてくる～～！
天才《てんさい》！
だ～っ
SF
恋愛《れんあい》
ギャグ

あの人《ひと》は、（ ⑥ ）なアイデアをもつ天才《てんさい》マンガ家《か》だ。

答え ④風当たり ⑤きつねにつままれ ⑥無尽蔵

0628

青息吐息《あおいきといき》

とても苦《くる》しいときや、弱《よわ》ったときに出《で》るため息《いき》。また、そのような様子《ようす》。

ハア
ハア
ハア
もう無理《むり》です…。
ガンバルゾ！

覚《おぼ》えることがあまりに多《おお》くて、もう（　①　）だ。

0629

脳裏《のうり》

頭《あたま》の中《なか》。心《こころ》の中《なか》。

なつかしいなあ～。
アニメから、この曲《きょく》がはやったのよね。
ラーラー
ララー
ララー
鉄《てつ》ワン
アームね

この歌《うた》を聞《き》くと、子《こ》どものころの思《おも》い出《で》が（　②　）にうかぶ。

0630

エキスパート

専門家《せんもんか》。専門的《せんもんてき》な知識《ちしき》や技術《ぎじゅつ》、経験《けいけん》、情報《じょうほう》などをもっている人《ひと》。

バ～ン
敵《てき》はたおせるけど、カギは開《あ》けられない。
ガチャガチャ
閉《し》め出《だ》しかよ！
変身《へんしん》!!

人助《ひとだす》けの（　③　）も、変身《へんしん》しなければ普通《ふつう》の人《ひと》だ。

答え ①青息吐息 ②脳裏 ③エキスパート

0631
探《さぐ》りを入《い》れる
相手《あいて》の情報《じょうほう》や気持《きも》ちなどを、それとなく調《しら》べたり、聞《き》き出《だ》したりする。

ワシは王《おう》として、うまくやれているかのう…?
もちろん!! 民衆《みんしゅう》のためになる大変《たいへん》すばらしい王様《おうさま》です!!

本心《ほんしん》を知《し》るため、王様《おうさま》が家来《けらい》に（ ④ ）。

0632
金輪際《こんりんざい》
もう二度《にど》と。決《けっ》して。「金輪際《こんりんざい》〜ない」の形《かたち》で使《つか》うことが多《おお》い。

…って答《こた》えたけどさぁ、本当《ほんとう》なわけないじゃん!
アハハ
信《しん》じておったのに…。

あんなうそをつくなんて、（ ⑤ ）、だれも信用《しんよう》しない。

0633
血《ち》がさわぐ
血が騒ぐ

気持《きも》ちが高《たか》ぶって、じっとしていられなくなる。

ロッキーのテーマだ! 戦《たたか》わずにはいられない!!
ハブはどこだ!?
チャララー
ラー〜
ララ〜
ラ〜
マングース

父《ちち》はロッキーのテーマ曲《きょく》がかかると、（ ⑥ ）らしい。

答え ④探りを入れる ⑤金輪際 ⑥血がさわぐ

0634

もったいぶる

立派《りっぱ》であるように、わざと重々《おもおも》しくふるまう。

どうやって王子様《おうじさま》をつかまえたんですか?
ガラスのくつは、はいても割《わ》れないんですか?
うーん…。ヒ・ミ・ツ♡

彼女《かのじょ》は（　①　）って、質問《しつもん》には一《ひと》つも答《こた》えてくれなかった。

0635

一攫千金《いっかくせんきん》

一度《いちど》にたやすく大金《たいきん》をもうけること。「一攫《いっかく》」は、「ひとつかみ」という意味《いみ》。

お金《かね》、貸《か》してもらえませんか?
へへへ…
大金《たいきん》が手《て》に入《はい》ったら、貸《か》してあげましょう。
キッパリ
大当《おおあ》たり
宝《たから》くじ

（　②　）を夢見《ゆめみ》て、宝《たから》くじ売《う》り場《ば》の行列《ぎょうれつ》に並《なら》ぶ。

0636

口説《くど》く

願《ねが》いを聞《き》いてもらおうと説得《せっとく》する。異性《いせい》に対《たい》して言《い》い寄《よ》る。

その力強《ちからづよ》い体《からだ》!! ぜひ、我《わ》が柔道部《じゅうどうぶ》に入《はい》ってくれたまえ!! キミなら、すぐ主将《しゅしょう》になれる!!

柔道部《じゅうどうぶ》に入《はい》ってほしくて、新入生《しんにゅうせい》を熱心《ねっしん》に（　③　）。

答え ①もったいぶる ②一攫千金 ③口説く

0637

ピックアップ

拾《ひろ》い上《あ》げること。預《あず》けていたものを引《ひ》き取《と》ること。

キミの家《いえ》にドローンが行《い》ったから。
荷物《にもつ》もらってくれね～
う…うん。
ブーン

※ドローン…遠隔操作《えんかくそうさ》で動《うご》く、無人《むじん》の航空機《こうくうき》。

預《あず》けていた荷物《にもつ》を、途中《とちゅう》で（④）する。

0638

血《ち》も涙《なみだ》もない

冷《つめ》たくて人情《にんじょう》がない。

夏休《なつやす》みの宿題《しゅくだい》です!!
ドーン
エ～ッ
旅行《りょこう》行《い》けないじゃん!

宿題《しゅくだい》に関《かん》して、先生《せんせい》は（⑤）様子《ようす》だった。

0639

場違《ばちが》い

その場《ば》にふさわしくないこと。

始業式《しぎょうしき》の日《ひ》
おはようございます!
みなさ～ん、夏休《なつやす》みはどうでしたか?
ガチャッガチャッ
休《やす》めたわけないだろー

夏休《なつやす》み明《あ》けの始業式《しぎょうしき》に、その格好《かっこう》は（⑥）だ。

答え ④ピックアップ ⑤血も涙もない ⑥場違い

0640

高飛車《たかびしゃ》

いばって、人《ひと》をおさえつけるような態度《たいど》をとること。＝高圧的《こうあつてき》

ひかえおろう！
この紋所《もんどころ》が目《め》に入《はい》らぬか〜！
エッヘン
助《すけ》さんや、ちょっとえらそうだから、もうちょい低姿勢《ていしせい》に。

（①）な態度《たいど》では、人間関係《にんげんかんけい》はうまくいきません。

0641

目配せ《めくばせ》

目《め》で合図《あいず》して、知《し》らせること。

ペラペラペラペラ
ペラララ
もう、やめたほうがいいんじゃね？
目《め》、どうかした？
いや…
うんざり…

話《はなし》が長《なが》いので、やめるように（②）した。

0642

衰弱《すいじゃく》

体《からだ》などに力《ちから》がなくなり、すっかり弱《よわ》ること。

無人島《むじんとう》に一《ひと》つだけ何《なに》か持《も》って行《い》けるとしたら、何《なに》がいい？
オレ、ゲーム機《き》！一日中《いちにちじゅう》、ゲームしてられるじゃん。
やっぱり、食《た》べ物《もの》がよかった…。
あんなこと言《い》ったけど…
ザー

栄養《えいよう》のあるものを食《た》べないと、体《からだ》が（③）してしまうよ。

0643 器用貧乏《きようびんぼう》

器用《きよう》な人《ひと》はひととおり何《なん》でもできるが、一《ひと》つのことをつきつめられず、かえって成功《せいこう》しづらい。

キャッチャー
ピッチャー
サード
どのポジションでもできるぞ!!
その前《まえ》にレギュラーになれよ。

すぐにできるからと努力《どりょく》しないのは、（④）の始《はじ》まりだ。

0644 青菜《あおな》に塩《しお》

すっかり元気《げんき》をなくしている様子《ようす》。青菜《あおな》に塩《しお》をかけるとしおれることから。

しゅん
お弁当《べんとう》、忘《わす》れた…。

お昼《ひる》の時間《じかん》、弁当《べんとう》を忘《わす》れた彼女《かのじょ》の様子《ようす》は（⑤）だ。

0645 リベンジ

復《ふく》しゅうすること。前回《ぜんかい》負《ま》けた相手《あいて》に勝《か》つこと。

いつまでも、のろまなカメと思《おも》うなよ!
1
ずーーん
2

いつも負《ま》けていたライバルに、ようやく（⑥）を果《は》たした。

答え ④器用貧乏 ⑤青菜に塩 ⑥リベンジ

0646

モットー

いつも行動《こうどう》するうえで、そうしようと心《こころ》がけていること。その目標《もくひょう》を表《あらわ》した短《みじか》い言葉《ことば》。

ニヤリ
「いつでも笑顔《えがお》」がモットーです！
ゾゾ〜

私《わたし》の（ ① ）は、だれにでも笑顔《えがお》で接《せっ》することだ。

0647

糸《いと》を引《ひ》く

かげでこっそりあやつり、自分《じぶん》の思《おも》いどおりに動《うご》かす。

買《か》い食《ぐ》いしてんじゃないぞ！
くつ屋《や》のおじさん！
おかしいな〜、この前《まえ》も…。
早《はや》く帰《かえ》れよ！
だれかに見《み》られてるのか？

なぜいつもばれるのか、裏《うら》で（ ② ）者《もの》がいるような気《き》がする。

0648

牛耳《ぎゅうじ》る

集団《しゅうだん》を支配《しはい》して、思《おも》いどおりに動《うご》かす。「牛耳《ぎゅうじ》をとる」とも。

くつ屋《や》さん、ご苦労《くろう》さんでした。
来週《らいしゅう》の孫《まご》の見張《みは》りは、ケーキ屋《や》さんにたのむわ。
〇△町《ちょう》公《こう》民《みん》館《かん》
ハッ
バアチャン

うちのばあちゃんは、町内会《ちょうないかい》を（ ③ ）っているようだ。

答え ①モットー ②糸を引く ③牛耳

言葉《ことば》のワザをみがいて使《つか》いこなそう！

アタック・ザ・言葉《ことば》クイズ 27

入試問題《にゅうしもんだい》に挑戦《ちょうせん》！

次《つぎ》のことわざの（　）に当《あ》てはまる漢字《かんじ》をそれぞれ一字《いちじ》で答《こた》えなさい。ただし、二《ふた》つある（　）には同《おな》じ漢字《かんじ》が入《はい》ります。

（神戸国際中学校・改題）

※漢字《かんじ》がわからない場合《ばあい》は、ひらがなでもいいよ。

①青菜《あおな》に（　）。

②残《のこ》り物《もの》には（　）がある。

③（　）に腹《はら》はかえられない。

④枯《か》れ木《き》も（　）のにぎわい。

⑤（　）に入《い》っては（　）に従《したが》え。

⑥親《おや》の（　）子知《こし》らず。

⑦（　）は小《しょう》をかねる。

⑧弱《よわ》り（　）にたたり（　）。

⇒答《こた》えは 262 ページにあります。

0649

ありの穴《あな》から堤《つつみ》も崩《くず》れる

小《ちい》さくてわずかな手《て》ぬかりから、大事《だいじ》が起《お》こるということのたとえ。

（①）というからね、小《ちい》さな異変《いへん》を見《み》のがさないことだ。

0650

鬼《おに》の居《い》ぬ間《ま》の洗濯《せんたく》

こわい人《ひと》がいない間《あいだ》に、思《おも》う存分《ぞんぶん》くつろぐことのたとえ。

今日《きょう》は監督《かんとく》がおくれるらしい。（②）といこう。

0651

ペンディング

その場《ば》で決定《けってい》せずに、しばらく問題《もんだい》を保留《ほりゅう》にしておくこと。

夜《よる》まで話《はな》し合《あ》ったが決《き》まらず、いったん（③）となった。

答え ①ありの穴から堤も崩れる ②鬼の居ぬ間の洗濯 ③ペンディング

0652 青筋《あおすじ》を立《た》てる

顔《かお》に血管《けっかん》がうき出《で》るほどおこったり、感情的《かんじょうてき》になる。

グオオオオーッ
今《いま》のはセーフでしょ!!

審判《しんぱん》の判断《はんだん》に対《たい》して、監督《かんとく》は（ ④ ）て抗議《こうぎ》した。

0653 かこつける

自分《じぶん》に都合《つごう》のいいように、関係《かんけい》ないことを結《むす》びつけて理由《りゆう》にする。

ヨウスケくんちで勉強《べんきょう》してきまーす!
CHOCO
POTATO
MANGA
タッ
ん?

勉強《べんきょう》に（ ⑤ ）て、家《いえ》をぬけ出《だ》すことができた。

0654 かゆいところに手《て》が届《とど》く

細《こま》かいところまで配慮《はいりょ》が行《い》き届《とど》いて、気《き》がきいていること。

グローブしてるから、かけないよね。
あ〜そこそこ

（ ⑥ ）、たよりになるマネージャーだ。

答え ④青筋を立て ⑤かこつけ ⑥かゆいところに手が届く

0655

思《おも》い上《あ》がる

自分《じぶん》はえらいと思《おも》って、いい気《き》になる。うぬぼれる。

私《わたし》たち、世界三大美人《せかいさんだいびじん》って、言《い》われてるんだって。
クレオパトラ
小野小町《おののこまち》
いつもきれいって言《い》われて、困《こま》っちゃう〜。
楊貴妃《ようきひ》

いつもほめられるからといって、（　①　）ってはいけない。

0656

雲《くも》をつかむ

ぼんやりとして、はっきりしない様子《ようす》。つかみどころがない様子《ようす》。

来年《らいねん》か、もっと先《さき》かもしれないけれど、私《わたし》がもしアラブの石油王《せきゆおう》とか、ヨーロッパの貴族《きぞく》と結婚《けっこん》したら、多分《たぶん》、日本《にっぽん》でもパーティーをすると思《おも》うんだけど…。
…
来《く》る？

そんな（　②　）ような話《はなし》には、返事《へんじ》のしようがない。

0657

おべっか

心《こころ》にもないお世辞《せじ》を言《い》うこと。おべんちゃら。

これで買《か》えますか？
かわいいお子《こ》さんだね〜。
頭《あたま》もよさそうだし〜。
えほん
レジ
おかいどく

金持《かねも》ちだと知《し》って、相手《あいて》は急《きゅう》に（　③　）を使《つか》い始《はじ》めた。

答え ① 思い上がる ② 雲をつかむ ③ おべっか

0658 アンフェア

不公平《ふこうへい》なこと。公正《こうせい》でない様子《ようす》。かたよっていること。⇔フェア

夏休《なつやす》みの自由研究《じゆうけんきゅう》です。
スゲ〜ッ
いくらかかってんのよ！

宿題《しゅくだい》に親《おや》の力《ちから》を借《か》りるなんて、（ ④ ）だ。

0659 きじも鳴《な》かずば打《う》たれまい

余計《よけい》なことをしなければ、災難《さいなん》にあうこともないというたとえ。

女子《じょし》はみんな、オレが好《す》きだろ？
冗談《じょうだん》じゃないよ！
何《なに》言《い》ってるの！
調子《ちょうし》に乗《の》るなー!!
ギャー
ギャー

調子《ちょうし》に乗《の》った発言《はつげん》はひかえよう。（ ⑤ ）というからね。

0660 手《て》が出《で》ない

自分《じぶん》の力《ちから》ではおよばない。

ぐぬぬ…
プレミアムスナック
¥500

食《た》べてみたいけど、値段《ねだん》が高《たか》くて（ ⑥ ）。

答え ④アンフェア ⑤きじも鳴かずば打たれまい ⑥手が出ない

0661

烏合《うごう》の衆《しゅう》

寄《よ》せ集《あつ》められただけの、まとまりのない人々《ひとびと》。「烏《う》」は、カラスのこと。

ヨロ ヨロッ
何《なに》か？
ぷっ

相手《あいて》チームは、寄《よ》せ集《あつ》めの選手《せんしゅ》ばかりの（　①　）だよ。

0662

面食《めんく》らう

突然《とつぜん》のことに、おどろきあわてる。

スズメの宅配便《たくはいびん》でーっす！大《おお》きなつづらをお届《とど》けにあがりましたぁ！

※つづら…植物《しょくぶつ》のつるや竹《たけ》、木《き》の板《いた》などで作《つく》ったかご。

突然《とつぜん》届《とど》いた荷物《にもつ》の大《おお》きさに、私《わたし》は（　②　）った。

0663

図太《ずぶと》い

周《まわ》りを気《き》にせず、どんなときでも平気《へいき》な顔《かお》をしている。ふてぶてしい。類 ずうずうしい

おい、そろそろ試合《しあい》、始《はじ》まるぞ。
おにぎりもサッカーボールかよ。
これ食《た》べ終《お》わったら、行《い》くから！

試合前《しあいまえ》に弁当《べんとう》を二《ふた》つも食《た》べるなんて、神経《しんけい》が（　③　）ね。

答え ① 烏合の衆 ② 面食ら ③ 図太い

0664

シフト

位置《いち》を動《うご》かすこと。複数《ふくすう》の従業員《じゅうぎょういん》が交替《こうたい》で働《はたら》くこと。また、その時間割《じかんわり》。

てへっ
12/20、21、22、23、24、25、29、30、31
すみませ～ん、この日《ひ》、バイト休《やす》ませてくださいッス☆
オイ。
シフト表《ひょう》

店長《てんちょう》に、アルバイトの（④）を変《か》えてもらった。

0665

敷居《しきい》が高《たか》い

不義理《ふぎり》や面目《めんぼく》のないことがあって、その人《ひと》のところへ行《い》きにくい。

プンプン
ヨロッ
前《まえ》よりも高《たか》くなっておじゃるな、この敷居《しきい》…。

ケンカ別《わか》れをした相手《あいて》の家《いえ》に行《い》くのは、さすがに（⑤）。

0666

無理強《むりじ》い

無理《むり》やりさせること。

先生《せんせい》、その手《て》はいけませんよ。
お返《かえ》しします
テストを受《う》けないと、0点《てん》になっちゃうよ。
テスト

相手《あいて》のいやがることを（⑥）してはいけない。

答え ④シフト ⑤敷居が高い ⑥無理強い

0667

立《た》つ瀬《せ》がない

自分《じぶん》の立場《たちば》がなくなる。面目《めんぼく》を失《うしな》う。

金太郎《きんたろう》さん、本当《ほんとう》は応援《おうえん》、いやだったんだ…?
いったいワシらって…。
ごめん……

よかれと思《おも》っていたのに、迷惑《めいわく》だと言《い》われては（ ① ）。

0668

いそいそ

うれしくて、心《こころ》がうきうきする様子《ようす》。

おはよう
だ、だれだ!?
いい子《こ》にしてるのよ
いってらっしゃ〜い
ふだんとちがいすぎ!

母《はは》と姉《あね》はおめかしをして、（ ② ）と出《で》かけていった。

言葉《ことば》クイズの答《こた》え

21 ①ウ ②エ ③イ

22 ①十年一日《じゅうねんいちじつ》 ②暗中模索《あんちゅうもさく》 ③用意周到《よういしゅうとう》 ④悪戦苦闘《あくせんくとう》

23

							イ
	ノ		モ	ノ	ト	ー	ン
	ー		ラ				ス
ス	マ	ー	ト		シ		タ
	ル		リ		ナ		ン
			ア	ス	リ	ー	ト
			ム		オ		

24 ②・⑤

25 ①破格《はかく》 ②有数《ゆうすう》 ③先決《せんけつ》

26 ①一喜一憂《いっきいちゆう》 ②傍目八目《おかめはちもく》 ③三三五五《さんさんごご》 ④青息吐息《あおいきといき》

27 ①塩（しお） ②福（ふく） ③背（せ） ④山（やま） ⑤郷（ごう） ⑥心（こころ） ⑦大（だい） ⑧目（め）

言葉《ことば》のワザをみがいて使《つか》いこなそう！

アタック・ザ・言葉《ことば》クイズ 28

入試問題《にゅうしもんだい》に挑戦《ちょうせん》！

次《つぎ》の各文《かくぶん》の（　　）に入《はい》る言葉《ことば》をあとの語群《ごぐん》から選《えら》び、記号《きごう》で答《こた》えなさい。
（玉川学園中学部・一部改題）

①小学校生活最後《しょうがっこうせいかつさいご》のサッカーの試合《しあい》に負《ま》け、（　　）をのんだ。

②下級生《かきゅうせい》のほうがしっかりしているなんて、立《た》つ（　　）がない。

③あのお店《みせ》の人気《にんき》の理由《りゆう》は、かゆいところに（　　）が届《とど》くサービスだ。

④10年後《ねんご》を見通《みとお》していたなんて、あの人《ひと》には先見《せんけん》の（　　）がある。

⑤試合前《しあいまえ》、スタジアムで応援歌《おうえんか》を聞《き》くと、（　　）がさわぐ。

語群《ごぐん》

ア 水《みず》　イ 瀬《せ》　ウ 味《あじ》　エ 涙《なみだ》　オ 胸《むね》
カ 血《ち》　キ 目《め》　ク 手《て》　ケ 場《ば》　コ 明《めい》

⇒答《こた》えは326ページにあります。

0669

うそも方便《ほうべん》

物事《ものごと》をうまく進《すす》めるために、うそをつくほうがよいときもあるということ。

電気《でんき》ナマズのドロ風味《ふうみ》です。一生懸命《いっしょうけんめい》作《つく》ったのよ♡
おっ…おいしいよ～。
おえぇっ

（　①　）と思《おも》い、正直《しょうじき》な感想《かんそう》は心《こころ》の中《なか》にしまっておいた。

0670

しっぽをつかむ

相手《あいて》がごまかしていたことの証拠《しょうこ》をおさえる。

てへっ
やっぱり、犯人《はんにん》はキミでしたか。
グイ
魚《さかな》

専門家《せんもんか》の調査《ちょうさ》によって、魚《さかな》どろぼうの（　②　）んだ。

0671

無造作《むぞうさ》

難《むずか》しく考《かんが》えず簡単《かんたん》にやってしまうこと。重々《おもおも》しくなく気軽《きがる》なこと。

あらよっと。
すげぇ！

（　③　）にボールをけったら、偶然《ぐうぜん》ゴールが決《き》まった。

答え　①うそも方便　②しっぽをつかむ　③無造作

0672

無味乾燥《むみかんそう》

味《あじ》わいやうるおいがなく、おもしろみに欠《か》けること。

今回《こんかい》は、コレでいくぞ～!!
クマったせ世《よ》の中《なか》変《か》えちゃうよ♡
くまだ
バーン!!
くまだくまお
くまおが変《か》える!
ズル・・・

（④）な選挙《せんきょ》のポスターを親《した》しみやすくリニューアルした。

0673

トラップ

相手《あいて》をおとしいれること。また、そのための道具《どうぐ》。わな。

しまった!
身動《みうご》きがとれない…。
こちらでございます
ベト
ベト
くせもの!!

相手《あいて》のしかけた（⑤）に、まんまとはまってしまった。

0674

無《な》くて七癖《ななくせ》

人《ひと》はだれでも、多少《たしょう》は癖《くせ》をもっているものだということ。「有《あ》って四十八癖《しじゅうはちくせ》」と続《つづ》けることも。

癖《くせ》なんてさ!
ないさ!
えっ?
貧乏《びんぼう》ゆすり?
たまたまさ!

（⑥）、人《ひと》にはいろいろな癖《くせ》があるものだよ。

答え ④無味乾燥 ⑤トラップ ⑥無くて七癖

0675

目《め》が回《まわ》る

めまいがするほど、いそがしいことをたとえていう言葉《ことば》。

0676

平然《へいぜん》

何事《なにごと》にも動《どう》じず、落《お》ち着《つ》きはらっている様子《ようす》。

0677

手《て》が空《あ》く

仕事《しごと》でひまができる。

たこやき
2人前《にんまえ》追加《ついか》!!
ひぇ!
代《か》わるよ。
3人前《にんまえ》まだ!?
シュパパパパパパパパパ
おまたせー
普通《ふつう》の顔《かお》して、すごく速《はや》い!!
あっという間《ま》に終《お》わった!!
ふぅ
クルクルッ
お前《まえ》、すごいな!!
シビれるあこがれるぅ

文化祭《ぶんかさい》のたこ焼《や》き店《てん》は、（①）ほどのいそがしさになった。

だれもできなかったことを、（②）とやってのける。

作業《さぎょう》が一段落《いちだんらく》して、ようやく（③）いた。

0678

潔白《けっぱく》

心《こころ》がきれいで行《おこな》いが正《ただ》しいこと。悪《わる》いことやましいことが少《すこ》しもないこと。

私《わたし》は、やっておりません。
有罪《ゆうざい》！
裁判長《さいばんちょう》

裁判《さいばん》で、身《み》の（④）を証明《しょうめい》する。

0679

ブレイク

休《やす》むこと。「ブレーク」とも。急《きゅう》に人気《にんき》が出《で》ること。＝レスト／ヒット

なんでやねん
なんでやねん
ツッコミの素振《すぶ》りらしいよ。
ビシッ

ぼくは将来《しょうらい》、お笑《わら》い芸人《げいにん》として（⑤）したい。

0680

面識《めんしき》

顔見知《かおみし》りであること。知《し》り合《あ》いであること。

人魚姫《にんぎょひめ》？ はぁ～？ だれそれ
私《わたし》、海《うみ》行《い》かないしぃ～。日焼《ひや》けするしぃ～。
たすけて～
そもそも、作者《さくしゃ》ちげーし。

知《し》り合《あ》いだと思《おも》われているが、お互《たが》い（⑥）はない。

答え ④潔白 ⑤ブレイク ⑥面識

0681

からくり

しかけ。しくみ。

おばあさん、タヌキにだまされてますぞ。
ビクッ

老人《ろうじん》をだます、インチキ商売《しょうばい》の（①）をあばく。

0682

大胆不敵《だいたんふてき》

度胸《どきょう》があって思《おも》い切《き》ったことをすること。

いざ、勝負《しょうぶ》！
あ〜!! ひきょう者《もの》〜！

（②）な作戦《さくせん》で、見事勝利《みごとしょうり》を収《おさ》める。

0683

きょをつく

虚をつく

相手《あいて》のすきをせめ込《こ》む。油断《ゆだん》につけ込《こ》んで、相手《あいて》をやっつける。

こっちだって、やってやる！
ちくしょう！
ドローン
時代錯誤《じだいさくご》だぞ〜!!
ずるいよ〜ん!!

敵《てき》の（③）き、最新《さいしん》の武器《ぶき》で反撃《はんげき》を始《はじ》める。

答え ①からくり ②大胆不敵 ③きょをつく

0684

地獄耳《じごくみみ》

人《ひと》の秘密《ひみつ》などを、いち早《はや》く聞《き》きつけていること。

うわさ好《ず》きで有名《ゆうめい》な彼《かれ》は、（　④　）で情報《じょうほう》が早《はや》い。

0685

二番煎《にばんせん》じ

前《まえ》と同《おな》じような内容《ないよう》で新《あたら》しさがないもの。「二番煎《にばんせん》じ」は、お茶《ちゃ》を同《おな》じ茶葉《ちゃば》でもう一度《いちど》いれること。

新番組《しんばんぐみ》は前《まえ》の番組《ばんぐみ》の（　⑤　）で、あまり変化《へんか》が感《かん》じられない。

0686

三三五五《さんさんごご》

3人《にん》、4人《にん》、5人《にん》などで連《つ》れ立《だ》っている人々《ひとびと》が、辺《あた》りに散《ち》らばっている様子《ようす》。

イベントが終《お》わり、お客《きゃく》さんは（　⑥　）帰《かえ》って行《い》った。

答え ④ 地獄耳　⑤ 二番煎じ　⑥ 三三五五

0687

火蓋《ひぶた》を切《き》る

行動《こうどう》を開始《かいし》する。競争《きょうそう》や戦《たたか》いを始《はじ》める。

0688

猿《さる》も木《き》から落《お》ちる

その道《みち》の達人《たつじん》でも失敗《しっぱい》することがあるというたとえ。

0689

微動《びどう》だにしない

かすかに動《うご》くこともしない。まったく動《どう》じない。

いざ、鬼《おに》退治《たいじ》へ!!
サル、木《き》に登《のぼ》って!
ヨッシャーッ
ダダッ
ズルッ
アレッ
ワーッ
ヒューッ
ドドドドドド
ヨッシャー!!
もしかしてキゼツしてる??

桃太郎《ももたろう》は合図《あいず》を送《おく》り、戦《たたか》いの（①）った。

（②）といって、どんな達人《たつじん》でも失敗《しっぱい》はあるよ。

鬼《おに》の大群《たいぐん》を前《まえ》にしても、彼《かれ》は（③）かった。

答え ①火蓋を切 ②猿も木から落ちる ③微動だにしな

0690
リスク
危険《きけん》。うまくいかない可能性《かのうせい》。

本当《ほんとう》は、明日《あした》のテスト勉強《べんきょう》しなくちゃいけないんだけど…。
どうしても今日《きょう》、このダンジョンをクリアしたい!!
うおおおーっ

勉強部屋《べんきょうべや》にゲームを置《お》くのは、（ ④ ）が高《たか》すぎる。

0691
閉口《へいこう》
問題《もんだい》を解決《かいけつ》できず、言葉《ことば》につまること。もてあますこと。だまってしまうこと。

あ〜!! もうわかんねぇ!
また始《はじ》まった…。
だからアホウっていわれるんだよ…
アホウドリ

彼《かれ》のわがままな態度《たいど》には、いつも（ ⑤ ）させられる。

0692
日《ひ》の目《め》を見《み》る
世間《せけん》に知《し》られずにうもれていたものが、広《ひろ》く知《し》られるようになる。

受賞《じゅしょう》できて、とてもうれしいです!
なぜヒジを強《つよ》くつまんでも痛《いた》くないのかについての研究《けんきゅう》
○山《やま》○一郎《いちろう》
○△ノーベル

地道《じみち》に続《つづ》けてきた研究《けんきゅう》に、ようやく（ ⑥ ）日《ひ》が来《き》た。

答え ④リスク ⑤閉口 ⑥日の目を見る

0693

裏《うら》をかく

相手《あいて》の予想《よそう》とはちがうことをして、そのねらいをくじく。

にげろ〜!!
…と見《み》せかけて、後《うし》ろからアタックだ！

いったんにげるふりをして、敵《てき》の（①）作戦《さくせん》だ。

0694

胸《むね》をなでおろす

安心《あんしん》する。

よかった…。
ホーッ
鬼《おに》のやつ、にげて行《い》ったか…!!

気《き》がかりだった敵《てき》もにげていき、ほっと（②）。

0695

尻《しり》ぬぐい

尻拭い

人《ひと》の失敗《しっぱい》の後片《あとかた》づけをすること。

あとは、よろしく〜。
ええ〜
ワシの大切《たいせつ》なぼんさいを…。

彼《かれ》の失敗《しっぱい》の（③）なんて、まっぴらごめんだ。

答え ①裏をかく ②胸をなでおろす ③尻ぬぐい

言葉《ことば》のワザをみがいて使《つか》いこなそう！

アタック・ザ・言葉《ことば》クイズ 29

入試問題《にゅうしもんだい》に挑戦《ちょうせん》！

次《つぎ》の――線部《せんぶ》の言葉《ことば》は、決《き》まった動詞《どうし》と結《むす》びついて使《つか》われることが多《おお》い言葉《ことば》です。結《むす》びつく動詞《どうし》を次《つぎ》から選《えら》び、答《こた》えなさい。動詞《どうし》はそれぞれ1回《かい》しか使《つか》えません。

（桐朋女子中学校・改題）

※動詞《どうし》…動《うご》きを表《あらわ》す言葉《ことば》のこと。

① 二人《ふたり》のケンカを丸《まる》く《　　　　》。

② 犯人《はんにん》の目星《めぼし》を《　　　　》。

③ いつまでも待《ま》たされて、しびれを《　　　　》。

④ 思《おも》い切《き》った作戦《さくせん》で、敵《てき》の裏《うら》を《　　　　》。

⑤ レストランで働《はたら》いて、料理《りょうり》の腕《うで》を《　　　　》。

動詞《どうし》

つける　かく　切《き》らす　みがく　収《おさ》める

⇒答《こた》えは 326 ページにあります。

0696

心《こころ》を許《ゆる》す

相手《あいて》を信《しん》じて打《う》ち解《と》ける。警戒《けいかい》しなくなる。

やっと、このサバンナも平和《へいわ》になったね。

互《たが》いに（ ① ）した友人《ゆうじん》なので、リラックスできる。

0697

口《くち》がすべる

口が滑る

うっかりして、言《い》ってはいけないことを言《い》う。

ところでライオンくんさ〜
前《まえ》から思《おも》ってたんだけどさ、たまには肉《にく》とか食《た》べたくならない？
なるよ。
食《た》べてもいいの？

つい（ ② ）って、余計《よけい》なことを言《い》ってしまった。

0698

業《ごう》をにやす

業を煮やす

思《おも》うようにならず、いらいらする。

監督《かんとく》！ 子《こ》どもの大会《たいかい》ですよ。
はなせ！オレを出《だ》せ！
ピー！！
大人《おとな》げないねえ…。

監督《かんとく》は（ ③ ）して、「自分《じぶん》が出《で》る」と言《い》い出《だ》した。

答え ①心を許 ②口がすべ ③業をにや

0699

七転八倒《しちてんばっとう》

苦《くる》しみのために、のたうち回《まわ》ること。

苦《くる》しいっ！
食《た》べ過《す》ぎたっ！
苦《くる》しいっ！
ゴロンゴロン
食事《しょくじ》は
腹八分目《はらはちぶんめ》を
心《こころ》がけてね。

食《た》べすぎて、（ ④ ）するほどおなかが苦《くる》しい。

0700

がらにもない　柄にもない

その人《ひと》らしくない。

ヒュウウ
お客《きゃく》さんが
全然《ぜんぜん》来《こ》ない…。
金《きん》
慣《な》れないこと
するから…。
実演販売《じつえんはんばい》
金太郎《きんたろう》アメ

彼《かれ》は（ ⑤ ）く、おかし作《づく》りを始《はじ》めた。

0701

矛先《ほこさき》

攻撃《こうげき》の目標《もくひょう》や方向《ほうこう》のこと。

お兄《にい》ちゃん、
また、お皿《さら》
割《わ》ったの!?
まあまあ、
母《かあ》さん。
くるっ
だいたい、
お父《とう》さんも
この間《あいだ》ねえ…!!

ケンカを止《と》めに入《はい》ったのに、（ ⑥ ）をこちらに向《む》けられた。

答え　④七転八倒　⑤がらにもな　⑥矛先

0702 コンスタント

いつも変わらず、一定《いってい》している様子《ようす》。

ハウ・ドゥー・ユー・ドゥー？
ノイデイマス
後《あと》ニシテクダサイ
英語《えいご》の勉強《べんきょう》のために、毎日《まいにち》話《はな》しかけてるのよ。
この村《むら》外国人《がいこくじん》一人《ひとり》だもんね

英会話《えいかいわ》の勉強《べんきょう》は、（　①　）に続《つづ》けることが大切《たいせつ》です。

0703 かんろく　貫ろく

雰囲気《ふんいき》が堂々《どうどう》としていること。

小学《しょうがく》3年生《ねんせい》、クマ田《だ》クマ太郎《たろう》です。
ずどー

態度《たいど》や受《う》け答《こた》えがしっかりしていて、（　②　）がある。

0704 申《もう》し分《ぶん》ない

言《い》うべき欠点《けってん》がない。

ヨガ部《ぶ》
さすがキャプテン！
今週《こんしゅう》の予《よ》定表《ていひょう》ね
ほっ…ほどけない…。
カッコイイ！
すごーい
月火水木金

実力《じつりょく》があり、メンバーに気《き》を配《くば》る彼《かれ》は、部長《ぶちょう》として（　③　）。

答え　①コンスタント　②かんろく　③申し分ない

0705

やなぎに風《かぜ》

柳に風

他人《たにん》の文句《もんく》などを上手《じょうず》にあしらって逆《さか》らわない。やなぎが風《かぜ》になびく様子《ようす》から。

どうなってんだいったい!!
アンタきいてるの!?
ふわあぁ〜
あ〜そうですか〜
それは大変《たいへん》でしたねぇ〜
ヤナギ
クレーム係《がかり》

苦情《くじょう》に（④）の対応《たいおう》では、問題《もんだい》は解決《かいけつ》しないままだ。

0706

骨身《ほねみ》をけずる

骨身を削る

体《からだ》がやせ細《ほそ》るほど、苦労《くろう》や努力《どりょく》をする。

絶対《ぜったい》に鬼《おに》をたおすぞ!!
やあ!

目標《もくひょう》を実行《じっこう》するために、彼《かれ》は日々《ひび》、（⑤）って努力《どりょく》した。

0707

骨身《ほねみ》にこたえる

苦痛《くつう》や悲《かな》しみを全身《ぜんしん》で強《つよ》く感《かん》じる。また、心《こころ》に強《つよ》く感《かん》じる。「骨身《ほねみ》にしみる」とも。

鬼《おに》をやっつけたのはいいけど…
つかれた〜〜。

何《なん》とかやりとげたが、かなり（⑥）た。

答え ④やなぎに風 ⑤骨身をけずる ⑥骨身にこたえ

0708

眉唾物《まゆつばもの》

だまされないように用心《ようじん》しなければならないもの。「まゆにつばをつける」とも。

うわー!!
上手《じょうず》だね! ぼくのおじさんの絵画教室《かいがきょうしつ》に通《かよ》ってみない? 今《いま》なら入会金《にゅうかいきん》無料《むりょう》だよ~!!
……。

彼《かれ》がうまいことを言《い》うときは、(①)の話《はなし》が多《おお》い。

0709

頭《あたま》が下《さ》がる

自然《しぜん》と相手《あいて》のことを尊敬《そんけい》したり、感謝《かんしゃ》したりする気持《きも》ちになる。

おはようございます!
通学路《つうがくろ》がいつもきれいだね。
毎日掃除《まいにちそうじ》してくれているもんね。

毎日《まいにち》、通学路《つうがくろ》を掃除《そうじ》している、あの人《ひと》の行《おこな》いには(②)。

0710

反面教師《はんめんきょうし》

見習《みなら》うべきではない、悪《わる》い手本《てほん》。

お前《まえ》、こんなこともできないのか!!
しかるだけじゃ、上達《じょうたつ》しないよね~。
これはね、こうやってこうして ハイ 完成《かんせい》!!
ガチャガチャ
ほ~ なるほど

こわい先輩《せんぱい》を(③)にして、後輩《こうはい》にはやさしく接《せっ》しよう。

答え ① 眉唾物 ② 頭が下がる ③ 反面教師

0711
モノトーン
黒《くろ》・白《しろ》・グレーなどの、無彩色《むさいしょく》で表現《ひょうげん》すること。一本調子《いっぽんちょうし》な様子《す》。

今年《ことし》はモノトーンが流行《りゅうこう》ですって！
やっと時代《じだい》がぼくたちに追《お》いついてきたね！

今年《ことし》の夏《なつ》は、（④）の服《ふく》が流行《りゅうこう》するらしい。

0712
ざんげ
自分《じぶん》の罪《つみ》を反省《はんせい》して打《う》ち明《あ》け、許《ゆる》しをこうこと。

クラス全員《ぜんいん》の弁当《べんとう》を食《た》べてしまうとはな…。
つい出来心《できごころ》で…。ごめんなさい。そのカツ丼《どん》も食《た》べたい、ブヒ…。でも、もうしません！

彼《かれ》は、過去《かこ》におかした罪《つみ》について、涙《なみだ》ながらに（⑤）した。

0713
仏頂面《ぶっちょうづら》
無愛想《ぶあいそう》で不機嫌《ふきげん》な顔《かお》つき。

肉《にく》＝じゅうはち！なんちゃってな。
2×9=18
にく
肉《にく》
どうだ、おもしろいだろう？
おこってる？

先生《せんせい》のギャグよりも、その（⑥）が気《き》になります。

答え ④モノトーン ⑤ざんげ ⑥仏頂面

0714

目《め》ざとい

見《み》つけたり、目《め》をつけたりするのが早《はや》い。

腹巻《はらま》きがはやってんの？
どこのブランド？
ユニクロよ！

彼女《かのじょ》は新《あたら》しい物好《ものず》きで、変《か》わった物《もの》を（　①　）く見《み》つける。

0715

転機《てんき》

何《なに》かが大《おお》きく変《か》わるきっかけ。

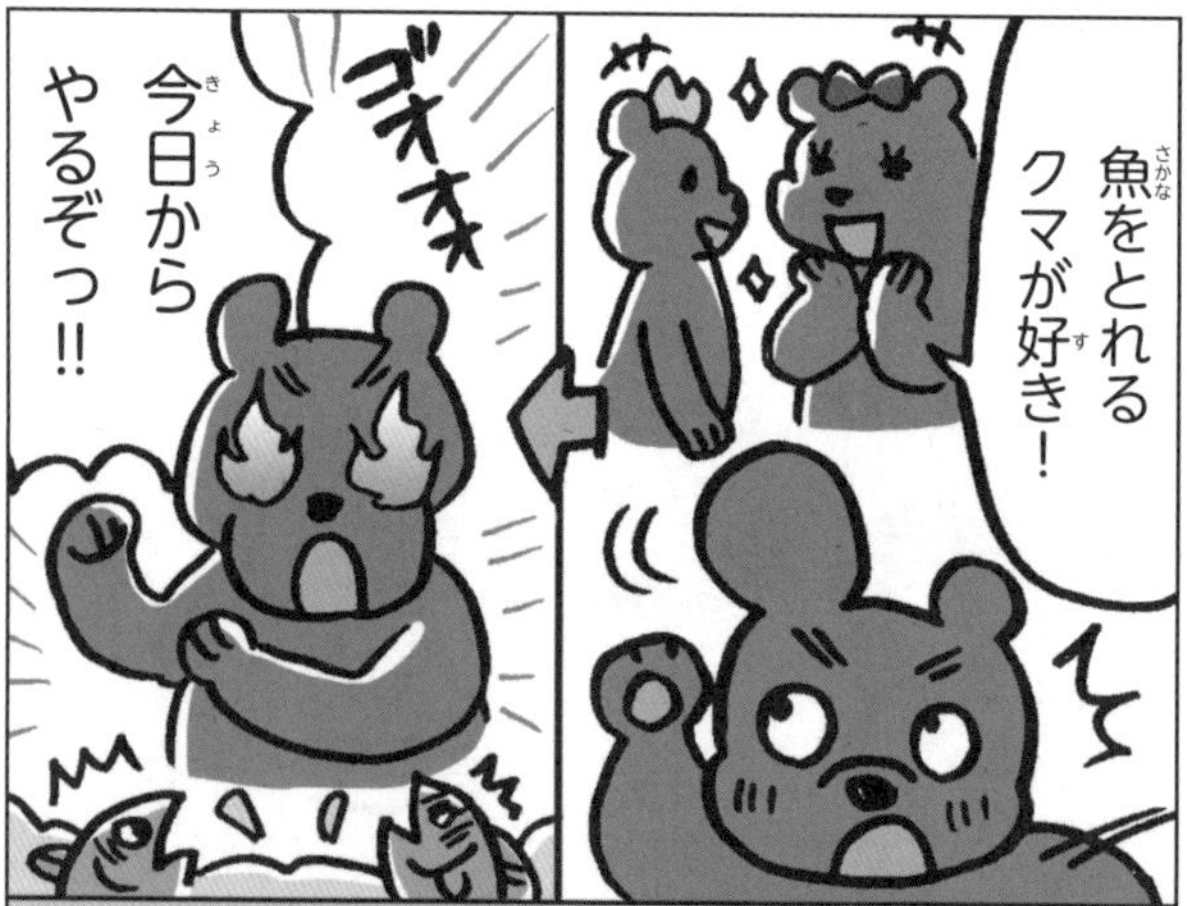
魚《さかな》をとれるクマが好《す》き！
ゴオオオ
今日《きょう》からやるぞっ!!

彼女《かのじょ》の言葉《ことば》がぼくの人生《じんせい》の（　②　）となった。

0716

出《で》ばなをくじく

物事《ものごと》を始《はじ》めようとしたところを、じゃましてだめにする。

あ、ちょっと、ハチミツ採《と》ってきてちょーだい。
ガク〜

今《いま》から始《はじ》めようとしていたところで、（　③　）かれた。

答え　①目ざとい　②転機　③出ばなをくじく

言葉《ことば》のワザをみがいて使《つか》いこなそう！

アタック・ザ・言葉《ことば》クイズ 30

あみだくじで進《すす》もう。線《せん》を一本《いっぽん》足《た》して正《ただ》しいことわざにするには、(ア)(イ)(ウ)のどれを選《えら》べばいいかな？

① きじも鳴《な》かずば

② 医者《いしゃ》の

③ 猿《さる》も木《き》から

④ 転《ころ》ばぬ先《さき》の

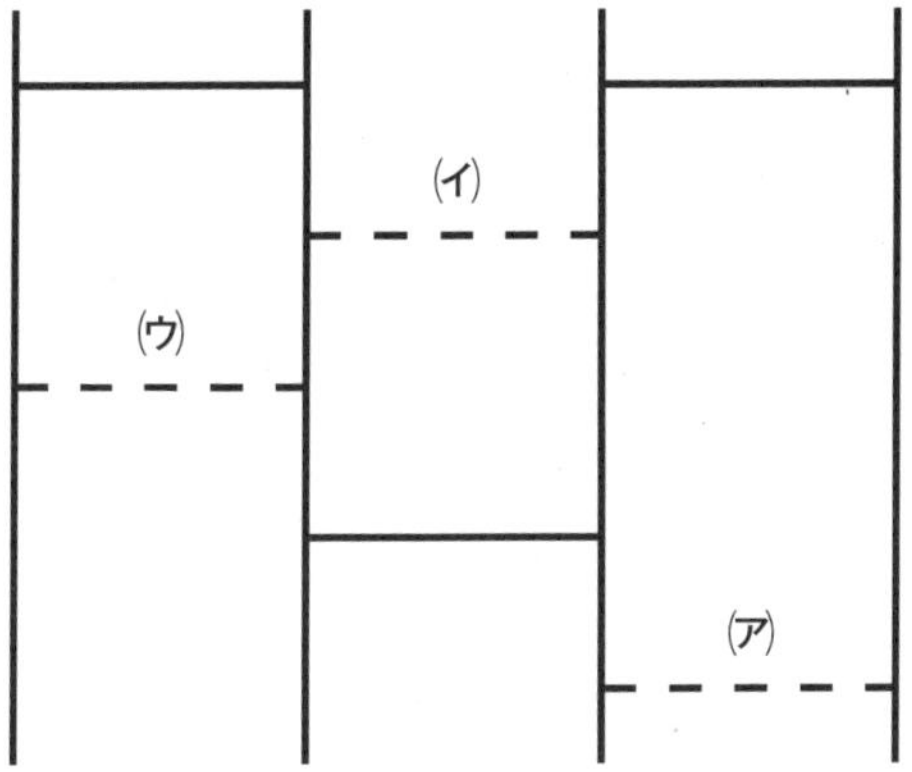

あ 不養生《ふようじょう》

い 落《お》ちる

う 打《う》たれまい

え つえ

⇒答《こた》えは326ページにあります。

0717

リサーチ

調査《ちょうさ》すること。研究《けんきゅう》すること。

何《なん》か、私《わたし》のこと調《しら》べてるらしいじゃん?
やめてもらえる? そういうの、気分悪《きぶんわる》いわ。
ガーン

彼女《かのじょ》の好《この》みを(①)する。

0718

停滞《ていたい》

同《おな》じところにとどまって、動《うご》かないこと。物事《ものごと》がはかどらないこと。

今年《ことし》の冬《ふゆ》は、これくらいにしておいてあげる。
あんたのしわざかよ…。
雪女《ゆきおんな》め——っ!!
寒《さむ》いぞ!
ビュウウウウウ…

3月《がつ》になるというのに、依然《いぜん》、寒気団《かんきだん》が(②)中《ちゅう》だ。

0719

目《め》まぐるしい

目《め》が回《まわ》るほど早《はや》く、いそがしい様子《ようす》。

よごれた〜
トイレ〜!!
おこづかいちょうだい!
ガラス割《わ》っちゃった!
おなかすいた!

家族《かぞく》が多《おお》いので、母《はは》の一日《いちにち》はとても(③)。

0720

すねをかじる

親《おや》やきょうだいから、お金《かね》などの援助《えんじょ》を受《う》ける。

ホレッ!
ドサッ
アリガトウパパ
お前《まえ》も、そろそろ自分《じぶん》で狩《か》りをしないとな。

親《おや》の（ ④ ）ったままじゃ、一人前《いちにんまえ》とは言《い》えないよ。

0721

ひいでる 秀でる

能力《のうりょく》や容姿《ようし》などが、ほかよりも特《とく》にまさっている。

すぐれたハンターになるための特訓《とっくん》だ! あいつをねらえ!
ガオーーッ
ハッハッハッ
ボクのほうが速《はや》いぞ!
少《すく》なくとも、すぐれたランナーではあるな。

彼《かれ》のランナーとしての能力《のうりょく》は、ダントツに（ ⑤ ）ている。

0722

強引《ごういん》

反対《はんたい》されても、無理《むり》やりにする様子《ようす》。

明日《あした》からボス以外《いがい》バナナ禁止《きんし》。つまり、オレ以外《いがい》禁止《きんし》。
なんか文句《もんく》ある？

ボスは、（ ⑥ ）に組織《そしき》のルールを変《か》えてしまった。

答え ④すねをかじ ⑤ひいで ⑥強引

0723

示唆《しさ》

それとなく、知《し》らせたり教《おし》えたりすること。ほのめかすこと。

㊀暗示《あんじ》

火星《かせい》に足跡《あしあと》が…!!
生命体《せいめいたい》のメッセージかも!?
オオ
ッ

この発見《はっけん》は、宇宙人《うちゅうじん》がいる可能性《かのうせい》を（　①　）している。

0724

完璧《かんぺき》

欠点《けってん》がなく完全《かんぜん》なこと。「璧（ぺき）」の部首《ぶしゅ》は「玉《たま》」。「壁（かべ）」とまちがえやすいので注意《ちゅうい》。

アイツ、かっこいいし、勉強《べんきょう》もスポーツもできるけど、オンチだよな～。

（　②　）な人間《にんげん》など、世《よ》の中《なか》に一人《ひとり》も存在《そんざい》しない。

0725

灸《きゅう》をすえる

灸を据える

悪事《あくじ》を反省《はんせい》させるために、こらしめる。

これ、血《ち》じゃなくて、トマトジュースじゃないか!
オレの好《この》みじゃない!!
ちょっといたずらしてみただけじゃん…
知《し》ってるでしょ!!

コラ！　いたずらっ子《こ》には、お（　③　）ぞ。

答え　①示唆　②完璧　③灸をすえる

0726

傍観《ぼうかん》

そばから見《み》ているだけで、かかわらないこと。

先生《せんせい》の車《くるま》に、落書《らくが》きしちゃおっと。
……。

悪《わる》いことは（　④　）せず、ちゃんと注意《ちゅうい》しよう。

0727

保身《ほしん》

自分《じぶん》の地位《ちい》や利益《りえき》を守《まも》ること。

私《わたし》の車《くるま》にいたずらをしたのは、だれだ？
こいつです。
!!

（　⑤　）のためにうそをつくなんて、やり方《かた》がきたないぞ。

0728

墓穴《ぼけつ》をほる

墓穴を掘る

自分《じぶん》で自分《じぶん》の身《み》をほろぼす。

こいつが、先生《せんせい》の車《くるま》にウサギの絵《え》をかいたんです!!
どうしてかかれた絵《え》がウサギだってことを、キミが知《し》っているんだ？
あっ！

知《し》らないふりをしていたのに、（　⑥　）ってしまった。

答え　④傍観　⑤保身　⑥墓穴をほ

0729

持《も》って回《まわ》る

遠回《とおまわ》しな言《い》い方《かた》をする。直接的《ちょくせつてき》に言《い》わない。

彼《かれ》を「ブタ」と呼《よ》ぶことが、違法《いほう》だとは断定《だんてい》できない。
ブタはブタじゃねーか!!

（①）った言《い》い方《かた》では、何《なに》を伝《つた》えたいかがわからないよ。

0730

紙一重《かみひとえ》

紙《かみ》1枚《まい》の厚《あつ》さほどの、ほんのわずかなちがいのたとえ。

よっしゃあ!!
コロン
うわあああっ!

今日《きょう》は負《ま》けたが、相手《あいて》との実力《じつりょく》の差《さ》は（②）だった。

0731

鶴《つる》の一声《ひとこえ》

そのひと言《こと》で大勢《おおぜい》の人《ひと》がしたがうような、力《ちから》のある人《ひと》の発言《はつげん》。

今年《ことし》の家族旅行《かぞくりょこう》は、ヨーロッパがいいわね。
サンセ〜イ
ダンゼンヨーロッパだね
いいや、今年《ことし》も火星《かせい》に里帰《さとがえ》りだ!
ガラッ
エ〜ッ
もう人間《にんげん》に化《ば》けてるのに…

家族旅行《かぞくりょこう》の行《い》き先《さき》は、父《ちち》の（③）で決《き》まった。

答え ①持って回 ②紙一重 ③鶴の一声

0732

ホスピタリティー

もてなし。外《そと》からやって来《き》た人《ひと》を喜《よろこ》んでむかえ入《い》れる精神《せいしん》。

兄《にい》ちゃん、どこから来《き》たんだい？
え？
よくわからんけど、ま、ジャパン、楽《たの》しんでって！
ほらっ アメちゃん あげるわっ
アリガト

日本人《にほんじん》の（　④　）は、世界中《せかいじゅう》で高《たか》く評価《ひょうか》されている。

0733

予備《よび》

前《まえ》もって準備《じゅんび》しておくこと。また、準備《じゅんび》しておいたもの。

マッチ、おひとついかがですか？
カチッ
つかないときのために、ライターもありますよ！

（　⑤　）のライターがあれば、いざというときに安心《あんしん》だ。

0734

さらす

ものが日光《にっこう》や雨風《あめかぜ》に当《あ》たるようにしておく。人《ひと》の目《め》にふれるようにする。

うううううう、本当《ほんとう》にはだかだったなんて…!!
みんなの前《まえ》で、はだかでパレードしちゃったよ！

考《かんが》えが足《た》りずに、人前《ひとまえ》ではじを（　⑥　）してしまった。

答え ④ホスピタリティー ⑤予備 ⑥さら

0735

脈《みゃく》がある

見込《みこ》みがある。

つき合《あ》ってください!!
つーん

（①）とは思《おも》えなかったが、勇気《ゆうき》を出《だ》して交際《こうさい》を申《もう》し込《こ》んだ。

0736

地《じ》で行《い》く

うわべをかざったりせず、ありのままの姿《すがた》でふるまう。想像《そうぞう》の世界《せかい》のことを実際《じっさい》に行《おこな》う。

きらびやかな生活《せいかつ》
この部屋《へや》、落《お》ち着《つ》くなあ。
フ～ッ
自宅《じたく》

彼《かれ》は、ロックスターを（②）生活《せいかつ》をしている。

0737

堂《どう》に入《い》る

することが手慣《てな》れていて、すっかり身《み》についている。

バナナーッ
バナナを食《た》べたかった思《おも》いが伝《つた》わってくる！
すばらしい演技《えんぎ》だ！

ベテラン俳優《はいゆう》の、（③）った演技《えんぎ》に心《こころ》を打《う》たれる。

答え ①脈がある ②地で行く ③堂に入

0738

尾《お》ひれをつける

事実以上《じじついじょう》に、話《はなし》を大《おお》げさにする。

向《む》こうの森《もり》に、UFO《ユーフォー》がいっぱい着陸《ちゃくりく》したよ！
見《み》て見《み》てっ
しゅ～
また始《はじ》まった…。
キミの友達《ともだち》が化《ば》けたんでしょ？

彼《かれ》は、いつも話《はなし》に（④）。

0739

気《き》が引《ひ》ける

相手《あいて》に悪《わる》いような気《き》がして、遠慮《えんりょ》がちになる。

こんな小《ちい》さな子《こ》と戦《たたか》うなんて！

年《とし》も性別《せいべつ》も関係《かんけい》ないとはいえ、子《こ》どもとの勝負《しょうぶ》は（⑤）。

0740

肩《かた》を並《なら》べる

並《なら》んで歩《ある》く。同《おな》じような力《ちから》をもつようになる。対等《たいとう》になる。

参《まい》りました。
いい勝負《しょうぶ》でしたね。
がくーっ

名人《めいじん》と（⑥）ほどの、天才少女《てんさいしょうじょ》が現《あらわ》れた。

答え ④尾ひれをつける ⑤気が引ける ⑥肩を並べる

0741
イニシアティブ
物事《ものごと》の中心《ちゅうしん》になって、みんなを引《ひ》っ張《ぱ》る力《ちから》。主導権《しゅどうけん》。

サル、ちゃんとついてきて！
イヌ、寄《よ》り道《みち》しない、
キジ！もどってこい！

仲間《なかま》からの信頼《しんらい》が得《え》られず、なかなか（①）がとれない。

0742
ひのき舞台《ぶたい》
自分《じぶん》の実力《じつりょく》や成果《せいか》を発表《はっぴょう》する、晴《は》れの場《ば》。

オオ〜

彼《かれ》は、世界《せかい》の（②）で活躍《かつやく》する天才《てんさい》ピアニストだ。

0743
のさばる
ひどくいばった態度《たいど》をとる。勝《かっ》手《て》気《き》ままにふるまう。

任務完了《にんむかんりょう》です！
鬼《おに》といっしょに、村《むら》もなくなったけどね…。

桃太郎《ももたろう》は、村《むら》に（③）っていた鬼《おに》たちを退治《たいじ》した。

答え ①イニシアティブ ②ひのき舞台 ③のさば

言葉《ことば》のワザをみがいて使《つか》いこなそう！

アタック・ザ・言葉《ことば》クイズ 31

入試問題《にゅうしもんだい》に挑戦《ちょうせん》！

それぞれのカタカナ語《ご》の意味《いみ》として最《もっと》もふさわしいものを一《ひと》つ選《えら》び、記号《きごう》で答《こた》えなさい。

（西大和学園中学校・改題）

①クライアント（　）
②トレンド（　）
③レジェンド（　）
④アスリート（　）
⑤イニシアティブ（　）
⑥ロス（　）

ア　喪失感《そうしつかん》
イ　主導権《しゅどうけん》
ウ　依頼人《いらいにん》
エ　運動選手《うんどうせんしゅ》
オ　伝説《でんせつ》
カ　流行《りゅうこう》

⇒答《こた》えは326ページにあります。

0744

腹《はら》を探《さぐ》る

それとなく、相手《あいて》の考《かんが》えを調《しら》べようとする。

0745

鼻《はな》につく

あきていやになる。いやみに感《かん》じる。

0746

鼻《はな》を明《あ》かす

相手《あいて》のすきをついたり、出《だ》しぬいたりして、あっと言《い》わせる。

ライオンカンパニー　商談会《しょうだんかい》
ライオンカンパニーさんに、どのようなお話《はなし》をされるんですか?
フフン
うちの会社《かいしゃ》はそちらとちがって、大手《おおて》ですからね~。
教《おし》えてあげてもいいですけど。
ムッ
両社《りょうしゃ》のお話《はなし》を聞《き》き、うさぎ商事《しょうじ》さんとお仕事《しごと》をすることに決《き》めました!
ありがとうございます!

ライバル会社《がいしゃ》の提案内容《ていあんないよう》を知《し》ろうと、相手《あいて》の（　①　）。

小《ちい》さな会社《かいしゃ》だからと、見下《みくだ》した態度《たいど》が（　②　）。

知恵《ちえ》をしぼって商談《しょうだん》を勝《か》ち取《と》り、相手《あいて》の（　③　）ことができた。

答え　①腹を探る　②鼻につく　③鼻を明かす

0747

はなはだしい

甚だしい

物事《ものごと》の程度《ていど》が、普通《ふつう》を大《おお》きくこえている。

危険《きけん》な動物《どうぶつ》なので、明日《あした》までに覚《おぼ》えるように。
エ〜ッ
そんなのムリ〜ッ
ヒョウは、木《き》の上《うえ》から飛《と》びかかってくることがあるので、要注意《ようちゅうい》！
ソレチーターじゃないの

「明日《あした》までに全部《ぜんぶ》覚《おぼ》えろ」なんて、無茶《むちゃ》も（④）よ。

0748

引《ひ》っ込《こ》みがつかない

物事《ものごと》がすでに進《すす》んでいて、途中《とちゅう》でやめるわけにはいかなくなる。

んっ？チーター？確《たし》かに…。
ホラ〜ッ先生《せんせい》だって覚《おぼ》えてない
ウルサ〜イ
結局《けっきょく》、アフリカじゃ、ネコ科《か》には近《ちか》づくな！ってことだ!!
エ〜ッ

言《い》ってしまった手前《てまえ》、（⑤）くなって話《はなし》を無理《むり》やり終《お》わらせた。

0749

前後不覚《ぜんごふかく》

物事《ものごと》の区別《くべつ》がつかないほど、何《なに》がどうなっているのかがわからなくなること。

逃《に》げろー

公園《こうえん》の遊具《ゆうぐ》で目《め》が回《まわ》り、（⑥）になってしまった。

答え ④はなはだしい ⑤引っ込みがつかな ⑥前後不覚

0750

過大《かだい》

大《おお》き過《す》ぎる様子《ようす》。⇔過小《かしょう》

もっと力強《ちからづよ》く羽《は》ばたかないと、飛《と》べないわよ！
アホー
ママだって、飛《と》べないじゃん…。
ピョーン
ピョン

親《おや》だからといって、（　①　）な夢《ゆめ》はもたないでほしい。

0751

コーディネート

調整《ちょうせい》してまとめること。色《いろ》や素材《そざい》などが調和《ちょうわ》するように組《く》み合《あ》わせること。

これからは、プロレスの試合《しあい》もおしゃれに。お似合《にあ》いです
これじゃ、戦《たたか》えないわよ！

おしゃれの達人《たつじん》から（　②　）のコツを学《まな》ぶ。

0752

生生《なまなま》しい

生《なま》っぽい。大変新《たいへんあたら》しい。目《め》の前《まえ》で見《み》ているような感《かん》じがする。

何《なん》か、歯《は》が痛《いた》くなってきた…。

写真《しゃしん》を見《み》ると、当時《とうじ》の記憶《きおく》が（　③　）くよみがえってくる。

0753

不服《ふふく》

納得《なっとく》がいかないこと。不満《ふまん》に思《おも》うこと。＝不平《ふへい》

貸《か》せってば!!
兄《にい》ちゃん、ズルい!!
バッ
貸《か》せってば!!
兄《にい》ちゃん、ズルい!!
ペロッ

兄《あに》に何《なん》でも横取《よこど》りされるので、弟《おとうと》は（④）そうな顔《かお》をしている。

0754

ぬかり　抜かり

油断《ゆだん》やなまけを原因《げんいん》とする失敗《しっぱい》。油断《ゆだん》。

この地図《ちず》と剣《けん》さえあれば、おそれるものは何《なに》もない！
おとし穴《あな》
あ・・・

準備《じゅんび》に（⑤）はない。さあ、冒険《ぼうけん》に出発《しゅっぱつ》だ！

0755

ぬぐう　拭う

水分《すいぶん》やよごれなどをふきとる。清《きよ》める。はじや印象《いんしょう》などを消《け》し去《さ》る。

まだ、何《なに》か足《た》りない気《き》がする…。
重《おも》くて、動《うご》けないんじゃね？

不安《ふあん》を（⑥）ためだ。持《も》てる物《もの》は持《も》っていこう。

答え　④不服　⑤ぬかり　⑥ぬぐう

0756

肥《こ》える

土地《とち》などが豊《ゆた》かになる。物事《ものごと》を見《み》る力《ちから》や味《あじ》わう力《ちから》が高《たか》くなる。太《ふと》る。⇔やせる

もっとこう、手首《てくび》のグリップをきかせる!
そんなんじゃ、ピカピカにならないわよ。
お掃除《そうじ》のおばちゃん!?

長年《ながねん》、同《おな》じチームを応援《おうえん》していると、試合《しあい》を見《み》る目《め》も（ ① ）。

0757

感傷的《かんしょうてき》

心《こころ》が動《うご》かされて、しんみりする様子《ようす》。涙《なみだ》もろいさま。センチメンタル。

いろいろあったなぁ…。
今日《きょう》で卒業《そつぎょう》かあ…。

今日《きょう》で卒業《そつぎょう》かと思《おも》うと、（ ② ）な気持《きも》ちになる。

0758

合点《がてん》がいく

納得《なっとく》する。承知《しょうち》する。

だるまさんが…
転《ころ》んだ!
こんな練習《れんしゅう》、本当《ほんとう》に必要《ひつよう》なのか…?
ブルブル
ピタッ!

なぜこんな練習《れんしゅう》をするのか、（ ③ ）かない。

答え ① 肥える ② 感傷的 ③ 合点がい

0759

涙《なみだ》をのむ

くやしさや無念《むねん》さをじっとこらえる。

0760

捨《す》てる神《かみ》あれば拾《ひろ》う神《かみ》あり

自分《じぶん》を見捨《みす》てる人《ひと》もいれば、助《たす》けてくれる人《ひと》もいるので、くよくよしなくてもよいということ。

0761

逃《に》がした魚《さかな》は大《おお》きい

手《て》に入《い》れそこなったものは、くやしさから、とても価値《かち》があるように思《おも》われるものである。

キミはもう、
戦力外《せんりょくがい》だ。
立《た》ち去《さ》りたまえ
ぐうっ
新人《しんじん》のつもりで、
がんばります！
よろしく
うちにいたときに
活躍《かつやく》してくれれば！
メジャーリーグ
またも
ホームラン!!
ずるいよ！

戦力外通告《せんりょくがいつうこく》を、（④）んで受《う》け入《い》れる。

（⑤）、新《あたら》しいチームで一《いち》から出直《でなお》すぞ。

彼《かれ》があんなに活躍《かつやく》するなんて、（⑥）なあ。

答え ④涙をの ⑤捨てる神あれば拾う神あり ⑥逃がした魚は大きい

0762

マナー

礼儀《れいぎ》。相手《あいて》にとって失礼《しつれい》ではない作法《さほう》。

カチャン
あ、落《お》としちゃった…
ハッ
じーーっ

レストランでは、テーブル（　①　）を守《まも》ろう。

0763

肝《きも》にめいじる

肝に銘じる

心《こころ》に深《ふか》く刻《きざ》み込《こ》んで、忘《わす》れないようにする。

大事《だいじ》なことは紙《かみ》に書《か》いて、部屋《へや》にはっておくんだぞ。
はりすぎた…。
クルマに気をつける
なかよくする
安全第一《あんぜんだいいち》
ごはんはよくかむ
はやくねる
YES, I CAN
イエス アイ キャン

あのときの先生《せんせい》の助言《じょげん》を、ずっと（　②　）ている。

0764

引《ひ》っ込《こ》み思案《じあん》

内気《うちき》で気《き》が弱《よわ》く、自分《じぶん》から行動《こうどう》を起《お》こすのが苦手《にがて》な性格《せいかく》や態度《たいど》。

校長先生《こうちょうせんせい》に、ぜひぼくらの結婚式《けっこんしき》で…。
スピーチなんて私《わたし》にはとてもとても…。
ハッハッハッ
ホントにいいのかね
数十年前《すうじゅうねんまえ》
学級長《がっきゅうちょう》お願《ねが》いするよ
はずかしい、ムリムリ！
カンベンしてよ！

今《いま》とちがって、子《こ》ども時代《じだい》は（　③　）な性格《せいかく》だった。

答え　①マナー　②肝にめいじ　③引っ込み思案

言葉《ことば》のワザをみがいて使《つか》いこなそう！

アタック・ザ・言葉《ことば》クイズ 32

□に入《はい》る言葉《ことば》を［　］から選《えら》び、慣用句《かんようく》をつくろう。

①
□ □ つく

②
□ □ 切《き》る

③
□ □ 出《だ》す

④
□ □ ない

自腹《じばら》を　あごを　立《た》つ瀬《せ》が　火蓋《ひぶた》を　しっぽを　鼻《はな》に　物心《ものごころ》が　血《ち》も涙《なみだ》も

⇒答《こた》えは 326 ページにあります。

0765
野《の》放《ほう》図《ず》
図々《ずうずう》しい態度《たいど》。遠慮《えんりょ》がない様子《ようす》。しまりがないこと。

にーちゃん、
キノコ生《は》えてるよ。

こんな（ ① ）な生活《せいかつ》を、いつまで続《つづ》ける気《き》ですか。

0766
ブーイング
人《ひと》のふるまいを非難《ひなん》するために、観客《かんきゃく》が声《こえ》を上《あ》げること。

ブーブー
鼻《はな》を使《つか》うのは反則《はんそく》だぞーっ!!
あっ
ブーブー

納得《なっとく》できないプレーに、観客席《かんきゃくせき》から（ ② ）が起《お》きる。

0767
フェア
公平《こうへい》。だれにもはじるところがなく、正《ただ》しい様子《ようす》。

残念《ざんねん》ながら負《ま》けてしまいましたが、ナイスなプレーでした!
いや〜
鼻《はな》を使《つか》わないって難《むずか》しいですね。
FW 10 ゾウタロー

スポーツマン精神《せいしん》にのっとり、（ ③ ）な試合《しあい》を心《こころ》がける。

答え ① 野放図 ② ブーイング ③ フェア

0768

ひもじい

とても腹《はら》が減《へ》っていて、食《た》べ物《もの》がほしい。

全然《ぜんぜん》、ボクに回《まわ》ってこない…。

食《た》べる物《もの》がなくて、とても（④）思《おも》いをする。

0769

ぎくしゃく

ちぐはぐでうまくいかない。ぎこちなくてなめらかでない。

おい、鬼《おに》にバレたの、お前《まえ》の遠《とお》ぼえのせいだぞ、絶対《ぜったい》！
サルのにおいがキツいからだよ！
元《もと》はと言《い》えば、桃太郎《ももたろう》の計画《けいかく》がよくなかったから！
くっさー
おい、キジ、何《なに》か言《い》えよ！

責任《せきにん》をおしつけ合《あ》って、メンバーの仲《なか》が（⑤）する。

0770

口《くち》ごもる

すらすらと言《い》わずにためらう。言《こと》葉《ば》につまってはっきり言《い》えない。

さっきのテスト、どうだった？
えーと…。
いつもはおしゃべりなのに…。

答《こた》えたくなかったのか、急《きゅう》に（⑥）ってしまった。

答え ④ひもじい ⑤ぎくしゃく ⑥口ごもる

0771

光陰《こういん》矢《や》のごとし

月日《つきひ》が過《す》ぎるのは、飛《と》び去《さ》る矢《や》のように早《はや》いということのたとえ。「光陰《こういん》」は、年月《ねんげつ》や時間《じかん》。

太郎《たろう》も、あっという間《ま》に大《おお》きくなって…。
ヒュー

あっという間《ま》に卒業《そつぎょう》です。まさしく（　①　）ですね。

0772

へだたり

隔たり

二《ふた》つの物《もの》のはなれている距離《きょり》。時間《じかん》の差《さ》。考《かんが》え方《かた》や能力《のうりょく》のずれ。

あの先生《せんせい》、ぶっとびー!!
…はあ。

話《はなし》の合《あ》わないクラスメートに、（　②　）を感《かん》じる。

0773

へき易《えき》

うんざりして、いやな気持《きも》ちになること。

そのヘアスタイル、いいと思《おも》うよ。実際《じっさい》、似合《にあ》ってると思《おも》うし。だけどさ、勉強《べんきょう》するとき、じゃまじゃないかな〜。
しかもさ、後《うし》ろの人《ひと》、黒板《こくばん》が見《み》えないし…。
えー 先生《せんせい》 プッツンしてて こわEー

回《まわ》りくどいお説教《せっきょう》には（　③　）する。

答え ① 光陰矢のごとし ② へだたり ③ へき易

0774

年季《ねんき》が入《はい》る

長年《ながねん》そのことに打《う》ち込《こ》み、腕前《うでまえ》が上《あ》がっている。

見《み》よ、この神業《かみわざ》！
スペシャル
ローリング
サンダー
トルネード
うん フツーに回《まわ》ってます

子《こ》どものころからの、（④）った技《わざ》をひろうする。

0775

還元《かんげん》

元《もと》にもどすこと。

SALE《セール》
今月《こんげつ》は売《う》り上《あ》げがよかったから、割引《わりびき》セールをするよ！
割引券《わりびきけん》

割引券《わりびきけん》を配《くば》って、店《みせ》の利益《りえき》をお客《きゃく》さんに（⑤）する。

0776

つぐなう　償う

おかした罪《つみ》やあやまちを、ほかのものでうめ合《あ》わせる。

ごめんなさい…。これでお許《ゆる》しください…。
かたたたき
かたたたき

自分《じぶん》の罪《つみ》を（⑥）ため、母《はは》にプレゼントをおくった。

答え　④年季が入　⑤還元　⑥つぐなう

0777

耳《みみ》が早《はや》い

うわさなどを知《し》るのが早《はや》い。

クマのお母《かあ》さんが5キロ太《ふと》ったって〜
キツネのコンタくんはテストで30点《てん》とったらしいよ〜
タヌキのポンタくんがおねしょしたって〜
やめろ〜!!

あの子《こ》は（　①　）。5分前《ふんまえ》の出来事《できごと》をもううわさしている。

0778

尻目《しりめ》

ちらっと見《み》るだけで、まったく気《き》にしないこと。

おっ、かなり渋滞《じゅうたい》してるなあ。
無許可《むきょか》で乗《の》っちゃ困《こま》るよ。
プップー
すいません

大渋滞《だいじゅうたい》を（　②　）に、空飛《そらと》ぶ車《くるま》でゆうゆうと進《すす》んだ。

0779

横車《よこぐるま》を押《お》す

無理《むり》やり自分《じぶん》の言《い》い分《ぶん》を押《お》し通《とお》す。

ドーン!
うどんを。
はい、カツ丼《どん》!
昼《ひる》はやっぱり、めん類《るい》より丼《どん》ものたい!
西郷隆盛《さいごうたかもり》
大久保利通《おおくぼとしみち》

せっかくの注文《ちゅうもん》を、（　③　）人《ひと》がいて変更《へんこう》させられた。

0780
抱負《ほうふ》
心《こころ》の中《なか》にもっている、思《おも》いや決《けつ》意《い》。

今年《ことし》は、勉強《べんきょう》も部活《ぶかつ》もがんばるぞ!!
クッ
去年《きょねん》も同《おな》じこと言《い》ってたぞ。

今年《ことし》の（ ④ ）は、勉強《べんきょう》と部活《ぶかつ》を両立《りょうりつ》させることだ。

0781
しおらしい
おとなしくかわいく見える。ひかえめで遠慮《えんりょ》深《ぶか》い。

はじけろおおおおおっ!
ロッキュー!!

普段《ふだん》は上品《じょうひん》で（ ⑤ ）が、ステージでは別人《べつじん》になる。

0782
角《かど》が立《た》つ
おだやかでなくなる。相手《あいて》が気《き》分《ぶん》を悪《わる》くする。

オレたちだけだよな。
鬼退治《おにたいじ》ができるのは。
どうせ、オレはしてないよ…。
桃太郎《ももたろう》
金太郎《きんたろう》
浦島太郎《うらしまたろう》

おしゃべりの中《なか》で、（ ⑥ ）言《い》い方《かた》をしてはいけないよ。

答え ④抱負 ⑤しおらしい ⑥角が立つ

0783

羽振《はぶ》り

社会《しゃかい》や仲間《なかま》の中《なか》での、お金《かね》や権力《けんりょく》などの程度《ていど》。

0784

独《ひと》りよがり

他人《たにん》の考《かんが》えを聞《き》こうとせず、自分《じぶん》だけの考《かんが》えでよいと思《おも》い込《こ》んでいること。

0785

一筋縄《ひとすじなわ》では行《い》かない

ありふれた方法《ほうほう》では、思《おも》いどおりにならない。

きびだんご、好《す》きなだけ持《も》っていきな。
最近《さいきん》、鬼退治《おにたいじ》してないのに…。
あの太郎《たろう》や、
この竹箱《はこ》をあけろ?
何《なん》で
この太郎《たろう》の手伝《てつだ》いさ。
それ、ルール違反《いはん》でしょ!
アルバイト禁止《きんし》だよ!
いいんだよ!
太郎《たろう》はみな兄弟《きょうだい》なんだから!
やめたほうがいいよ。
そうだよ。
太郎同士《たろうどうし》、つながってるんだから!

景気《けいき》がいいと、（①）がよくなる。

（②）に考《かんが》えず、他人《たにん》の意見《いけん》を聞《き》くことも大事《だいじ》だ。

ガンコな彼《かれ》を説得《せっとく》するのは、（③）だろう。

0786

不得手《ふえて》

得意《とくい》でないこと。好《この》んでしないこと。⇔得手《えて》

ゲームは得意《とくい》なんだけど…。
勉強《べんきょう》はどうも苦手《にがて》だな〜。

（④）な科目《かもく》を、重点的《じゅうてんてき》に勉強《べんきょう》する。

0787

公明正大《こうめいせいだい》

だれが見《み》てもやましいところがなく、正《ただ》しく立派《りっぱ》なこと。

ズルはありません！
お楽《たの》しみくじ、順番《じゅんばん》に引《ひ》いてね。
くじ

絶対《ぜったい》に外《はず》れはありません。（⑤）なくじ引《び》きです。

0788

ぬれ衣《ぎぬ》を着《き》せられる

身《み》に覚《おぼ》えのない罪《つみ》を負《お》わされる。

えーっ マジ⁉
オレら、何《なに》もしてないのに、あいつが先《さき》に手《て》を出《だ》してきたんだ！
ちがーう！
日本

（⑥）たせいで、仲間《なかま》たちから白《しろ》い目《め》で見《み》られた。

答え ④不得手 ⑤公明正大 ⑥ぬれ衣を着せられ

0789

さまたげる

妨げる

じゃまをする。妨害《ぼうがい》する。

うわーっ!! 白雪姫《しらゆきひめ》がおこった!!
起《お》こそうとしたら、寝相《ねぞう》で攻撃《こうげき》してくるぞ!

私《わたくし》の眠《ねむ》りを（　①　）ことは、決《けっ》して許《ゆる》しません。

0790

鳴《な》りをひそめる

鳴りを潜める

物音《ものおと》を立《た》てずにじっとしている。静《しず》かにしている。

どーこーだーー?
テスト
やべえ!

危険《きけん》がせまっていると感《かん》じ、しばらく（　②　）。

0791

撃退《げきたい》

敵《てき》などを攻撃《こうげき》して、退《しりぞ》けること。

見《み》〜つ〜け〜た〜!!
もう やるしかない!
くらえっ!!

ぼくは最後《さいご》の手段《しゅだん》を使《つか》って、せまり来《く》る敵《てき》を（　③　）した。

答え ①さまたげる ②鳴りをひそめる ③撃退

言葉《ことば》のワザをみがいて使《つか》いこなそう！

アタック・ザ・言葉《ことば》クイズ 33

意味《いみ》に合《あ》う言葉《ことば》になるように文字《もじ》を入《い》れよう。
□→□には、それぞれ同《おな》じ文字《もじ》が入《はい》るよ。

① さ□たげる　じゃまをする。妨害《ぼうがい》する。

↓

② た□り□ねる　がまんできなくなる。

↓

③ □□つける　自分《じぶん》に都合《つごう》のいいように、関係《かんけい》ないことを結《むす》びつけて理由《りゆう》にする。

↓

④ お□□る　なまける。気《き》をゆるめる。

↓

⑤ □□わる　お年寄《としよ》りや苦労《くろう》をしている人《ひと》などに親切《しんせつ》に接《せっ》する。ねぎらう。

↓

⑥ □そしむ　一生懸命《いっしょうけんめい》に努《つと》めはげむ。

⇒答《こた》えは 326 ページにあります。

0792

虎《とら》の子《こ》

手元《てもと》に置《お》き、大切《たいせつ》に保管《ほかん》して手《て》放《ばな》せない物《もの》。

どうしたの、トラ夫《お》ちゃん？
おこづかいを使《つか》い果《は》たしたなんて、言《い》えない…。
マンガ

（　①　）のお年玉《としだま》を、ついに使《つか》ってしまった。

0793

変哲《へんてつ》もない

特《とく》に例外的《れいがいてき》なところのない。ありふれた。

なんで、こんなに人《ひと》が!?
ワイワイ
アニメの舞台《ぶたい》になったんです。
アニメ
ふつうのまち メモリアル

何《なん》の（　②　）町《まち》だったが、急《きゅう》に観光客《かんこうきゃく》が増《ふ》え始《はじ》めた。

0794

下手《へた》の考《かんが》え休《やす》むに似《に》たり

よい考《かんが》えが出《で》なければ、どんなに時間《じかん》をかけても休《やす》んでいるのと変《か》わりないということ。

考《かん》えてもわからないなら、
だれかに聞《き》いたら？
う〜ん う〜ん。。
考《かん》える人《ひと》

これだけ考《かんが》えてもわからないなんて、（　③　）だよ。

答え ①虎の子 ②変哲もない ③下手の考え休むに似たり

0795

ねたむ　妬む

自分《じぶん》よりすぐれている人《ひと》を、うらやましく思《おも》ってにくむ。

他人《たにん》を（④）ばかりじゃ、時間《じかん》がもったいないよ。

0796

手持《て》《も》ちぶさた

何《なに》もすることがなくて、退屈《たいくつ》だったり、間《ま》がもたなかったりすること。

病院《びょういん》でじっとしているのは、（⑤）で一日《いちにち》が長《なが》い。

0797

至近《しきん》

すごく近《ちか》いこと。

この物件《ぶっけん》は、駅《えき》から（⑥）距離《きょり》で便利《べんり》です。

答え ④ねたむ ⑤手持ちぶさた ⑥至近

0798

登竜門《とうりゅうもん》

出世《しゅっせ》や成功《せいこう》をするための関門《かんもん》。黄河《こうが》(中国《ちゅうごく》)の急流《きゅうりゅう》(竜門《りゅうもん》)をのぼったコイは竜《りゅう》になるという伝説《でんせつ》から。

受賞《じゅしょう》おめでとう!
ありがとうございます!
このコイ太郎《たろう》やりました!!

芥川賞《あくたがわしょう》は、一流作家《いちりゅうさっか》への大《おお》きな(①)のひとつだ。

0799

歯《は》の根《ね》が合《あ》わない

寒《さむ》さやこわさで、激《はげ》しくふるえる。

理科室《りかしつ》
ガチガチガチ
ガチガチ
気《き》のせいか、歯《は》が鳴《な》る音《おと》がハモってるような…。

真夜中《まよなか》の理科室《りかしつ》での物音《ものおと》は、(②)ほどおそろしい。

0800

斬新《ざんしん》

今《いま》までになく、とびきり新《あたら》しいさま。

新種《しんしゅ》のキノコとリンゴの秘薬《ひやく》仕《じ》立《た》て。熟成深海魚《じゅくせいしんかいぎょ》の納豆《なっとう》ミルクあんかけ。
うわあ、新《あたら》しい!

料理《りょうり》が好《す》きな彼女《かのじょ》は、いつも(③)なレシピを考《かんが》えつく。

答え ①登竜門 ②歯の根が合わない ③斬新

0801

ふさぎ込《こ》む

塞ぎ込む

気《き》持《も》ちがゆううつになって元《げん》気《き》を失《うしな》う。しょんぼりする。

メチャメチャ落《お》ち込《こ》んでるな。
初球《しょきゅう》で交代《こうたい》だもんな…。

（④）んでいる理由《りゆう》は、試合《しあい》がうまくいかなかったからだ。

0802

肩《かた》の荷《に》が下《お》りる

負《ふ》担《たん》となっていた義《ぎ》務《む》や責《せき》任《にん》がなくなって、楽《らく》になる。

フウッ
無事《ぶじ》、おつかいという名《な》のミッションを終《お》えたぜ!!
スーパ
スーパー

任務《にんむ》を無事《ぶじ》に終《お》えて、（⑤）。

0803

引《ひ》きも切《き》らず

絶《た》え間《ま》なく続《つづ》くさま。入《い》れかわり立《た》ちかわり。

これが、あの「トロロ」の舞台《ぶたい》になった森《もり》だよ。
へ〜、さすがにすごい人《ひと》だね。
ワーッ
ワーッ
見《み》つけたぞ〜!!
エ〜ッ トロロが〜っ!?
カブトムシの森《もり》でもあるんだ

自然豊《しぜんゆた》かなこの森《もり》には、（⑥）観光客《かんこうきゃく》が訪《おとず》れる。

答え ④ふさぎ込 ⑤肩の荷が下りる ⑥引きも切らず

0804

鼻《はな》であしらう

相手《あいて》を冷《つめ》たくあつかう。

勝負《しょうぶ》しに来《き》た!! 受《う》け取《と》れっ!
挑戦状《ちょうせんじょう》
ごめんね〜。子《こ》どもとは戦《たたか》わないんだよね〜。

実力差《じつりょくさ》のある相手《あいて》に対戦《たいせん》を申《もう》し込《こ》んだが、（①）われた。

0805

ロー

質《しつ》や高《たか》さなどが低《ひく》い。数《かず》が少《すく》ない。⇔ハイ

ちょっとコブタくん、食《た》べすぎじゃない?
パクパクパク
このこんにゃくケーキは、カロリーが低《ひく》いからいいんだ、ブヒ!

最近《さいきん》は、（②）カロリーをうたった食品《しょくひん》が増《ふ》えている。

0806

三《み》つ子《ご》の魂百《たましいひゃく》まで

幼《おさな》いころの性格《せいかく》や気質《きしつ》は、一生変《いっしょうか》わらないものだということ。「三《み》つ子《ご》」とは、3才《さい》の子《こ》ども。

宿題《しゅくだい》のノートがない!!
あせってる、あせってる。
ウッシッシッ
アレッ アレッ
宿題ノート
エ〜ッ
わしのスティックをかくしたって!?
すまん、それでかくした場所《ばしょ》を忘《わす》れてしまって…。
ワシのを貸《か》すよ
カン

あいつの意地悪《いじわる》は、子《こ》どものころからさ。（③）だね。

0807

ほだされる

相手《あいて》の気持《きも》ちが伝《つた》わり、自分《じぶん》までその気持《きも》ちになる。

金太郎役《きんたろうやく》は、お前《まえ》しかいない…!!
…わかった!! やるよ!!
お願《ねが》い!!
学芸会《がくげいかい》
「きんたろう

みんなの熱意《ねつい》に（ ④ ）て、大役《たいやく》を引《ひ》き受《う》けた。

0808

ほとばしる

勢《いきお》いよくふき出《で》る。

よっ、日本一《にっぽんいち》!
よっ、金太郎《きんたろう》!
金《きん》
ドッ
バーン

仲間《なかま》からの声援《せいえん》を受《う》けて、彼《かれ》はやる気《き》が（ ⑤ ）のを感《かん》じた。

0809

感化《かんか》

その人《ひと》が変《か》わるほど、影響《えいきょう》をあたえること。

「シュートは落《お》ち着《つ》いて」と主人公《しゅじんこう》は言《い》った…。
ヒョイ!
おお～
マンガ

バスケマンガに（ ⑥ ）されて、プロの選手《せんしゅ》をめざす。

答え ④ほだされ ⑤ほとばしる ⑥感化

0810

感無量《かんむりょう》

うれしさなどを深《ふか》く感《かん》じて、胸《むね》がいっぱいになること。「感慨無量《かんがいむりょう》」とも。

ううう…うれしくって言葉《ことば》にならない！
体《たい》そう世界一《せかいいち》
ワー
ワー

金《きん》メダルを獲得《かくとく》した選手《せんしゅ》たちは、みな（　①　）の表情《ひょうじょう》を見《み》せた。

0811

取《と》り柄《え》

長所《ちょうしょ》。特《とく》にすぐれているところ。

オレ、舌《した》を鼻《はな》までのばすことができるんだぜ！

彼《かれ》の（　②　）は、人《ひと》を笑《わら》わすことができるところだ。

0812

軒並《のきな》み

どれもこれも。すべてにわたって。

建物《たてもの》がふみつぶされたら、終《お》わりじゃね？
ドシーン
ドシーン
敵《てき》が来《き》たぞ！シャッターを下《お》ろせ！

敵《てき》の襲来《しゅうらい》に備《そな》えて、どの店《みせ》も（　③　）シャッターを下《お》ろした。

答え ①感無量 ②取り柄 ③軒並み

言葉《ことば》のワザをみがいて使《つか》いこなそう！

アタック・ザ・言葉《ことば》クイズ

34

入試問題《にゅうしもんだい》に挑戦《ちょうせん》！

次《つぎ》の三字《さんじ》で構成《こうせい》された熟語《じゅくご》の□にあてはまる漢字一字《かんじいちじ》をあとから選《えら》び、記号《きごう》で答《こた》えなさい。

（京都共栄学園中学校・改題）

① 登《とう》□門《もん》

② 高《たか》□車《しゃ》

③ 感《かん》□量《りょう》

④ □不足《ぶそく》

⑤ 無造《むぞう》□

⑥ □合点《がてん》

ア 場《じょう》　イ 汽《き》　ウ 役《やく》　エ 重《じゅう》　オ 感《かん》

カ 無《む》　キ 飛《び》　ク 竜《りゅう》　ケ 早《はや》　コ 作《さ》

⇒答《こた》えは 326 ページにあります。

0813

とめどなく

終《お》わりがない。永遠《えいえん》に続《つづ》くように思《おも》われる様子《ようす》。

あきらめては いけない。
たくさんの
可能性《かのうせい》を、キミたちは もっている。
ペラ
ペラ
ペラ
キミたちならできる!!
いつまで続《つづ》くの?

ありがたいお説教《せっきょう》は、（①）続《つづ》いた。

0814

ぶしつけ

礼儀作法《れいぎさほう》に外《はず》れる様子《ようす》。礼《れい》を欠《か》く様子《ようす》。

あらー!! 竹《たけ》の中《なか》から かわいい女《おんな》の子《こ》が! キミ、年《とし》はいくつ?
失礼《しつれい》なじいさんね。

（②）な質問《しつもん》をして、相手《あいて》をおこらせてしまった。

0815

干渉《かんしょう》

人《ひと》のことに、あれこれ口《くち》を出《だ》すこと。

ピアノにお琴《こと》、バレエに日本舞踊《にほんぶよう》。英語《えいご》にフランス語《ご》、ムエタイとか、ボクシングも習《なら》ったら? 体《からだ》がいくつあっても足《た》りないよ!

自分《じぶん》で考《かんが》えるから、必要以上《ひつよういじょう》に（③）しないでください。

答え ① とめどなく ② ぶしつけ ③ 干渉

0816

一望千里《いちぼうせんり》

広大《こうだい》なながめをひと目《め》で見《み》わたせること。

いい
ながめだ！
獲物《えもの》が
よく
見《み》えるな。
今日《きょう》は
2匹《ひき》、ねらっ
てみるか。

山《やま》に登《のぼ》れば（ ④ ）で、下界《げかい》の様子《ようす》がよく見《み》える。

0817

二兎《にと》を追《お》う者《もの》は一兎《いっと》をも得《え》ず

同時《どうじ》に二《ふた》つのことをしようと欲《よく》張《ば》ると、どちらもうまくいかなくなるというたとえ。

2匹《ひきめ》をココで！
1匹《ぴき》をココでつかまえ
オオカミが
来《き》たぞ〜！
OK!!
ピョーン
ピョ〜ン
シマッタ!!
バクッ

（ ⑤ ）だよ、優先順位《ゆうせんじゅんい》はきちんとつけておくものだ。

0818

歯《は》がうく　歯が浮く

きざな言動《げんどう》に対《たい》して、不快《ふかい》に感《かん》じる。

この美《うつく》しい
バラも所《しょ》せん、
キミの
引《ひ》き立《た》て役《やく》で
しかないよ、
マイスイート
ハニー。
フッ
パチン
ヒィィ

そんな（ ⑥ ）ようなセリフ、よく言《い》えるね。

答え　④ 一望千里　⑤ 二兎を追う者は一兎をも得ず　⑥ 歯がうく

0819

破天荒《はてんこう》

今《いま》までだれもできなかったようなことをする様子《ようす》。

エスカレーターで月《つき》まで…?
どれだけかかるんだよ…。

月《つき》までエスカレーターで行《い》くという、（ ① ）な計画《けいかく》を実行《じっこう》する。

0820

ジュニア

年下《としした》の人《ひと》。年少者《ねんしょうしゃ》。下級生《かきゅうせい》。息子《むすこ》。2世《せい》。⇔シニア

ジャン♫

（ ② ）クラスとは思《おも》えない、大人《おとな》びたダンスをひろうする。

0821

さほど

それほど。大《たい》して。「さほど～ない」の形《かたち》で使《つか》うことが多《おお》い。

ぼくが長《なが》く学校休《がっこうやす》んだら、ファンが悲《かな》しむだろ!
ゴメン…
昨日休《きのうやす》んだの、だれも気《き》づいてなかったよ…。
ケホ…

そんなに心配《しんぱい》しなくても（ ③ ）影響《えいきょう》がないよ。

答え ① 破天荒 ② ジュニア ③ さほど

0822

水《みず》入《い》らず

親《した》しい者《もの》だけで集《あつ》まっていること。

家族《かぞく》みんなで食《た》べるご飯《はん》は、おいしいなあ！

久《ひさ》しぶりの親子《おやこ》（ ④ ）の夕食《ゆうしょく》で、楽《たの》しい時間《じかん》を過《す》ごす。

0823

したう 慕う

恋《こい》しく思《おも》う。尊敬《そんけい》して、そのようになりたいとあこがれる。

キリンさんは、ホントのパパよりやさしくていいなあ。
自分《じぶん》で肉《にく》を取《と》ってこい！
草《くさ》もたまにはおいしいでしょ。
ウン おいしそう
ジーッ
ムシャ ムシャ

大好《だいす》きなおじさんを、本当《ほんとう》の父《ちち》のように（ ⑤ ）っている。

0824

顔色《かおいろ》をうかがう

相手《あいて》の気持《きも》ちが気《き》になって、表情《ひょうじょう》から読《よ》み取《と》ろうとする。

チラッ
そろそろ勉強《べんきょう》しないと、
まずいかなあ…。

実《じつ》は、お母《かあ》さんの（ ⑥ ）いながら、遊《あそ》んでいる。

答え ④水入らず ⑤した ⑥顔色をうかが

0825

気後《きおく》れ

おそろしさやはずかしさから、気持《きも》ちが弱《よわ》くなること。心《こころ》がひるむこと。

のどじまん
プ…プロが、ぼくの歌《うた》を聞《き》いている…！
ア゛～～～♪

プロ歌手《かしゅ》の前《まえ》では（　①　）して、うまく歌《うた》えなかった。

0826

収拾《しゅうしゅう》

混乱《こんらん》を治《おさ》めて、まとめること。

ビービー
よし、レンジャーのバイト、出動《しゅつどう》だ！
SOS
警察《けいさつ》にまず連絡《れんらく》したら。
眠《ねむ》いし…。
時給《じきゅう》、まだ上げてもらってないしな～。
アタシ、これからデート！
お前《まえ》らぁ

好《す》き勝手《かって》に言《い》うだけでは、話《はなし》の（　②　）がつかないよ。

0827

退《しりぞ》く

後《うし》ろに下《さ》がる。そこからはなれる。引退《いんたい》する。⇔進《すす》む

十数年後《じゅうすうねんご》
わしはもう年《とし》じゃ。これからは若《わか》い者《もの》だけで…。
おいレッドが急《きゅう》に年《とし》より感《かん》出《だ》してきたぜ
それじゃ！
ピュ～ッ
エ～ッ このタイミングで～？

若《わか》い人《ひと》に任《まか》せて、年寄《としよ》りは（　③　）ことにした。

0828

口約束《くちやくそく》

文面《ぶんめん》で書《か》き残《のこ》さない、言葉《ことば》だけの約束《やくそく》。

次《つぎ》は絶対《ぜったい》100点《てん》取《と》るから、おこづかい上《あ》げて～!!
信用《しんよう》できるかい！

その言葉《ことば》、（④）だけでは信用《しんよう》できません。

0829

話《はなし》の腰《こし》を折《お》る

他人《たにん》が話《はな》している最中《さいちゅう》に割《わ》り込《こ》んで、その話《はなし》のじゃまをする。

この前《まえ》、今《いま》話題《わだい》になっている映画《えいが》に行《い》って…
私《わたし》も！ それで、そのあとデパートに行《い》ってね～。
それ私《わたし》も、見《み》に行《い》っ…
そうそう映画館《えいがかん》の近《ちか》くでね…。

（⑤）られてばかりで、会話《かいわ》がまったく進《すす》まない。

0830

満場一致《まんじょういっち》

その場《ば》にいる全員《ぜんいん》が、同《おな》じ意見《いけん》になること。

ほんと、おしゃべりだよね～。

その点《てん》に関《かん》しては、（⑥）で結論《けつろん》が出《で》た。

答え ④口約束 ⑤話の腰を折 ⑥満場一致

0831

ナビゲーション

航海術《こうかいじゅつ》。目的地《もくてきち》や目当《めあ》ての情報《じょうほう》まで導《みちび》く役割《やくわり》をするもの。ナビ。

2020
2019
2018
2017
2016
ああ、あの年《とし》のあそこね。
個人《こじん》
お客《きゃく》さん、シートベルトしめてねー。
ちょっと飛《と》ばしますよー。

道順《みちじゅん》を調《しら》べて、目的地《もくてきち》まで（①）する。

0832

なおかつ

さらに。そのうえ。それでもやはり。

パシッ
すごいっ
野球《やきゅう》しながら、勉強《べんきょう》!?
さんすう

彼《かれ》は、勉強《べんきょう》も運動《うんどう》もできる。（②）、それを同時《どうじ》にこなす。

0833

恩《おん》をあだで返《かえ》す

恩《おん》を受《う》けた相手《あいて》に感謝《かんしゃ》するどころか、迷惑《めいわく》をかけるようなことをする。

コラ〜ッ!!
ワーッ
息《いき》が！
水圧《すいあつ》が！
ゴボゴボ
もうすぐ竜宮城《りゅうぐうじょう》です

助《たす》けてもらったのに、（③）ようなことをしてはいけない。

答え ① ナビゲーション ② なおかつ ③ 恩をあだで返す

0834

虎穴《こけつ》に入《い》らずんば虎子《こじ》を得《え》ず

危険《きけん》をおかさなければ、大《おお》きな成功《せいこう》は収《おさ》められない。

ハチミツのためなら、危険《きけん》でもいいんだプゥ！
ブー！！

どうしてもやりたければ、（ ④ ）と思《おも》って始《はじ》めよう。

0835

肩入《かたい》れ

ひいきしたり、助《たす》けたりすること。

オウムさんの勝《か》ち〜っ！

審判《しんぱん》は、国《くに》や人種《じんしゅ》に（ ⑤ ）してはいけない。

0836

ペナルティー

規則《きそく》を破《やぶ》ったときに適用《てきよう》される罰《ばつ》。罰金《ばっきん》。

ゼェ ゼェ
あと30秒分《びょうぶん》、取《と》りもどさないと…。

自転車《じてんしゃ》レースで反則《はんそく》をすると、時間《じかん》を足《た》す（ ⑥ ）が科《か》される。

答え ④虎穴に入らずんば虎子を得ず ⑤肩入れ ⑥ペナルティー

0837

日増《ひま》しに

日《ひ》に日《ひ》に度合《どあ》いが増《ま》していく様《よう》子《す》。

サンタさん、元気《げんき》かなあ…。
クリスマスはまだまだ先《さき》だなあ…。

会《あ》いたいと思《おも》う気《き》持《も》ちが、（　①　）強《つよ》くなっていった。

0838

機械的《きかいてき》

考《かんが》えや感情《かんじょう》がなく、機械《きかい》のように動《うご》く様《よう》子《す》。

たこ焼《や》き
すごい速《はや》い!
機械《きかい》みたいだ!
ババババ
たこ焼《や》きマシーン!?

この作業《さぎょう》には慣《な》れているので、（　②　）に手《て》が動《うご》く。

言葉《ことば》クイズの答《こた》え

28 ①エ　②イ　③ク　④コ　⑤カ

29 ①(丸《まる》く)収《おさ》める　②(目星《めぼし》を)つける　③(しびれを)切《き》らす　④(裏《うら》を)かく　⑤(腕《うで》を)みがく

30 ㈒(①(う)　②(あ)　③(い)　④(え))

31 ①ウ　②カ　③オ　④エ　⑤イ　⑥ア

32 ①物心《ものごころ》が(つく)・鼻《はな》に(つく)　②自腹《じばら》を(切《き》る)・火蓋《ひぶた》を(切《き》る)　③しっぽを(出《だ》す)・あごを(出《だ》す)　④立《た》つ瀬《せ》が(ない)・血《ち》も涙《なみだ》も(ない)

33 ①さ(ま)たげる　②た(ま)り(か)ねる　③(か)(こ)つける　④お(こ)(た)る　⑤(い)(た)わる　⑥(い)そしむ

34 ①ク(登竜門《とうりゅうもん》)　②キ(高飛車《たかびしゃ》)　③カ(感無量《かんむりょう》)　④ウ(役不足《やくぶそく》)　⑤コ(無造作《むぞうさ》)　⑥ケ(早合点《はやがてん》)

答え　①日増しに　②機械的

言葉《ことば》のワザをみがいて使《つか》いこなそう！

アタック・ザ・言葉《ことば》クイズ

35

入試問題《にゅうしもんだい》に挑戦《ちょうせん》！

①～③の慣用句《かんようく》の□には、それぞれ同《おな》じ漢字《かんじ》が一字《いちじ》入《はい》ります。その漢字《かんじ》を答《こた》えなさい。

（東洋大学京北中学校・改題）

①
□がすべる
□を割《わ》る
□をはさむ

②
□がくらむ
□を光《ひか》らす
□が回《まわ》る

③
□がうく
□の根《ね》が合《あ》わない
□に衣《きぬ》を着《き》せない

⇒答《こた》えは 389 ページにあります。

0839

はびこる

草木《くさき》などがのびて広《ひろ》がる。よくないものが広《ひろ》がって、力《ちから》をもつ。

A組《ぐみ》
教室《きょうしつ》では静《しず》かに
今日《きょう》、転校《てんこう》してきました…。
ワンワン
ギャーワーッ
なんだ、この学校《がっこう》!?

このクラスでは、悪事《あくじ》が（ ① ）っている。

0840

早合点《はやがてん》

話《はなし》をよく聞《き》かずに、わかったつもりになること。㊐早《はや》のみ込《こ》み

先生《せんせい》、ぼく、こんなクラスムリ！
大丈夫《だいじょうぶ》よ。今《いま》はこういう勉強《べんきょう》の時間《じかん》なの。
野《や》生《せい》の時《じ》間《かん》
ピョン

（ ② ）はよくないよ。状況《じょうきょう》をよく確《たし》かめよう。

0841

軍配《ぐんばい》を上《あ》げる

勝利《しょうり》の判定《はんてい》をする。相撲《すもう》の行司《ぎょうじ》が、勝《か》った力士《りきし》を軍配《ぐんばい》うちわで指《さ》し示《しめ》す。

ありがとうー♪
むーん
イヌ山《やま》タロー
新人《しんじん》
現職《げんしょく》
ポン助《すけ》村《むら》 村《そん》長《ちょう》選《せん》挙《きょ》

このたびの選挙《せんきょ》で、村民《そんみん》は新人《しんじん》の候補《こうほ》に（ ③ ）た。

0842
軽薄《けいはく》
考《かんが》えが浅《あさ》く、人《ひと》として中身《なかみ》がうすい様子《ようす》。行動《こうどう》が軽《かる》はずみな様《よう》子《す》。⇔重厚《じゅうこう》

0843
くやむ 悔やむ
失敗《しっぱい》したり、うまくいかなかったことを、あとから残念《ざんねん》に思《おも》う。後悔《こうかい》する。

0844
軽率《けいそつ》
よく考《かんが》えないで、行《おこな》いが軽《かる》はずみなこと。⇔慎重《しんちょう》

自分《じぶん》、この会社《かいしゃ》入《はい》ったら、マジでヤバイくらい働《はたら》くんで!!
ダチの間《あいだ》でも、マジ神《かみ》ってるって言《い》われるオレの伝説《でんせつ》があって〜。
ペラペラ
ペラペラ
なんで、あんな話《はなし》をしちゃったんだ…。
不採用《ふさいよう》
不採用《ふさいよう》
不採用《ふさいよう》
不採用《ふさいよう》
次《つぎ》の面接《めんせつ》はよく考《かんが》えて、ちゃんと準備《じゅんび》して受《う》けるぞ!!
資料《しりょう》
あいさつマナー
面接《めんせつ》の うけかた

時《とき》と場所《ばしょ》をわきまえられず、（④）な人物《じんぶつ》だと思《おも》われた。

あとで（⑤）んでも、取《と》り返《かえ》しがつかないよ。

（⑥）な行動《こうどう》をしないように、しっかり準備《じゅんび》をしよう。

答え ④軽薄 ⑤くや ⑥軽率

0845

カリキュラム

学校教育《がっこうきょういく》などで、身《み》につけることになる知識《ちしき》や能力《のうりょく》を体系的《たいけいてき》に示《しめ》したもの。

これからは、魔法《まほう》の授業《じゅぎょう》をパソコンで行《おこな》います。
まずは、パソコンを出《だ》す魔法《まほう》はこうと…。
ボン
エ〜ッ そこから〜？
魔法学園《まほうがくえん》

今年度《こんねんど》から、授業《じゅぎょう》の（ ① ）が大《おお》きく変《か》わった。

0846

さらけ出《だ》す

かくさずに全部《ぜんぶ》を見《み》せる。ありのままを見《み》せる。

長所《ちょうしょ》は、強《つよ》いところです。
短所《たんしょ》というか、冬《ふゆ》になると冬眠《とうみん》しますので、長期休暇《ちょうききゅうか》をいただきます。

良《よ》いところも悪《わる》いところも、包《つつ》みかくさず（ ② ）。

0847

天変地異《てんぺんちい》

自然界《しぜんかい》で起《お》こる大《おお》きな災《わざわ》い。

がんばれよ、人類《じんるい》っ！

人類《じんるい》は、今《いま》なお（ ③ ）ととなり合《あ》わせで生《い》きている。

答え ①カリキュラム ②さらけ出す ③天変地異

0848 右《みぎ》に出《で》る者《もの》がいない

その人《ひと》よりすぐれている人《ひと》がいない。

指相撲大会《ゆびずもうたいかい》
親指《おやゆび》に顔《かお》…!?

指相撲《ゆびずもう》の強《つよ》さでは、彼《かれ》の（④）。

0849 生《なま》かじり

表面的《ひょうめんてき》に知《し》っているだけで、本質《ほんしつ》は理解《りかい》していないこと。

こんにゃくって、いもからできているんだぞっ。
フフン
へえ〜
お兄《にい》ちゃん
すごーい
おいもをどうしたら、こんにゃくになるの?
どうして固《かた》まるの?
え…それは〜

（⑤）の知識《ちしき》だけでは、くわしく説明《せつめい》できない。

0850 肩《かた》で風《かぜ》を切《き》る

いばって堂々《どうどう》と歩《ある》く様子《ようす》。

ワー
ワー
のっし
のっし

優勝《ゆうしょう》した力士《りきし》は、（⑥）って歩《ある》いていった。

答え ④右に出る者がいない ⑤生かじり ⑥肩で風を切

0851

省《はぶ》く

簡単《かんたん》にするために、一部《いちぶ》を不要《ふよう》なものとして取《と》り除《のぞ》く。

あのさー、生活費《せいかつひ》を使《つか》っちゃったっていうか、なくしちゃったっていうか…。
ペラペラペラペラ
言《い》い訳《わけ》長《なが》いわねえ…
今度《こんど》は短《みじか》すぎ！
前略《ぜんりゃく》
金《かね》送《おく》れ
ヒロシ

「前略《ぜんりゃく》」とは、最初《さいしょ》のあいさつを（①）という意味《いみ》だ。

0852

枝葉末節《しようまっせつ》

中心《ちゅうしん》から外《はず》れた細《こま》かいこと。主《しゅ》要《よう》ではない部分《ぶぶん》のこと。

時計《とけい》をデコってみたの♥
カワイイでしょ？
え…時間《じかん》、読《よ》める？それ…。

（②）にこだわりすぎて、肝心《かんじん》な部分《ぶぶん》がわからないよ。

0853

しかめる

痛《いた》みや不快《ふかい》な気持《きも》ちを表《あらわ》して、顔《かお》にしわをよせる。

密室《みっしつ》でオナラ!!
ブォッ
スカンクさん

強烈《きょうれつ》なにおいに、彼女《かのじょ》は思《おも》わず顔《かお》を（③）た。

答え ①省く ②枝葉末節 ③しかめ

0854
かえるの面《つら》に水《みず》
何《なに》を言《い》われても、どんな仕打《しう》ちにあっても、平気《へいき》でいる様子《ようす》。

何度《なんど》も言《い》ってますが…
いざというときのために、剣《けん》の手入《てい》れをしといたほうがいいですよ。
ヘイヘ〜イ
聞《き》いてねぇ〜な

何度《なんど》注意《ちゅうい》しても（④）で、まったく気《き》にする様子《ようす》がない。

0855
身《み》から出《で》たさび
自分《じぶん》のせいで自分《じぶん》が苦《くる》しむこと。自業自得《じごうじとく》。

ドドド
アッ
ホラ〜ッ

いざというときに役《やく》に立《た》たないなんて…。（⑤）だよ。

0856
ローマは一日《いちにち》にして成《な》らず
物事《ものごと》は簡単《かんたん》に実現《じつげん》できない。西洋《せいよう》のことわざ。

つかまった…。
ようし、穴《あな》をほってぬけ出《で》るぞ!
かくしてたナイフまでサビてるよ
いったいいつ脱出《だっしゅつ》できるんだか…。
ガガガ

（⑥）だから、コツコツと目標《もくひょう》に向《む》かってがんばろう。

答え ④かえるの面に水 ⑤身から出たさび ⑥ローマは一日にして成らず

0857

閑古鳥《かんこどり》が鳴《な》く

人《ひと》が集《あつ》まらず、静《しず》かでさびしい様子《ようす》。「閑古鳥《かんこどり》」は、カッコウのこと。

だれも来《こ》ない、カッコー。
ガラーン

新《あたら》しくお店《みせ》を開店《かいてん》したが、毎日《まいにち》、（　①　）ありさまだ。

0858

ぶっきらぼう

ものの言《い》い方《かた》や仕草《しぐさ》に、にこやかさやかわいげがないこと。

さすが! イクメンゴリラ。
助《たす》かるわ〜〜。
ふん。
キャッ、キャッ♪

彼《かれ》は無口《むくち》で（　②　）だけど、とてもやさしい性格《せいかく》だ。

0859

ハイブリッド

異質《いしつ》なもの同士《どうし》をかけ合《あ》わせること。

オオッ
新型《しんがた》ハイブリッド車《しゃ》です。試乗《しじょう》なさいますか?
燃料《ねんりょう》がなくなると、自動的《じどうてき》に足《あし》こぎに切《き》り替《か》わります。
ガチャッ
ガチャッ

ガソリンと人力《じんりき》の（　③　）車《しゃ》なら、ガス欠《けつ》の心配《しんぱい》はないね。

答え　① 閑古鳥が鳴く　② ぶっきらぼう　③ ハイブリッド

言葉《ことば》のワザをみがいて使《つか》いこなそう！

アタック・ザ・言葉《ことば》クイズ 36

入試問題《にゅうしもんだい》に挑戦《ちょうせん》！

「足《あし》がすくんでしまった」と「閑古鳥《かんこどり》が鳴《な》いている」の意味《いみ》が正《ただ》しく使《つか》われているものを次《つぎ》の中《なか》から一《ひと》つずつ選《えら》び、記号《きごう》で答《こた》えなさい。

（龍谷大学付属平安中学校・一部改題）

①「足《あし》がすくんでしまった」

ア　マラソン大会《たいかい》のつかれで、足《あし》がすくんでしまった。

イ　合格《ごうかく》の知《し》らせを聞《き》いて、足《あし》がすくんでしまった。

ウ　つり橋《ばし》をわたろうとして、足《あし》がすくんでしまった。

エ　熊《くま》に追《お》いかけられて、足《あし》がすくんでしまった。

②「閑古鳥《かんこどり》が鳴《な》いている」

ア　春《はる》を知《し》らせるかのように、閑古鳥《かんこどり》が鳴《な》いている。

イ　大勢《おおぜい》のお客《きゃく》さんがざわめいて、閑古鳥《かんこどり》が鳴《な》いている。

ウ　会場《かいじょう》は観客《かんきゃく》がまばらで、閑古鳥《かんこどり》が鳴《な》いている。

エ　満員《まんいん》の客席《きゃくせき》は静《しず》まり返《かえ》って、閑古鳥《かんこどり》が鳴《な》いている。

⇒答《こた》えは 389 ページにあります。

0860

なじる

相手《あいて》を責《せ》めて問《と》いただす。厳《きび》しく問《と》いつめる。＝責《せ》める

もっと速《はや》く登《のぼ》れよ!!おせーよ!!
こ——れ——で——も——
話《はな》すのもおそすぎだわ!!
い——そ——い——で——る——よ——。

できないからといって、相手《あいて》を（　①　）ってはいけない。

0861

空《から》いばり

空威張り

実力《じつりょく》がないのに強《つよ》がること。

なんかムカつく
食《く》えるもんなら、食《く》ってみなー。
へへーん!

本当《ほんとう》は弱虫《よわむし》のくせに、（　②　）ばかりしている。

0862

さもなければ

そうでなければ。

人質《ひとじち》を解放《かいほう》して出《で》てこい!
そうしたら、マタタビあげるからっ!!

武器《ぶき》を捨《す》てて、早《はや》く出《で》てこい。（　③　）、突入《とつにゅう》するぞ!

答え ①なじ ②空いばり ③さもなければ

0863
知《し》ったかぶり
本当《ほんとう》は知《し》らないのに、知《し》っているふりをすること。

0864
したり顔《がお》
じまんげな顔《かお》。得意顔《とくいがお》。

そんなことも知《し》らないのかよ。
「シタリガオ」っていうのはさ…。
アフリカでさく朝顔《あさがお》の一種《いっしゅ》さ。
それ、全然《ぜんぜん》ちがうから!
バレた～ッ

話《はなし》をでっち上《あ》げて、（④）をしてしまった。

彼《かれ》は（⑤）で、言葉《ことば》の意味《いみ》を説明《せつめい》した。

0865
口《くち》をはさむ
口を挟む
人《ひと》の話《はなし》に割《わ》り込《こ》んで話《はな》す。

あの映画《えいが》、見《み》たいよね。
おもしろいんだってね。
あっ! その映画《えいが》、二人《ふたり》がね、前世《ぜんせ》でね、それでね。

ぼくたちの会話《かいわ》に、（⑥）まないでください。

答え ④知ったかぶり ⑤したり顔 ⑥口をはさ

0866

レトロ

昔《むかし》のことや古《ふる》い物《もの》のこと。昔《むかし》のことや古《ふる》い物《もの》をなつかしく思《おも》ったり、好《この》んだりすること。

昭和時代《しょうわじだい》！
昭和《しょうわ》の町並《まちな》み！
なつかしいのう…。
落《お》ち着《つ》くわねぇ。

（　①　）な雰囲気《ふんいき》の町並《まちな》みは、その世代《せだい》の人《ひと》の心《こころ》をなごませる。

0867

厚意《こうい》

自分《じぶん》が受《う》けた、他人《たにん》からの思《おも》いやりのある気持《きも》ち。

ここにいたのか、金太郎《きんたろう》ちゃん。
山道《やまみち》で迷《まよ》っちゃったもんで…。
ご心配《しんぱい》をおかけしました…。

ぼくたちを助《たす》けてくれた、村《むら》の人《ひと》たちの（　②　）に感謝《かんしゃ》する。

0868

骨身《ほねみ》をおしまない

苦労《くろう》をいやがらず、一生懸命《いっしょうけんめい》に働《はたら》く。

今日《きょう》の収穫《しゅうかく》、がんばろうな、みんな!!
ハイッ
村長《そんちょう》!!

村長《そんちょう》の、仕事《しごと》に（　③　）態度《たいど》は、尊敬《そんけい》に値《あたい》する。

答え　①レトロ　②厚意　③骨身をおしまない

0869

二《ふた》つ返《へん》事《じ》

快《こころよ》く、すぐに引《ひ》き受《う》けること。

消《け》しゴム、貸《か》してくれる?
オッケー!!
はい、お待《ま》ちっ。
ザラ
1個《こ》でいいよお。

親友《しんゆう》のたのみを、（④）で引《ひ》き受《う》けた。

0870

短《たん》気《き》は損《そん》気《き》

短《たん》気《き》でいては、うまくいく物事《ものごと》も失敗《しっぱい》することが多《おお》くなり、結《けっ》果《か》として、損《そん》になるということ。

イラッと
棒《ぼう》
かんしゃく起《お》こしてもいいことないからね、慎《しん》重《ちょう》に慎《しん》重《ちょう》に!
周《まわ》りにさわらずゴールするぞ!!

（⑤）だよ。あせらずじっくり取《と》り組《く》もう。

0871

抜《ばっ》本《ぽん》的《てき》

物事《ものごと》の出発点《しゅっぱつてん》にまでもどり、悪《わる》い点《てん》を改《あらた》めるさま。根本《こんぽん》にもどって正《ただ》しい方向《ほうこう》に仕《し》切《き》り直《なお》すさま。

えっ?遊《ゆう》園《えん》地《ち》の予《よ》定《てい》地《ち》ってここ…?
ギャア ギャア
ゆうえんち

さんざん練《ね》った計画《けいかく》だったが、（⑥）な見直《みなお》しが必要《ひつよう》そうだ。

答え ④二つ返事 ⑤短気は損気 ⑥抜本的

0872

猫《ねこ》にかつおぶし

安心《あんしん》できないことのたとえ。猫《ねこ》のそばに好物《こうぶつ》であるかつおぶしを置《お》くと、食《た》べられてしまうことから。

0873

一難《いちなん》去《さ》ってまた一難《いちなん》

災難《さいなん》や困難《こんなん》なことが立《た》て続《つづ》けに身《み》にふりかかること。

0874

地獄《じごく》で仏《ほとけ》に会《あ》う

とても困《こま》っているときに、思《おも》いがけない助《たす》けを得《え》ることのたとえ。

やっと出口《でぐち》だ！
ハア
ハア
ハア
ゾロ
ゾロ
ウマそ〜
ウワァ！こっちからもゾンビが！
エエ!!
ザバッ
ウァーッ
バンバン
助《たす》けに来《き》たぜ！
あ、キミは…。
ウァ〜ッ
助《たす》かったと思《おも》ったら、ワニもゾンビに!!

ゾンビの中《なか》に人間《にんげん》は自分《じぶん》だけ。
これじゃあ（　①　）の状態《じょうたい》だよ。

（　②　）、何《なん》とかにげたのに、
新《あら》たな敵《てき》が待《ま》ち受《う》けていた。

きみの助《たす》けがなかったら…。
（　③　）とはまさにこのことだ。

答え ①猫にかつおぶし　②一難去ってまた一難　③地獄で仏に会う

0875

目《め》がきく　目が利く

ものの良《よ》し悪《あ》しを判断《はんだん》する力《ちから》がすぐれている。

この絵《え》は、有名《ゆうめい》な画家《がか》の作品《さくひん》です。本物《ほんもの》です!!お買《か》い得《どく》ですよ。
うーん…
ビミョーな絵《え》だな。

彼《かれ》は、古《ふる》い美術品《びじゅつひん》にもよく（④）。

0876

腹《はら》にすえかねる

いかりの気持《きも》ちをがまんすることができない。

これは、がん作《さく》ですね。
だ・ま・さ・れ・た!!
へへ～ん

※がん作《さく》…にせ物《もの》を作《つく》ること。また、そのにせ物《もの》のこと。

あんな人《ひと》にだまされるなんて、どうにも（⑤）。

0877

願望《がんぼう》

「そうなってほしい」と望《のぞ》むこと。願《ねが》い。

空《そら》を飛《と》びたい!
絶対《ぜったい》飛《と》ぶ!

「空《そら》を飛《と》びたい」という人類《じんるい》の（⑥）が飛行機《ひこうき》を生《う》み出《だ》した。

答え　④ 目がきく　⑤ 腹にすえかねる　⑥ 願望

0878

ふれ込《こ》み　触れ込み

前《まえ》もって広《ひろ》く宣伝《せんでん》されていること。前評判《まえひょうばん》。

名前《なまえ》どおりのイケメンだわ～♡
○月○日
池面《イケメン》アキラ
ランドセルが似合《にあ》わね～。

転校生《てんこうせい》は、（ ① ）どおりのイケメンだった。

0879

進化《しんか》

生物《せいぶつ》が世代《せだい》を経《へ》る過程《かてい》で変化《へんか》していくこと。物事《ものごと》が次第《しだい》に発達《はったつ》していくこと。⇔退化《たいか》

やっぱり、あっちはライオンたちがいっぱいいるよ。
どう、見《み》える？重《おも》いから早《はや》く下《お》りてね。

キリンは、長《なが》い年月《ねんげつ》をかけて、首《くび》が長《なが》くなる（ ② ）をとげた。

0880

食指《しょくし》が動《うご》く

食《た》べたくなる。あるものがほしいという気持《きも》ちになったり、興味《きょうみ》をもったりする。

ばあさんに弁当《べんとう》届《とど》けるだけで、1000円《えん》だよ。
へー
いいなあ、やろうかな。

アルバイトの条件《じょうけん》を聞《き》いて、思《おも》わず（ ③ ）いた。

0881

ほどこす　施す

めぐみをあたえる。効果《こうか》を期待《きたい》して物事《ものごと》を行《おこな》う。装飾《そうしょく》や加工《かこう》を加《くわ》える。

高速《こうそく》で動《うご》くようにしたんだ。
スゴーイパパ
ビュン
ドドケケ!!
ビュン
ワ!!

早《はや》くきれいにできるように、掃除機《そうじき》に工夫《くふう》を（ ④ ）。

0882

軽軽《かるがる》しい

よく考《かんが》えずに、物事《ものごと》を行《おこな》ってしまう様子《ようす》。⇔重重《おもおも》しい

失礼《しつれい》だぞ、キミ!
そのたてがみは、本物《ほんもの》ですか? 先生《せんせい》。

目上《めうえ》の人《ひと》に（ ⑤ ）口《くち》をきくものではない。

0883

取捨選択《しゅしゃせんたく》

たくさんあるものの中《なか》から、良《よ》いものを取《と》り、悪《わる》いものを捨《す》てること。

何《なに》からやればいいんだ?

部屋《へや》を片《かた》づける前《まえ》に、必要《ひつよう》かどうかの（ ⑥ ）が必要《ひつよう》だ。

答え ④ほどこす ⑤軽軽しい ⑥取捨選択

0884

キャンペーン

企業《きぎょう》や団体《だんたい》などが行《おこな》う宣伝活動《せんでんかつどう》。または社会運動《しゃかいうんどう》のこと。

フルーツ
イチゴキャンペーン
今週《こんしゅう》は、いちごが大安売《おおやすう》りだよ!
エ〜ッ
えーっ、今日《きょう》も〜。
ご飯《はん》に合わないし…
だって、安《やす》かったんだもの。

フルーツ店《てん》が、大々的《だいだいてき》にいちごの（ ① ）を展開《てんかい》する。

0885

気《き》が気《き》でない

心配《しんぱい》でたまらない。気《き》になって落《お》ち着《つ》いていられない。

オオカミが来《き》たって言《い》ってたけど、どこで見《み》たの?
さっ…3丁目《ちょうめ》の角《かど》のところで…。
ドキ
ドキ

とっさにうそをついてしまい、いつばれるかと（ ② ）。

0886

ふんする

ほかの人物《じんぶつ》になりすましたり、演《えん》じたりする。

みんなの通知表《つうちひょう》を持《も》ってきたぞ!
ジャーン
プレゼントがいい〜!!
えーっ!!

校長先生《こうちょうせんせい》は、サンタクロースに（ ③ ）して登場《とうじょう》した。

答え ①キャンペーン ②気が気でない ③ふん

言葉《ことは》のワザをみがいて使《つか》いこなそう！

アタック・ザ・言葉《ことば》クイズ 37

正《ただ》しいほうを選《えら》んで、○をつけよう。

①関係《かんけい》のない人《ひと》が、横《よこ》から口《くち》を出《だ》してじゃまする。

横《よこ》｛車《ぐるま》／やり｝を入《い》れる

②何《なん》の不安《ふあん》もなく寝《ね》る。安心《あんしん》して暮《く》らす。

｛敷居《しきい》／枕《まくら》｝を高《たか》くする

③他人《たにん》が話《はな》している最中《さいちゅう》に割《わ》り込《こ》んで、その話《はなし》のじゃまをする。

話《はなし》の｛腰《こし》／骨《ほね》｝を折《お》る

④ものの言《い》い方《かた》が率直《そっちょく》ではない様子《ようす》。言《い》いたいことをはっきり言《い》わず、歯切《はぎ》れの悪《わる》い感《かん》じがすること。

奥歯《おくば》に｛衣《きぬ》／物《もの》｝がはさまる

⇒答《こた》えは 389 ページにあります。

0887

からすの行水《ぎょうずい》

入浴時間《にゅうよくじかん》が短《みじか》いことのたとえ。

1・2・3…。
父《とう》ちゃん、もう出《で》るの？温泉《おんせん》だよ。
ザブーン
てやんでえ、こちとら江戸《えど》っ子《こ》でぃ！

※江戸《えど》っ子《こ》…江戸《えど》で生《う》まれ育《そだ》った人《ひと》。一般的《いっぱんてき》に「気《き》が短《みじか》い」といわれている。

熱《あつ》い湯《ゆ》にさっと入《はい》る（ ① ）、それが江戸《えど》っ子《こ》の心意気《こころいき》でい。

0888

気《き》をもむ

心配《しんぱい》で落《お》ち着《つ》かず、やきもきする。

もうダメだ！
はぁ〜、間《ま》に合《あ》った。
あっ!! 試合《しあい》、どうなったかな？

試合《しあい》を途中《とちゅう》でぬけてしまい、結果《けっか》を知《し》るまで（ ② ）んだ。

0889

ほんろう 翻弄

思《おも》いのままにもてあそぶこと。

あっち、あっちから来《く》るよ。
ドドド
あれは、何《なに》をしているのかな？
やっぱり、こっちからだった。
ドドド
あの転校生《てんこうせい》、UFO《ユーフォー》を呼《よ》べるって言《い》うんですよ。

「UFO《ユーフォー》を呼《よ》ぶ」という言葉《ことば》に、クラス全員《ぜんいん》が（ ③ ）される。

0890

げたを預《あず》ける

相手《あいて》にすべての判断《はんだん》などを任《まか》せる。

パーティーにも出《で》た、ダンスもした、会話《かいわ》もした、やるべきことはすべてやった！
王子様《おうじさま》、どうか私《わたし》を見《み》つけて！
←シンデレラ♡

やるべきことはやった。もう、相手《あいて》に（ ④ ）しかない。

0891

ふん張《ば》る

踏ん張る

足《あし》に力《ちから》を入《い》れて、たおれないようにする。つらさなどをこらえてがんばる。

ウ〜ン
あっ!!
ツルッ

みんながいたから、つらいときでも（ ⑤ ）ことができたんだ。

0892

骨《ほね》がある

人間的《にんげんてき》にしっかりしている。強《つよ》い気持《きも》ちがある。「骨《ほね》」は気骨《きこつ》、強《つよ》い心《こころ》という意味《いみ》。

マラソン大会《たいかい》に向《む》けて、練習《れんしゅう》あるのみ！
ハーイ!!
今《いま》、行《い》けとは言《い》ってないぞ！
ゾロ
ゾロ

今年《ことし》の新人選手《しんじんせんしゅ》は、みんなまじめで（ ⑥ ）。

答え ④げたを預ける ⑤ふん張る ⑥骨がある

0893

けしかける

相手《あいて》に声《こえ》をかけ、勢《いきお》いづけて向《む》かわせる。相手《あいて》をほめたりしてその気《き》にさせ、何《なに》かをやらせる。

やーい、くやしかったら
シュートしてみろ〜。
なに〜!

先取点《せんしゅてん》に気《き》をよくして、相手《あいて》の選手《せんしゅ》を（　①　）。

0894

気《け》おされる

相手《あいて》の勢《いきお》いに負《ま》けて、気持《きも》ちの面《めん》でおされる。

ドド
ドド
ギョッ
うお〜!

気合《きあ》いの入《はい》った相手《あいて》選手《せんしゅ》のプレーに（　②　）。

0895

公私《こうし》

社会的《しゃかいてき》なことと、個人的《こじんてき》なこと。政府《せいふ》と民間《みんかん》。

村長《そんちょう》!!
会議《かいぎ》、始《はじ》まってますよ!

村長《そんちょう》として、（　③　）の区別《くべつ》をはっきりつけるべきだ。

0896
くぐもる
声《こえ》や音《おと》などがはっきり伝《つた》わらない。

赤《あか》ライダー参上《さんじょう》!!
え～？ 聞《き》こえな～い。
なーんでーすかー？

お面《めん》をつけているせいか、声《こえ》が（ ④ ）ってよく聞《き》こえない。

0897
しいたげる　虐げる
いじめる。ひどいことをして、苦《くる》しめる。

おそいんだよ、のろまなカメ！
ポカッ
おや、いじめかい？ いけないいよ！

これは、のろまであるために（ ⑤ ）られる、カメの物語《ものがたり》だ。

0898
節約《せつやく》
むだが出《で》ないように、切《き》りつめること。 ＝節減《せつげん》 ↔浪費《ろうひ》

寄《よ》り道《みち》しすぎた…。
エネルギー、足《た》りるかな？
GAS

エネルギーを（ ⑥ ）しないと、故郷《こきょう》の星《ほし》にたどりつけない。

答え ④くぐも ⑤しいたげ ⑥節約

0899

幕切《まくぎ》れ

物事《ものごと》の終《お》わり。⊕幕開《まくあ》き

バン
逆転《ぎゃくてん》シュートです！試合終了《しあいしゅうりょう》!!

同点《どうてん》からシュートが決《き》まり、劇的《げきてき》な（　①　）となった。

0900

本領《ほんりょう》

その人《ひと》がもっている、すぐれた能力《のうりょく》や持《も》ち味《あじ》のこと。

見事《みごと》なシュートでした。たくさん練習《れんしゅう》されたんでしょうね。
イメトレはもちろん！
シュートでチームを勝利《しょうり》に…
すべてチームメイトのおかげで……
インタビューの練習《れんしゅう》かよ！
ソッチ？

本番《ほんばん》で（　②　）を発揮《はっき》するため、何度《なんど》も練習《れんしゅう》をくり返《かえ》す。

0901

支障《ししょう》

物事《ものごと》をするのにじゃまになること。さしさわり。

いやあー、いい試合《しあい》だった！
宿題《しゅくだい》は終《お》わったんでしょうね？
アワワワワ
オレも言《い》い訳《わけ》の練習《れんしゅう》しとくんだった。

勉強《べんきょう》に（　③　）が出《で》ないように、時間《じかん》の管理《かんり》はしっかりね。

答え ①幕切れ ②本領 ③支障

0902

手《て》取《と》り足《あし》取《と》り

細《こま》かいところにまで、気《き》をつかって世話《せわ》をする様子《ようす》。

新入《しんい》り!!
なかなかうまいぞ!!
オレがあやつり人形《にんぎょう》みたい。

初心者《しょしんしゃ》には、（④）指導《しどう》する。

0903

手《て》に汗《あせ》をにぎる

危《あぶ》なっかしい場面《ばめん》を見《み》て、はらはらする。

地球《ちきゅう》を征服《せいふく》しちゃる!
させるか!
あーっ!?
そのとき、地球《ちきゅう》では…
やったー!!

（⑤）戦《たたか》いの末《すえ》、地球《ちきゅう》の平和《へいわ》は守《まも》られた。

0904

けなす

わざと欠点《けってん》を取《と》り上《あ》げて悪《わる》く言《い》う。⇔ほめる

どうせ、横歩《よこある》きしかできないだろ!!
ぼくにもくれよう。

できないからといって、（⑥）ことはないじゃないか。

答え ④ 手取り足取り ⑤ 手に汗をにぎる ⑥ けなす

0905

間髪《かんはつ》を入《い》れず

すぐに。ほとんど同時《どうじ》に。間《あいだ》に髪《かみ》の毛《け》1本《ぽん》も入《い》れる余地《よち》がないという意味《いみ》から。

今日《きょう》の宿題《しゅくだい》はなしに…。
賛成《さんせい》!!
賛成《さんせい》!!
賛成《さんせい》!!
バッ
バ
バ

ぼくたちは、先生《せんせい》の言葉《ことば》に（ ① ）返事《へんじ》をした。

0906

花鳥風月《かちょうふうげつ》

花《はな》や鳥《とり》や風《かぜ》や月《つき》などのような、自然《しぜん》の美《うつく》しい風物《ふうぶつ》。

そよぐ風《かぜ》
ほほに感《かん》じる
ほーほけきょ

彼《かれ》は旅《たび》をしながら、四季《しき》の（ ② ）を俳句《はいく》によんでいる。

0907

何食《なにく》わぬ顔《かお》

何《なに》も知《し》らないふりをして、平然《へいぜん》とする顔《かお》つきやふるまい。

ただいま。
お母《かあ》さーん!! お兄《にい》ちゃんが 5年《ねん》ぶりに 帰《かえ》ってきたよ!!
お兄《にい》ちゃん!?

5年間《ねんかん》、連絡《れんらく》のなかった兄《あに》が（ ③ ）で帰《かえ》ってきた。

答え ① 間髪を入れず ② 花鳥風月 ③ 何食わぬ顔

言葉《ことば》のワザをみがいて使《つか》いこなそう！

アタック・ザ・言葉《ことば》クイズ 38

入試問題《にゅうしもんだい》に挑戦《ちょうせん》！

次《つぎ》の①〜③のことわざ・慣用句《かんようく》・四字熟語《よじじゅくご》の、□に共通《きょうつう》して入《はい》る漢字《かんじ》一字《いちじ》をそれぞれ答《こた》えなさい。

（須磨学園中学校・改題）

※漢字《かんじ》がわからない場合《ばあい》は、ひらがなでいいよ。

①心《こころ》を□にする
疑心暗《ぎしんあん》□
□の目《め》にも涙《なみだ》

②言《い》わぬが□
□をもたせる
□鳥風月《ちょうふうげつ》

③□出鬼没《しゅつきぼつ》
苦《くる》しいときの□頼《だの》み
捨《す》てる□あれば拾《ひろ》う□あり

⇒答《こた》えは389ページにあります。

0908

レギュラー

特別《とくべつ》ではない普通《ふつう》の。正規《せいき》の。規則正《きそくただ》しい。

もうベンチから試合《しあい》を見《み》るのはいやだ！
ぼくも補欠《ほけつ》じゃなくて、レギュラーで試合《しあい》に出《で》たい！

補欠《ほけつ》ではなく、（　①　）のメンバーになりたい。

0909

火花《ひばな》を散《ち》らす

試合《しあい》や議論《ぎろん》などで、お互《たが》いが激《はげ》しく争《あらそ》う。

おーっと、いじわるじいさんの右《みぎ》ストレートが決《き》まったーっ！
ポヨーーン
ぜんぜんきいてないし♪
しかし、正直《しょうじき》じいさんのこぶには、びくともしない〜！

両者《りょうしゃ》のこぶしが、リング上《じょう》で（　②　）戦《たたか》いをくり広《ひろ》げた。

0910

シニカル

皮肉《ひにく》な。ひねくれた態度《たいど》をとるさま。

ワハハハ
しーん
チャップリンの無声映画《むせいえいが》

※無声映画《むせいえいが》…映像《えいぞう》のみで、せりふや音《おと》がない映画《えいが》。

（　③　）な表現《ひょうげん》は、好《す》ききらいが分《わ》かれるようだ。

答え　①レギュラー　②火花を散らす　③シニカル

0911

花《はな》をもたせる

相手《あいて》をわざと勝《か》たせる。手柄《てがら》をゆずる。

イエーイ★
今回《こんかい》は、わざと負《ま》けてやるか…。
フフッ
フフッ
フフッ

実力《じつりょく》はこちらが上《うえ》だ。今日《きょう》は相手《あいて》に（　④　）よう。

0912

しっぽを出《だ》す

かくしていたことや、ごまかしていたことが明《あか》るみに出《で》る。

このドロボー
うちの畑《はたけ》、あらしやがって！
ザザッ
こんちはぁ
おぅ
ついに犯人《はんにん》を追《お》いつめたぞ！でも、どっちかな？

顔《かお》のドロで犯人《はんにん》がわかったぞ。ついに（　⑤　）したな！

0913

牛飲馬食《ぎゅういんばしょく》

大量《たいりょう》に飲《の》んだり食《た》べたりすること。牛《うし》が水《みず》を飲《の》み、馬《うま》が草《くさ》を食《た》べるさまから。

ごっつあんです！
ばくばく
ばくばく

（　⑥　）で、体重《たいじゅう》を増《ふ》やすのも相撲《すもう》の新弟子《しんでし》にはけいこだ。

答え　④花をもたせ　⑤しっぽを出　⑥牛飲馬食

0914

交互《こうご》

代《か》わる代《が》わる。互《たが》いちがい。

いちっ！
にっ!!
いちっ！
にっ!!
ずいぶん少人数《しょうにんずう》の海賊《かいぞく》だなァ…。

（　①　）にオールをこいで、早《はや》く前《まえ》に進《すす》もう。

0915

虚勢《きょせい》を張《は》る

見《み》かけだけの勢《いきお》いを示《しめ》す。空《から》いばりをする。

かーちゃんがこゎくてゲームができるかぁ！
何《なん》だって？
テスト出しな！
何《なん》でもありません…。

本当《ほんとう》に強《つよ》い人《ひと》というのは、（　②　）ったりしないよ。

0916

ピーアール

PR《ピーアール》。仕事内容《しごとないよう》や製品情報《せいひんじょうほう》を広《ひろ》く人《ひと》に知《し》らせ、理解《りかい》を得《え》るための活動《かつどう》をすること。宣伝《せんでん》。

宣伝《せんでん》しなくていいよ～。どうせ売《う》れないし。
映画館《えいがかん》
大《だい》ヒット
カメ雪姫《ゆきひめ》
カメ雪姫《ゆきひめ》
ズテ～
100万人動員《まんにんどういん》!?
主役《しゅやく》カナだしさ～
でも…

この作品《さくひん》のおもしろい点《てん》を、自分《じぶん》なりに（　③　）した。

答え　①交互　②虚勢を張　③ピーアール

0917
ぐち 愚痴

不平《ふへい》や不満《ふまん》など、言《い》っても仕方《しかた》がないことを言《い》うこと。㊞泣《な》き言《ごと》

フンフン
だいだいキジは、いつも上《うえ》から目線《めせん》なんだよ。
サル ウザイ!!
なるほど
イヌはいつも、ワンワンうるさいんだよ。マジ、勘弁《かんべん》!
そう…。

仲間《なかま》の（④）を聞《き》いてやるのも、リーダーの役目《やくめ》だ。

0918
しめくくる 締めくくる

最後《さいご》をきちんとまとめる。結末《けつまつ》をつける。

みなさんは今日《きょう》から6年生《ねんせい》。
小学校生活《しょうがっこうせいかつ》最後《さいご》の学年《がくねん》です。
先生《せんせい》も中学校《ちゅうがっこう》に行《い》くんですよね。
エッ? 何《なに》かカンチガイしてる

ついに、小学校生活《しょうがっこうせいかつ》を（⑤）、最後《さいご》の学年《がくねん》になった。

0919
人目《ひとめ》をしのぶ 人目を忍ぶ

だれかに見《み》られないように気《き》を配《くば》る。人《ひと》に知《し》られないようにする。

お待《ま》たせしました~。
ぬっ
いやだなぁ
あなたの光源氏《ひかるげんじ》ですよ♡
ビクッ
ギャ~!!

秘密《ひみつ》の交際《こうさい》なので、（⑥）んでデートする。

※光源氏《ひかるげんじ》…紫式部《むらさきしきぶ》作《さく》『源氏物語《げんじものがたり》』のかっこいい主人公《しゅじんこう》。

答え ④ぐち ⑤しめくくる ⑥人目をしの

0920

にえ切《き》らない

煮え切らない

態度《たいど》がはっきりしない。ぐずぐずしている。

何《なん》で、その部屋《へや》をのぞいちゃいかんのだい？
いえ…。その…。
あの…。ちょっと、その…。

彼女《かのじょ》はずっと（　①　）態度《たいど》で、なかなか返事《へんじ》がもらえない。

0921

趣向《しゅこう》

物事《ものごと》をおもしろくするための工夫《くふう》。

…で、主役《しゅやく》がケーキから飛《と》び出《だ》してくるんだ！
ハッピーバースデイ
ボーン
オーッ
ボーンってさ…大丈夫《だいじょうぶ》？　これ？　パパの手作《てづく》りなんでしょ？
盛《も》り上《あ》がる

みんなが楽《たの》しめる誕生会《たんじょうかい》になるように（　②　）をこらす。

0922

寛大《かんだい》

心《こころ》が広《ひろ》く、思《おも》いやりがあること。むやみに人《ひと》に厳《きび》しくしないこと。

類 寛容《かんよう》

おぬしはわしをはだかの王様《おうさま》って言《い》ったけど、
許《ゆる》す。
ははーっ

裏切《うらぎ》り者《もの》を許《ゆる》すとは、なんて（　③　）な王様《おうさま》なんだろう。

0923

くちる　朽ちる

くさってぼろぼろになる。すたれる。

こえ～～～！

この建物《たてもの》は（　④　）ていて、今《いま》にもくずれてしまいそうだ。

0924

コンテンポラリー

今時《いまどき》の。現代的《げんだいてき》な。

ホ～ッ
けっこうなお値段《ねだん》ですな。
いかがでしょう？若手《わかて》アーティストの作品《さくひん》でございます。

（　⑤　）な芸術作品《げいじゅつさくひん》は、テーマがよく理解《りかい》できなかった。

0925

ぬれ手《て》で粟《あわ》

苦労《くろう》しないで、多《おお》くの利益《りえき》を得《え》ること。「粟《あわ》」は、イネ科《か》の植物《しょくぶつ》。小《ちい》さなつぶでご飯《はん》などに入《い》れて食《た》べる。

ウン、いいね。いただこう。
ありがとうございます！
へへ、やった！かかったお金《かね》は、ただ同然《どうぜん》だからな。
パパ～、ぼくの夏休《なつやす》みの宿題《しゅくだい》、売《う》れた～？
ワアーーッ

ただ同然《どうぜん》の物《もの》が、まさか高値《たかね》で売《う》れるとは。（　⑥　）だね。

答え　④くち　⑤コンテンポラリー　⑥ぬれ手で粟

0926

背《せ》を向《む》ける

相手《あいて》に反発《はんぱつ》や不満《ふまん》の気持《きも》ちをもって後《うし》ろを向《む》く。とりあわない。

出席簿《しゅっせきぼ》、届《とど》けてきたら？
日直当番《にっちょくとうばん》
そっちこそ、花《はな》の水《みず》をかえなよ。
つーん

ケンカをして、（ ① ）合《あ》ったまま3日《か》が過《す》ぎた。

0927

くすねる

こっそりぬすむ。

そろ〜…

収穫《しゅうかく》したてのスイカを、一《ひと》つ（ ② ）。

0928

羽《はね》をのばす

羽を伸ばす

遠慮《えんりょ》しなければならない対象《たいしょう》がいなくなって、のびのびする。

パタ
パタ
パタ
ゲームにテレビ…。
おやつ食《た》べ放題《ほうだい》!!

今日《きょう》は一日《いちにち》、一人《ひとり》で留守番《るすばん》。好《す》きなことをして（ ③ ）ぞ！

答え ① 背を向け ② くすねる ③ 羽をのばす

0929

取《と》りつくろう　取り繕う

外見《がいけん》だけを整《ととの》える。都合《つごう》の悪《わる》いことをかくすために、上辺《うわべ》をかざる。

ケーキ、つまみ食《ぐ》いしたでしょ!?
ぼくじゃないよ～。ようせいさんだよ～。
パパおめでとう

その場《ば》を（ ④ ）ために、うそをつく。

0930

こう　乞う

「～してほしい」と願《ねが》う。

天狗《てんぐ》の道《みち》を極《きわ》めたいのです!
授業料《じゅぎょうりょう》は、月《つき》5万円《まんえん》だよ。
弟子《でし》にしてください。

その道《みち》の教《おし》えを（ ⑤ ）ために、先生《せんせい》のもとを訪《たず》ねた。

0931

アーカイブ

データやファイルを保管《ほかん》したり、管理《かんり》したりして未来《みらい》に伝《つた》えること。保存記録《ほぞんきろく》。

10年後《ねんご》、このタイムカプセルをほり起《お》こそう。
思《おも》い出《で》

思《おも》い出《で》を残《のこ》すため、写真《しゃしん》や動画《どうが》を（ ⑥ ）にする。

答え　④取りつくろう　⑤こう　⑥アーカイブ

0932

仕打《しう》ち

人《ひと》のあつかい方《かた》。相手《あいて》に対《たい》するふるまい。

開《あ》けるなって言《い》われた箱《はこ》を開《あ》けた自分《じぶん》も悪《わる》いけど…。
乙姫様《おとひめさま》、ヒドくない？
老化《ろうか》
モワワ。。

カメを助《たす》けてあげたのに、こんな（　①　）はあんまりだ。

0933

ちりばめる

あちこちに散《ち》らして、はめ込《こ》む。

これが、王家《おうけ》のケーキじゃっ！
ファッサァァ
わあ!!

王様《おうさま》が、宝石《ほうせき》を（　②　）たきらびやかなケーキを作《つく》る。

0934

取《と》り乱《みだ》す

ものを散らかす。心《こころ》の落《お》ち着《つ》きを失《うしな》って、うろたえる。

アイドル総選挙《そうせんきょ》
私《わたし》がビリなんて、うそよーーっ!!
うわあああっ
……。

彼女《かのじょ》は予想外《よそうがい》の結果《けっか》に、激《はげ》しく（　③　）した。

答え　①仕打ち　②ちりばめ　③取り乱

言葉《ことば》のワザをみがいて使《つか》いこなそう！

アタック・ザ・言葉《ことば》クイズ 39

二《ふた》つの言葉《ことば》を足《た》して、意味《いみ》に合《あ》う言葉《ことば》をつくろう。

①きっぱりと区別《くべつ》する。

割《わ》る ＋ 切《き》る →（　　　　　）

②最後《さいご》をきちんとまとめる。結末《けつまつ》をつける。

しめる ＋ くくる →（　　　　　）

③今《いま》までいたところを立《た》ちのいて、人《ひと》にわたす。

明《あ》ける ＋ わたす →（　　　　　）

④その人《ひと》のことを、実際以上《じっさいいじょう》にすごいと思《おも》って高《たか》く評価《ひょうか》する。

買《か》う ＋ かぶる →（　　　　　）

⑤心《こころ》の落《お》ち着《つ》きを失《うしな》って、うろたえる。

取《と》る ＋ 乱《みだ》す →（　　　　　）

⇒答《こた》えは 389 ページにあります。

0935

こき下《お》ろす

ひどい悪口《わるくち》をしつこく言《い》う。

変《へん》な色《いろ》！
変《へん》な羽《はね》！
みにくいアヒルめ――!!
お前《まえ》だれの子《こ》だ!?
大《おお》きくなったら、
見返《みかえ》してやる！

アヒルの子《こ》は、きょうだいにひどく（ ① ）された。

0936

たてつく

たて突く

反抗《はんこう》する。目上《めうえ》の人《ひと》に対《たい》して逆《さか》らう。

ヤローども、仕事《しごと》だぞっ！
えーっ
船長《せんちょう》！あの船《ふね》に近《ちか》づくのはやめましょっ!!

船長《せんちょう》は手下《てした》に、今回《こんかい》は行《い》きたくないと（ ② ）かれた。

0937

へりくだる

相手《あいて》を敬《うやま》って、自分《じぶん》はひかえめにふるまう。

私《わたくし》めのような者《もの》の、しみったれたパーティーに来《き》ていただき、まことにかたじけないッス。
へこへこ
スリッパですが、お足《あし》に合《あ》いますかどうか…。

必要以上《ひつよういじょう》に（ ③ ）のは、かえって失礼《しつれい》に当《あ》たります。

答え ① こき下ろ ② たてつ ③ へりくだ

0938
ひざを乗《の》り出《だ》す
膝を乗り出す

興味《きょうみ》をひかれて、身《み》を乗《の》り出《だ》す。前《まえ》に進《すす》み出《で》る。強《つよ》く関心《かんしん》を示《しめ》す様子《ようす》。

アイドルのニャーコちゃんって、かわいいよね～。
だよね！だよね！
しかも性格《せいかく》もいいし、オシャレだし、歌《うた》もうまいし…。
ナマケモノくん!?

大好《だいす》きなアイドルの話題《わだい》になって、思《おも》わず（ ④ ）した。

0939
かたずをのむ

物事《ものごと》がどうなるかが気《き》がかりで、緊張《きんちょう》している様子《ようす》。「かたず」は、緊張《きんちょう》したときに出《で》るつば。

ゴクリ…
ガンバレニッポン！
スポーツドリンク

国際試合《こくさいじあい》の決勝戦《けっしょうせん》を、（ ⑤ ）んで見守《みまも》った。

0940
口《くち》を割《わ》る

かくしていたことを言《い》う。白状《はくじょう》する。

お前《まえ》がやったんだろ？
はい…私《わたし》が食《た》べました…。

証拠写真《しょうこしゃしん》を見《み》せられ、犯人《はんにん》がついに（ ⑥ ）った。

答え ④ひざを乗り出 ⑤かたずをの ⑥口を割

0941
中傷《ちゅうしょう》
不確《ふたし》かなことを言《い》って、相手《あいて》の名誉《めいよ》を傷《きず》つけること。

あの町工場《まちこうば》は、私《わたし》たちの技術《ぎじゅつ》をぬすんでいます!!
彼《かれ》らの製品《せいひん》はすべて、うちの製品《せいひん》のまねです!
ライバル
言《い》いがかりだ!!

ライバルから身《み》に覚《おぼ》えのないことで、（ ① ）された。

0942
一泡吹《ひとあわふ》かせる
相手《あいて》の不意《ふい》をついておどろかせたり、あわてさせたりする。

やったーっ!! さんざんバカにされたオレたちの工場《こうば》が、オリジナルのロケット部品《ぶひん》を作《つく》ったぞ!!
キィー
くやしい!!

計画《けいかく》をこっそり進《すす》め、ライバル会社《がいしゃ》に（ ② ）ことができた。

0943
尻上《しりあ》がり
あとになるほど、よくなっていくこと。 尻下《しりさ》がり

ウサギ選手《せんしゅ》、どんどんスピードが出《で》てますね。
ワーッ
ええ、でも…。
それ以上《いじょう》にバッターも調子《ちょうし》よくなってるんで、結局《けっきょく》…。
カーン

バッターの調子《ちょうし》は、（ ③ ）によくなっている。

0944

一肌《ひとはだ》ぬぐ

一肌脱ぐ

他人《たにん》のために、本気《ほんき》で力《ちから》を貸《か》す。

うわ〜!! 夏休《なつやす》みの宿題《しゅくだい》、全然《ぜんぜん》やってなかった〜。
8/31
たすけて!!
手伝《てつだ》いに来《き》たよっ!

友人《ゆうじん》が困《こま》っていると聞《き》いて、みんなで（　④　）ことにした。

0945

ざわめく

ざわざわとさわがしくなる。

1年《ねん》ぶりのイヌ男様《おさま》の舞台《ぶたい》よ!
ざわ
ざわ
楽《たの》しみね〜!
私《わたし》なんか、昨日《きのう》眠《ねむ》れなくって!

開演前《かいえんまえ》、観客《かんきゃく》たちの期待《きたい》で会場《かいじょう》は（　⑤　）いていた。

0946

ネゴシエーション

交渉《こうしょう》。調整《ちょうせい》や合意《ごうい》を目的《もくてき》として、相手《あいて》と話《はな》し合《あ》いを行《おこな》うこと。

草食動物《そうしょくどうぶつ》優先《ゆうせん》ということで。
はいはい、ごゆっくり〜。

（　⑥　）の結果《けっか》、こちらの希望《きぼう》を通《とお》すことができた。

答え ④一肌ぬぐ ⑤ざわめ ⑥ネゴシエーション

0947

てこでも動《うご》かない

どうがんばっても、そこから動《うご》かない。考《かんが》えを変《か》えない。

おもちゃ
おもちゃ、買《か》ってえええ!!
ギャーッ

弟《おとうと》は、だだをこねると、どこだろうが（ ① ）。

0948

吟味《ぎんみ》

くわしく調《しら》べて、どれがいいかを見分《みわ》けること。

最高級《さいこうきゅう》のチョークはどれだ?
色《いろ》、ツヤ、形《かたち》…。

数《かず》ある中《なか》から一《ひと》つだけを（ ② ）して選《えら》ぶ。

0949

つかさどる

自分《じぶん》の仕事《しごと》として担当《たんとう》する。指《し》示《じ》したり、コントロールしたりする。

エネルギーを補給《ほきゅう》するぞ!!
おなかすいたー
パク
パク
ぐう

脳《のう》は、心《こころ》や体《からだ》の働《はたら》きを（ ③ ）器官《きかん》だ。

答え ① てこでも動かない ② 吟味 ③ つかさどる

0950

故意《こい》

わざとすること。悪《わる》い意味《いみ》で使《つか》うことが多《おお》い。Ⅱ 意識的《いしきてき》／意図的《いとてき》

ストライク！
バシッ

（④）に球《たま》に当《あ》たるなんて、スポーツマン精神《せいしん》に反《はん》するよ。

0951

三寒四温《さんかんしおん》

冬《ふゆ》から春先《はるさき》にかけて、寒《さむ》い日《ひ》と暖《あたた》かい日《ひ》が一定《いってい》の期間《きかん》、くり返《かえ》されること。

あ〜、よく寝《ね》た!! 春《はる》だ！
あれ？寒《さむ》くなった、まだ冬《ふゆ》か…。
ZZZ

（⑤）で、まだまだ冬《ふゆ》の寒《さむ》さの残《のこ》る季節《きせつ》です。

0952

耳《みみ》をすます

注意《ちゅうい》をして聞《き》く。

ホーホケキョ

（⑥）して、鳥《とり》の美《うつく》しい鳴《な》き声《ごえ》を聞《き》く。

答え ④故意 ⑤三寒四温 ⑥耳をすます

0953 ムーブメント

世《よ》の中《なか》に起《お》こる、政治的《せいじてき》・社会《しゃかい》的《てき》・芸術的《げいじゅつてき》な運動《うんどう》のこと。いきいきとした動《うご》き。

パンダ帽子《ぼうし》をかぶってゴミ拾《ひろ》いをする運動《うんどう》が、各地《かくち》で広《ひろ》がっています。
ゴミ袋
ゴミ袋
ゴミ袋

少人数《しょうにんずう》で始《はじ》めた活動《かつどう》が、大《おお》きな（①）となった。

0954 片手間《かたてま》

仕事《しごと》の合間《あいま》。するべきことの合間《あい》に、ほかのちょっとしたことをすること。

オッケー、全員《ぜんいん》前《まえ》へ上《あ》がれっ！
集中《しゅうちゅう》しろっ！
集中《しゅうちゅう》!!

父《ちち》は、会社《かいしゃ》の仕事《しごと》の（②）に少年《しょうねん》サッカーの指導《しどう》をしている。

0955 一意専心《いちいせんしん》

ほかのことを考《かんが》えず、そのことだけに集中《しゅうちゅう》して、一生懸命《いっしょうけんめい》に取《と》り組《く》むこと。

何《なに》があったのかしら…。この間《あいだ》から急《きゅう》に勉強《べんきょう》し始《はじ》めたわ！
ガリガリ！
キミも○○にならないか！

将来《しょうらい》の夢《ゆめ》が見《み》つかってから、（③）、勉学《べんがく》に打《う》ち込《こ》んだ。

答え ①ムーブメント ②片手間 ③一意専心

言葉《ことば》のワザをみがいて使《つか》いこなそう！

アタック・ザ・言葉《ことば》クイズ 40

①〜③の□に漢字《かんじ》を入《い》れて、それぞれ言葉《ことば》を二《ふた》つずつつくろう。

①

	破《は》	
能《のう》	□	気《き》
	荒《こう》	

(ア)↓ (イ)→

(ア)今《いま》までだれもできなかったようなことをする様子《ようす》。

(イ)のんきで、何《なに》も考《かんが》えていない様子《ようす》。また、そのような人《ひと》。

②

	不《ふ》	
	得《え》	
片《かた》	□	間《ま》

(ア)↓ (イ)→

(ア)得意《とくい》でないこと。好《この》んでしないこと。

(イ)するべきことの合間《あいま》に、ほかのちょっとしたことをすること。

③

	画《かく》	
紙《かみ》	□	重《え》
	的《てき》	

(ア)↓ (イ)→

(ア)どれもが同《おな》じようで、一《ひと》つひとつに個性《こせい》がない様子《ようす》。

(イ)紙《かみ》1枚《まい》の厚《あつ》さほどの、ほんのわずかなちがいのたとえ。

⇒答《こた》えは389ページにあります。

0956

血相《けっそう》を変《か》える

感情《かんじょう》が高《たか》ぶって顔色《かおいろ》が変《か》わる。

ウー
カンカンカンカン
あーーっ!!
クフ
クフ
火事《かじ》になってるの、オレの家《いえ》だ…!!

彼《かれ》は火事《かじ》が起《お》きたと聞《き》いて、（①）て飛《と》び出《だ》して行《い》った。

0957

かぶりをふる

かぶりを振る

頭《あたま》を左右《さゆう》にふって、「いやだ」という気持《き》ちを表《あらわ》す。「かぶり」は頭《あたま》のこと。

早《はや》く冒険《ぼうけん》に出《で》ようぜ。
ブルブル
まだまだ食《た》べたいブー。

口《くち》の中《なか》がいっぱいで、（②）ことしかできなかった。

0958

慣例《かんれい》

これまで行《おこな》われてきているならわし。しきたり。

これって、いつからやっているの？
あーたーらしーい
今《き》日《ょう》がきた
ずっと昔《むかし》からだって。

おどりながら校歌《こうか》を歌《うた》うのが、古《ふる》くからの（③）だ。

0959
手《て》なずける
かわいがってなつかせる。思《おも》いどおりになるように、味方《みかた》に引《ひ》き入《い》れる。

0960
手並《てな》み
その人《ひと》の腕前《うでまえ》。技術《ぎじゅつ》や能力《のうりょく》。

0961
手間取《てまど》る
思《おも》ったより面倒《めんどう》で時間《じかん》がかかる。

ガルルルル
モンスターの好《す》きなものって、何《なに》？
ガシャ
モンスター
かいかた
そんなことも知《し》らないの？
ガルルルル
じゃあ、きみがやってみてよ。
ドヤァ…
ガルルル
ガウー
ほら、お肉《にく》好《す》きだろ？
あ…じゃあ、このおイモは？

モンスターを（ ④ ）方法《ほうほう》を教《おし》えてください。

そこまで言《い》うなら、あなたのお（ ⑤ ）を拝見《はいけん》しましょう。

早《はや》くにげたかったが、準備《じゅんび》に（ ⑥ ）ってしまった。

答え ④手なずける ⑤手並み ⑥手間取

0962

急《せ》いては事《こと》を仕損《しそん》じる

あせって事《こと》を急《いそ》ぐと、しなくてもよい失敗《しっぱい》をしやすいという意《い》味《み》のことわざ。

これ、混《ま》ぜて大丈夫《だいじょうぶ》か?
とにかくやってみようぜ!
理科室《りかしつ》
ボム

実行《じっこう》する前《まえ》によく考《かんが》えよう。(①)というからね。

0963

きびすを返《かえ》す

引《ひ》き返《かえ》す。あともどりする。「きびす」は足《あし》のかかと。

あっ、ランドセル忘《わす》れた!
ぎょぎょっ
ぐる

用事《ようじ》を思《おも》い出《だ》し、(②)して家《いえ》にかけもどる。

0964

けた外《はず》れ

桁外れ

あまりに差《さ》があり過《す》ぎて、比《くら》べものにならないこと。

新作《しんさく》のゲーム、お店《みせ》ごとください。
あっ 支払《しはら》いはカードで
!?
NEW
ゲームショップ
!!

大金持《おおがねも》ちの彼《かれ》の買《か》い物《もの》は、金額《きんがく》も量《りょう》も(③)だ。

答え ①急いては事を仕損じる ②きびすを返す ③けた外れ

0965

はかばかしい

順調《じゅんちょう》に物事《ものごと》が進《すす》んでいる様子《ようす》。「はかばかしくない」の形《かたち》で使《つか》うことが多《おお》い。

あーっ!!
私《わたし》には、4回転《かいてん》ジャンプは無理《むり》なの!?
ああ、オリンピックが…。
まず、この練習量《れんしゅうりょう》じゃあね。
1週間《しゅうかん》に1日《にち》…。
特訓《とっくん》カレンダー

特訓《とっくん》しているが、成果《せいか》は（ ④ ）くない。

0966

バトル

戦《たたか》い。戦闘《せんとう》。

ぼくが生徒会長《せいとかいちょう》になったら、おかしの持《も》ち込《こ》みを許可《きょか》します!!
じゃあっ
ボクは週休《しゅうきゅう》3日《みっか》にします!!
どっちも、だめだっつーの。

会長選挙《かいちょうせんきょ》では、いつも激《はげ》しい（ ⑤ ）がくり広《ひろ》げられる。

0967

顕著《けんちょ》

はっきりと表《あらわ》れていて、明《あき》らかなこと。目立《めだ》っていること。

不思議《ふしぎ》だ! なんで英語《えいご》だけ苦手《にがて》なの?
日本語《にほんご》とタイ語《ご》とドイツ語《ご》、イタリア語《ご》はできるんですが…。
国語《こくご》
英語《えいご》
算数《さんすう》
理科《りか》
社会《しゃかい》

勉強《べんきょう》の得手《えて》、不得手《ふえて》が（ ⑥ ）に成績《せいせき》に表《あらわ》れている。

答え ④はかばかし ⑤バトル ⑥顕著

0968

軽視《けいし》

物事《ものごと》を重要《じゅうよう》なことだと考《かんが》えないで、軽《かる》くあつかうこと。⇔重視《じゅうし》

パパ、天気予報《てんきよほう》で雨《あめ》が降《ふ》るって言《い》ってたよ!
へえ…行《い》ってきまーす。
バタバタ
あっちに黒《くろ》い雲《くも》が…。
ザザーッ
しまった!!

子《こ》どもの言《い》うことだからと、（ ① ）したのがまちがいだ。

0969

イベント

人《ひと》が集《あつ》まる会合《かいごう》などのこと。行事《ぎょうじ》やもよおし物《もの》。重要《じゅうよう》な出来事《できごと》。

みんな、さっきの展覧会《てんらんかい》帰《がえ》りだな。
スペース博《はく》
展示《てんじ》されてた宇宙船《うちゅうせん》で帰《かえ》りたいよ。

大《おお》きな（ ② ）には、たくさんの人《ひと》が集《あつ》まる。

0970

さん然《ぜん》

きらきらと光《ひか》りかがやく様子《ようす》。

魔法使《まほうつか》いのおばあさん、ありがとう!
シンデレラうれしい!!

（ ③ ）とかがやくドレスは、まるでお姫様《ひめさま》のようだ。

答え ①軽視 ②イベント ③さん然

0971

火《か》中《ちゅう》の栗《くり》を拾《ひろ》う

他人《たにん》の利益《りえき》のために、無理《むり》をして危険《きけん》をおかすことのたとえ。

ヒィ〜〜！
ドキドキ

無理《むり》してたのみを引《ひ》き受《う》けるなんて、（ ④ ）ようなものだ。

0972

互《ご》角《かく》

お互《たが》いに力《ちから》の差《さ》がなく、勝《か》ち負《ま》けがつきにくいこと。＝五分五分《ごぶごぶ》／五分《ごぶ》

ぬううう〜〜っ
なっ、なぜだ！

力《ちから》の強《つよ》さは（ ⑤ ）だ。腕相撲《うでずもう》で決着《けっちゃく》をつけよう。

0973

魔《ま》が差《さ》す

ふと悪《わる》い考《かんが》えが思《おも》いうかんだり、それを実行《じっこう》したりする。

…………。
チラッ
……おいしそう。

もうしません。ちょっと（ ⑥ ）しただけです。

答え ④火中の栗を拾う ⑤互角 ⑥魔が差

0974

際立《きわだ》つ

ほかのものとちがいがはっきりしていて、とても目立《めだ》つ。

ニャー！
同情《どうじょう》しないで、魚《さかな》おくれ！
うまい！
さすが天才子役《てんさいこやく》だな。

実力派俳優《じつりょくははいゆう》の彼女《かのじょ》の演技《えんぎ》は、子役時代《こやくじだい》から（　①　）っていた。

0975

マイノリティー

少数派《しょうすうは》。または、社会的《しゃかいてき》に弱《よわ》い立場《たちば》におかれている集団《しゅうだん》。⇔マジョリティー

ニンジンって、けっこうおいしいね。
でしょ？

草食動物《そうしょくどうぶつ》の中《なか》にいたら、肉食動物《にくしょくどうぶつ》は（　②　）だ。

0976

マジョリティー

多数派《たすうは》。または、強《つよ》い発言力《はつげんりょく》をもち、優位《ゆうい》な立場《たちば》にある集団《しゅうだん》。⇔マイノリティー

やっぱりメシは、シマウマに限《かぎ》るよな～。
だよな～
ニンジンもおいしいのに…。

（　③　）の主張《しゅちょう》が、すべての人《ひと》に当《あ》てはまるわけではない。

答え　①際立　②マイノリティー　③マジョリティー

0977 のべつ幕《まく》なし

ひっきりなしに続《つづ》くさま。「のべつ」は、ひっきりなしにという意味《いみ》。

えい！
やあ！

小《ちい》さなヒーローは、大《おお》きな敵《てき》を相手《あいて》に（ ④ ）に戦《たたか》い続《つづ》けた。

0978 気《き》がかり

心配《しんぱい》で、ずっと気《き》になる様子《ようす》。

コヤギちゃんは大丈夫《だいじょうぶ》かしら…。
オオカミにおそわれていないかしら…？

一人《ひとり》で留守番《るすばん》している子《こ》どものことが（ ⑤ ）だ。

0979 必《かなら》ずしも

絶対《ぜったい》にそうなるというわけではない。「必《かなら》ずしも〜ない」の形《かたち》で使《つか》われることが多《おお》い。

ドカッ
なんでやねん！
なんでやねん!!
なんだか危《あぶ》ないツッコミだな…。

努力《どりょく》をした者《もの》が、（ ⑥ ）成功《せいこう》するわけではない。

答え ④のべつ幕なし ⑤気がかり ⑥必ずしも

0980

習《なら》うより慣《な》れろ

物事《ものごと》は人《ひと》に教《おし》えられるよりも、自分《じぶん》で練習《れんしゅう》するほうが身《み》につきやすい。

この足《あし》の角度《かくど》は何度《なんど》ですか？手《て》の動《うご》きはどうですか？
スイ〜ッ
体《からだ》を動《うご》かしたほうが早《はや》く上達《じょうたつ》するよ〜！

スケートの上達《じょうたつ》は（　①　）だよ。とにかくたくさんすべること。

0981

かまける

ほかのことを忘《わす》れるほど、一《ひと》つのことに気《き》をとられる。

ズル
あっ!! 宿題《しゅくだい》やるの忘《わす》れてたっ!!
今《いま》、思《おも》い出《だ》しちゃったの!?

遊《あそ》びに（　②　）て、時間《じかん》がたつのもすっかり忘《わす》れていた。

0982

気色《けしき》ばむ

むっとして表情《ひょうじょう》を変《か》える。

あれっ!? ちょっと太《ふと》った？
ムッ

腹《はら》の立《た》つひと言《こと》に、母《はは》は（　③　）んだ。

答え ① 習うより慣れろ ② かまけ ③ 気色ば

言葉《ことば》のワザをみがいて使《つか》いこなそう！

アタック・ザ・言葉《ことば》クイズ 41

○○には、それぞれ同《おな》じ文字《もじ》が入《はい》るよ。ひらがなで答《こた》えよう。

①
この公園《こうえん》では、ガキ大将《だいしょう》がの○○っている。○○を読《よ》んで、実際《じっさい》の身長《しんちょう》よりも高《たか》く言《い》う。

②
相手《あいて》を見《み》○○っていたら、負《ま》かされてしまった。彼《かれ》は猛特訓《もうとっくん》したことなど、お○○にも出《だ》さなかった。

③
遊《あそ》びにか○○て、約束《やくそく》を忘《わす》れてしまった。「○○るが勝《か》ち」と言《い》うから、ここはがまんしよう。

⇒答《こた》えは 389 ページにあります。

0983

手《て》がかかる

手間《てま》がかかる。世話《せわ》が焼《や》ける。

うちの子《こ》はやんちゃで、とても（①）。

0984

つぶら

丸《まる》くて、かわいらしい様子《ようす》。

赤《あか》ちゃんの（②）なひとみが、じっと私《わたし》を見《み》つめている。

0985

つたない 拙い

上手《じょうず》でない。下手《へた》。

たとえ（③）手紙《てがみ》でも、ママにとっては一生《いっしょう》の宝物《たからもの》よ。

答え ①手がかかる ②つぶら ③つたない

0986

いたちごっこ

お互《たが》いに同《おな》じようなことをいつまでもくり返《かえ》していて、きりがないこと。

うめてるそばからコノヤロ…
イシシシッ
ザッ

うめてもうめても穴《あな》が空《あ》く。（ ④ ）は、まだまだ続《つづ》く。

0987

気《き》をはく

気を吐く

張《は》り切《き》って、やる気《き》を見《み》せる。

まだまだっ!! 若《わか》いもんには負《ま》けられん！
もう勘弁《かんべん》して…。
おー

「負《ま》けられない戦《たたか》いがある！」とキャプテンは（ ⑤ ）いた。

0988

たががゆるむ

たがが緩む

きちんとしていた態度《たいど》や考《かんが》え方《かた》がにぶってくる。「たが」は、おけやたるの外側《そとがわ》をしめる輪《わ》のこと。

オレこそが海賊王《かいぞくおう》だ！
オレに勝《か》てるやつはいない!!
ビシッ
ラスト1本《ぽん》で、ドカンだ！
これで宝《たから》はオレのもの。
バシッ

年老《としお》いて（ ⑥ ）んだ船長《せんちょう》なんて、このひとつきでイチコロだ。

答え ④いたちごっこ ⑤気をは ⑥たががゆる

0989

カルチャー

文化《ぶんか》。教養《きょうよう》。

STARW
カンバンもデカッ!!
それフツウ
アメリカ
ヒト、デカッ!
ビル、デカッ!
パン、デカッ!

初《はじ》めての海外旅行《かいがいりょこう》で、（ ① ）ショックを受《う》ける。

0990

機《き》が熟《じゅく》す

それをするのに、ちょうどよい時期《じき》になる。

おかしの家《いえ》をどんどんお食《た》べ、太《ふと》るまでお食《た》べ!今《いま》はまだ、やせすぎだからねぇ…。
ヘンゼル兄《にい》ちゃん、これって私《わたし》たちのことを食《た》べる気《き》じゃない?
イヒヒ

その計画《けいかく》は、（ ② ）まで待《ま》ったほうがいいだろう。

0991

からくも

辛くも

やっとのことで。

オォ〜
何《なに》くそ、そりゃ〜っ!
アレェ〜
ビュウウ

大勢《おおぜい》の敵《てき》に囲《かこ》まれたが、（ ③ ）にげ出《だ》すことができた。

0992

つつましい

遠慮深《えんりょぶか》くひかえめなさま。ぜいたくでなく、質素《しっそ》な様子《ようす》。

社長《しゃちょう》!! お昼《ひる》ご飯《はん》、それだけですか!?
そうだよ。

ぜいたくをせず、（④）暮《く》らしを心《こころ》がける。

0993

のるか反《そ》るか

成功《せいこう》するか失敗《しっぱい》するか、わからないのでとにかくやってみる。

男《おとこ》、タヌ吉《きち》!! ここは勝負《しょうぶ》のとき!!

（⑤）、ここは思《おも》い切《き》って勝負《しょうぶ》に出《で》よう。

0994

口《くち》さがない

他人《たにん》のことを無責任《むせきにん》にうわさするさま。口《くち》うるさい。

えー、じゃあ、はだかんぼ？
赤《あか》ちゃんじゃなくて？
あら、私《わたし》は野獣《やじゅう》だって聞《き》いたわよ。
ひどい…。

本人《ほんにん》がいないと思《おも》って、（⑥）人《ひと》たちがうわさ話《ばなし》を続《つづ》けている。

答え ④つつましい ⑤のるか反るか ⑥口さがない

0995
ステレオタイプ
物事《ものごと》の考《かんが》え方《かた》や態度《たいど》が型《かた》にはまっていること。

ワイ ワイ
○×学園《がくえん》
フン！

ぼくは、（ ① ）なファッションでは、つまらないと思《おも》う。

0996
スタイル
体型《たいけい》。服《ふく》や髪型《かみがた》などの格好《かっこう》。建築《けんちく》・美術《びじゅつ》などの様式《ようしき》。

これがオレの
生《い》きる道《みち》。
※大学生《だいがくせい》

彼《かれ》は流行《りゅうこう》に左右《さゆう》されない、自分《じぶん》の（ ② ）をもっている。

0997
懸念《けねん》
気《き》になっている不安《ふあん》なことや心配事《しんぱいごと》。

王様《おうさま》、どうしちゃったんですかねえ？
はだかで歩《ある》いて…。

最近《さいきん》、王様《おうさま》の不可解《ふかかい》な行動《こうどう》が（ ③ ）されている。

答え ①ステレオタイプ ②スタイル ③懸念

0998

理路整然《りろせいぜん》

話《はなし》や議論《ぎろん》などの筋道《すじみち》がきちんと整《ととの》っている様子《ようす》。

ぼくが泣《な》く理由《りゆう》は3つあって、①オムツ②ミルク③ねむい今《いま》は③かな。だっこしてもらっていい？
……!!

（　④　）とした話《はな》しぶりで、内容《ないよう》が非常《ひじょう》にわかりやすい。

0999

拍車《はくしゃ》をかける

物事《ものごと》の進行《しんこう》をより早《はや》める。「拍車《はくしゃ》」は、馬《うま》を速《はや》く走《はし》らせるためのくつの金具《かなぐ》。

急《いそ》げ――!!
郵便《ゆうびん》
ブヒヒーン！
ビシッ
ビシッ

期日《きじつ》に間《ま》に合《あ》わせるように、仕事《しごと》に（　⑤　）。

1000

先《さき》んずれば人《ひと》を制《せい》す

人《ひと》より先《さき》に物事《ものごと》を行《おこな》えば、より有利《ゆうり》に進《すす》めることができる。

新《あたら》しいこと、大事《だいじ》!!
ジョプス！
すげー!!

（　⑥　）というからね、何《なん》でもいちばんに取《と》り組《く》むことだよ。

答え　④理路整然　⑤拍車をかける　⑥先んずれば人を制す

アタック・ザ・言葉《ことば》クイズ 42

正《ただ》しいものを選《えら》んで、○をつけよう。

①相手《あいて》が気分《きぶん》を悪《わる》くするという意味《いみ》なのは？

ア 色《いろ》めき立《た》つ

イ 角《かど》が立《た》つ

ウ 青筋《あおすじ》を立《た》てる

②ひかえめで遠慮深《えんりょぶか》いのは？

ア 痛《いた》ましい

イ おこがましい

ウ しおらしい

③心配事《しんぱいごと》やなやみ事《ごと》がないのは？

ア 気《き》が気《き》でない

イ 心許《こころもと》ない

ウ くったくがない

④思《おも》っていたよりすぐれていて、あなどれないのは？

ア すみに置《お》けない

イ 風上《かざかみ》に置《お》けない

ウ 気《き》が置《お》けない

⇒答《こた》えは389ページにあります。

⑤慣用句《かんようく》「一杯食《いっぱいく》わす」の意味《いみ》は?

ア　ごちそうする

イ　だます

ウ　おどかす

⑥「おもむろに立《た》ち上《あ》がった」の「おもむろに」の意味《いみ》は?

ア　ゆっくりと

イ　いきなり

ウ　重々《おもおも》しく

⑦しょんぼりしているのは?

ア　ほくほく

イ　すごすご

ウ　いそいそ

⑧あまり厳《きび》しくしからず、寛大《かんだい》な心《こころ》であつかうのは?

ア　大《おお》きい顔《かお》をする

イ　大口《おおぐち》をたたく

ウ　大目《おおめ》にみる

言葉《ことば》クイズの答《こた》え

35 ①口《くち》 ②目《め》 ③歯《は》

36 ①ウ ②ウ

37 ①やり ②枕《まくら》 ③腰《こし》 ④物《もの》

38 ①鬼（心《こころ》を鬼《おに》にする・疑心暗鬼《ぎしんあんき》・鬼《おに》の目《め》にも涙《なみだ》） ②花（言《い》わぬが花《はな》・花《はな》をもたせる・花鳥風月《かちょうふうげつ》） ③神（神出鬼没《しんしゅつきぼつ》・苦《くる》しいときの神頼《かみだの》み・捨《す》てる神《かみ》あれば拾《ひろ》う神《かみ》あり）

39 ①割《わ》り切《き》る ②しめくくる ③明《あ》けわたす ④買《か》いかぶる ⑤取《と》り乱《みだ》す

40 ①天（破天荒《はてんこう》・能天気《のうてんき》） ②手（不得手《ふえて》・片手間《かたてま》） ③一（画一的《かくいってき》・紙一重《かみひとえ》）

41 ①さば ②くび ③まけ

42 ①イ ②ウ ③ウ ④ア ⑤イ ⑥ア ⑦イ ⑧ウ

言葉《ことば》のワザをみがいて使《つか》いこなそう！

アタック・ザ・言葉《ことば》クイズ 43

タテのカギ

①ごつごつして、やわらかな感《かん》じがしない様子《ようす》。「顔《かお》は○○○が、心《こころ》はやさしい」

②少《すこ》しの隙間《すきま》もないほど、監視《かんし》が厳《きび》しい様子《ようす》のたとえ。「ありのはい出《で》る○○○○○」

③元気《げんき》がなくならないように保《たも》つ。「英気《えいき》を○○○○」

④何《なん》の計画《けいかく》もなく、その場任《ばまか》せにすること。「○○○○ばったり」

⑤目上《めうえ》の人《ひと》などを激《はげ》しくおこらせる。「○○○○に触《ふ》れる」

⑥二《ふた》つのものの間《あいだ》にはさまれてなやむこと。「○○ばさみ」

⑦頭《あたま》を左右《さゆう》にふって、「いやだ」という気持《きも》ちを表《あらわ》す。「息子《むすこ》は、用事《ようじ》をたのむと即座《さくざ》に○○○○○」

⑧実力《じつりょく》がないのに強《つよ》がること。「○○いばり」

⑨思《おも》っていたよりすぐれていて、あなどれない。「すみに○○○○」

⑩きちんとしていた態度《たいど》や考《かんが》え方《かた》がにぶってくる。「監督《かんとく》がいなくなって、選手《せんしゅ》たちのたがが○○○」

⑪ひたすら。ひたむき。「彼《かれ》は○○○に彼女《かのじょ》を愛《あい》し続《つづ》けた」

⑫だいたいの見当《けんとう》や目当《めあ》てをつける。「○○○をつける」

⑬ちょうどよい時期《じき》になる。「機《き》が○◦○○」

⑭じまんげな顔《かお》。得意顔《とくいがお》。「彼《かれ》は○○○顔《がお》で答《こた》えた」

⑮最高《さいこう》の時期《じき》や、危険《きけん》な状態《じょうたい》を過《す》ぎて、勢《いきお》いがおとろえ始《はじ》める。「○○○をこす」

⑯衣服《いふく》の乱《みだ》れを整《ととの》える。気持《きも》ちを引《ひ》きしめて、人《ひと》や物《もの》に接《せっ》する。「○○を正《ただ》す」

ヨコのカギ

①かぞえ上《あ》げると、きりがない。「枚挙《まいきょ》に○○○○○」

②体《からだ》も心《こころ》も元気《げんき》で丈夫《じょうぶ》な様子《ようす》。「○○○に育《そだ》つ」

⑤相手《あいて》にすべての判断《はんだん》などを任《まか》せる。「○○を預《あず》ける」

⑦物事《ものごと》がどうなるかが気《き》がかりで、緊張《きんちょう》している様子《ようす》。「○○○をのむ」

⑩その物事《ものごと》の始《はじ》まりや歴史《れきし》のこと。いわれ。「富士山《ふじさん》の名前《なまえ》の○○を調《しら》べる」

⑫心《こころ》に深《ふか》く刻《きざ》み込《こ》んで、忘《わす》れないようにする。「肝《きも》に○○○○」

⑮長所《ちょうしょ》。特《とく》にすぐれているところ。「彼《かれ》は、体《からだ》が丈夫《じょうぶ》なだけが○○だ」

⑰はっきりわかるようになること。明《あき》らかになること。「○○○○になる」

⑱あきれたり、おどろいたりして返《かえ》す言葉《ことば》がない。「二《に》の句《く》が○○○○」

⑲社会《しゃかい》や仲間《なかま》の中《なか》での、お金《かね》や権力《けんりょく》などの程度《ていど》。「○○○がいい」

⑳自分《じぶん》で自分《じぶん》の身《み》をほろぼす。「自分《じぶん》のしかけたワナにはまるなんて。○○○○○とはこのことだ」

㉑気分《きぶん》が悪《わる》くなるほど、いやでいやで仕方《しかた》がなくなる。「○○○が走《はし》る」

㉒食《た》べたくなる。あるものがほしいという気持《きも》ちになったり、興味《きょうみ》をもったりする。「○◦○○が動《うご》く」

ヒントに合《あ》う言葉《ことば》をひらがなでマスに入《い》れよう！

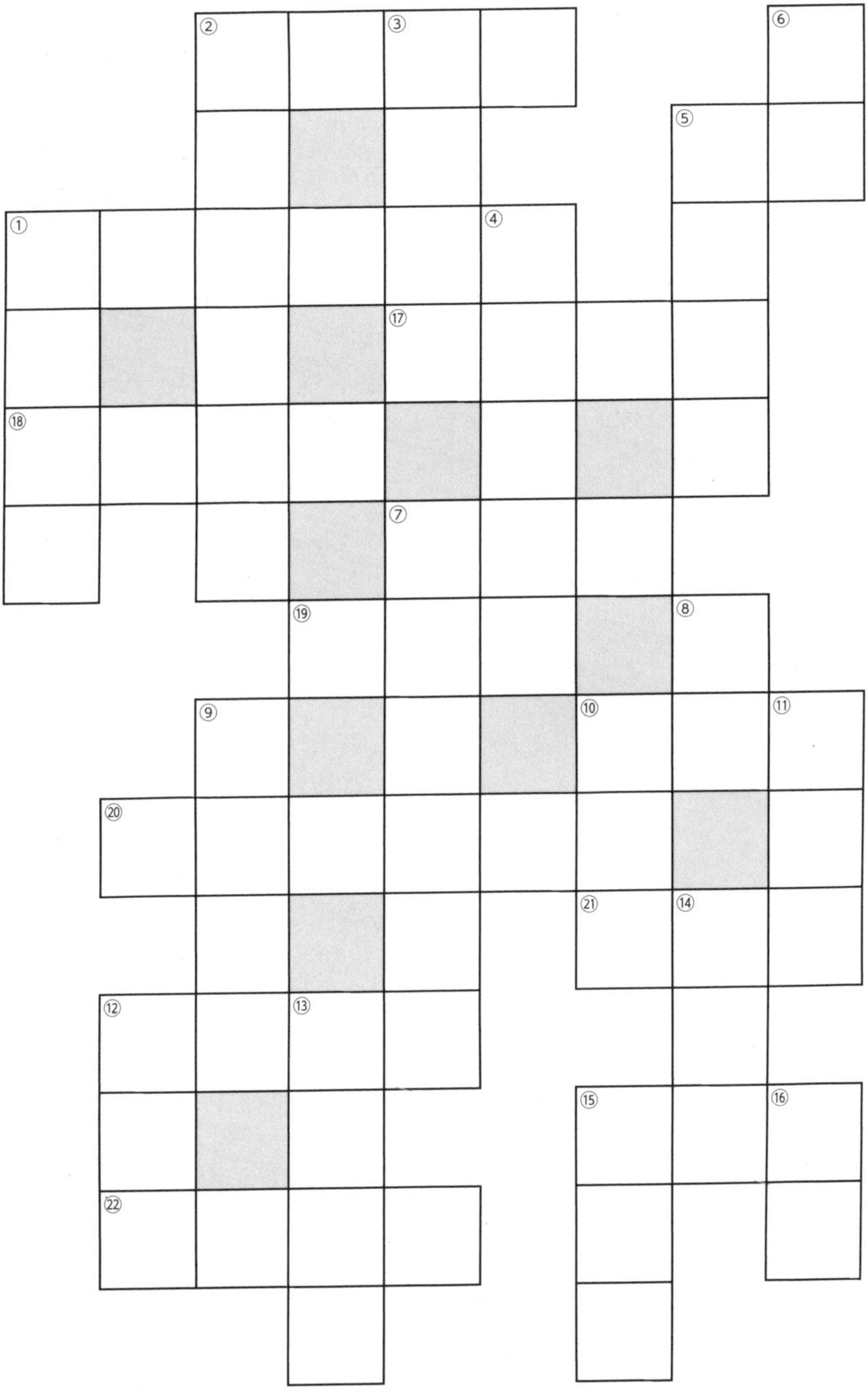

⇒答《こた》えは 399 ページにあります。

さくいん

総さくいん……392
故事成語……397
四字熟語……397
カタカナの言葉……396
ことわざ……397
慣用句……398

総さくいん

あ

あーかいぶ……361
あいそわらい……216
あいたいする……222
あいたくちがふさがらない……53
あいまい……143
あおいきといき……248
あおぐ……154
あおすじをたてる……257
あおなにしお……253
あおむけ……162
あかぬける……166
あからさま……180
あかるみにでる……158
あくじゅんかん……222
あくせす……221
あくせんくとう……226
あけわたす……169
あごをだす……240
あざける……189
あさはか……240
あさましい……232
あしかけ……177
あしがすくむ……212
あしがちにつかない……70
あしがつく……194
あしがでる……187
あじけない……114
あしでまとい……107
あしどり……126
あしもとにもおよばない……152
あしをすくう……126
あすりーと……144
あせみずたらす……71
あたまうち……96
あたまかくしてしりかくさず……53
あたまがさがる……278
あたまごなし……86
あっとうてき……105
あてこすり……86
あとあじ……126
あとかたもない……134
あとずさり……138
あばく……168
あぴーる……144
あぶれる……195
あますところなく……224
あまだれいしをうがつ……159
あまんじる……133
あみのめをくぐる……42
あやかる……133
あらいざらい……133
あらかた……88
あらさがし……79
あらすじ……64
ありうる……190
ありがためいわく……190
ありきたり……12
ありさま……20
ありのあながらつつみもくずれる……256
ありのはいでるすきまもない……42
あれんじ……135
あわい……30
あわてふためく……128
あんい……120
あんじ……110
あんたい……102
あんちゅうもさく……208
あんちょく……92
あんど……213
あんふぇあ……259
あんもく……84

い

いいがかり……74
いいそこなう……66
いいなり……56
いいのがれ……48
いいぶん……38
いかつい……19
いがみあう……28
いきあたりばったり……37
いきがあう……46
いきがはずむ……134
いきしょうちん……232
いきどおり……125
いきぬき……112
いきのねをとめる……66
いきをこらす……107
いきをふきかえす……58
いくた……97
いこう……89
いさいをはなつ……59
いさかい……116
いさみあし……54
いしゃのふようじょう……242
いしゅく……230
いじらしい……35
いそいそ……262
いそしむ……121
いたいけ……103
いたいたしい……40
いたくもかゆくもない……27
いたしかゆし……150
いたちごっこ……383
いたばさみ……99
いたましい……198
いたれりつくせり……44
いたわる……85
いちいせんしん……370
いちかばちか……26
いちじてき……76
いちず……31
いちなんさってまたいちなん……340
いちぼうせんり……319
いちまつ……49
いちもうだじん……238
いちもくさんに……20
いちりある……64
いっかくせんきん……250
いっきいちゆう……76
いっきょりょうとく……226
いつくしむ……13
いっけん……103
いっこう……121
いっしょうにふす……132
いっしをむくいる……68
いっすんさきはやみ……172
いっせんをかくす……16
いってんばり……27
いっぱいくわす……64
いっぺん……103
いっぽうてき……68
いてもたってもいられない……31
いとま……140
いとをひく……254
いなおる……121
いにかいする……74
いにしあてぃぶ……290
いのべーしょん……231
いのまま……87
いばらのみち……223
いびつ……87
いひょうをつく……92
いべんと……376
いまいましい……49
いましめる……49
いみしんちょう……182
いやがうえにも……68
いやす……45
いよう……110
いれい……38
いろめがねでみる……12
いろめきたつ……206
いろをうしなう……203
いわぬがはな……160
いんがおうほう……69
いんすたんと……193
いんぼう……212
いんよう……30

う

うかつ……38
うかれる……56
うきぼり……79
うごうのしゅう……260
うごのたけのこ……94
うさんくさい……66
うそぶく……74
うそもほうべん……264
うってつけ……84
うっぷん……92
うでがなる……33
うでずく……97
うでによりをかける……151
うてばひびく……70
うでをみがく……187
うとい……102
うとましい……113
うながす……123
うなだれる……128
うむをいわせず……90
うめく……15
うやむや……28
うようよ……213
うらづけ……107
うらをかく……272
うりのつるになすびはならぬ……84
うろおぼえ……32
うわさをすればかげがさす……104

え

えいきゅうふへん……51
えいきをやしなう……45
えいこせいすい……94
えいだん……54
えきすぱーと……248
えたいがしれない……24
えびでたいをつる……34
えりごのみ……134
えりをただす……196

お

おいおい……125

おいたち……135
おうこう……289
おうじ……123
おうじる……166
おうせい……122
おうへい……197
おうよう……152
おおきいかおをする……71
おおぐちをたたく……243
おおっぴら……52
おおぶろしきをひろげる……97
おおまか……100
おおめにみる……127
おかおめしい……72
おかがみ……80
おかどちがい……104
おかぶをうばう……40
おかべはちもく……95
おかめにみる……79
おぎなう……16
おくばにものがはさまる……244
おくびにもだざさない……118
おくめんもなく……62
おくゆかしい……122
おけるる……34
おこたる……26
おこがましい……108
おごる……18
おけづく……89
おしっけがましい……115
おしつけるもしない……41
おしもんどう……50
おそれをなす……60
おぜんだて……44
おちゃのこさいさい……35

おっくう……217
おとしいれる……160
おにのいぬまのせんたく……160
おにのめにもなみだ……257
おにひれをつける……208
おふいしゃる……229
（下略）192
235
321
333
185
145
156
203
174
153

かすむ……324
かぜあたり……197
かたい……151
かたいれ……117
かたえのほか……186
かたずをのむ……153
かたたでかぜをきる……157
かたてま……149
かたとし……82
かたにがおる……179
かたのにがおり……246
かたはらいたい……142
かたぼうをかつぐ……204
かたぼうをならべる……199
かたみをひろう……211
かちょうふうげつ……258
かってかぶとのおをしめよ……230
かてんがいく……258
かどがたつ……
かならずしも……
かば……
かぶにうきふる……
かべにつきあたる……
かまける……
かみひとえ……
かみぐあうと……
かゆいころにてがとどく……
からいばり……
からくも……
からすのぎょうずい……
からにもない……
がらりとかわる……
かりきゅう……
かるがるしい……
かれきやまのにぎわい……
かわいにはたびをさせよ……
（次略）

318 334 303 315 164 144 384 343 300 275 346 384 336 257 211 286 380 2 372 148 379 305 296 148 352 377 289 89 313 370 331 365 325 294 247 230

かんしょう……355
かんしょうてき……344
かんだい……150
かんだい・……239
かんはつをいれず……171
かんぺき……171
かんべんいう……179
がんりょう……298
かんむりょう……235
かんれい……33
かんろく……374
き……77
きーわーど……109
きいろいこえ……23
きおくれ……247
きかいてき……109
きがかり……98
きがきてない……50
きがじゅくす……259
きがひける……301
ぎくしゃく……289
きしんなかばうたれまい……384
きぞう……344
ぎちょうめん……379
きつねにつままれる……326
きどうにのる……322
きなくさい……185
きにかける……276
きはん……372
きびすをかえす……316
きびん……341
きまりがわるい……289
きめいめいじる……352
きもをひやす……358
きゃくじょう……296

きゃしゃ……
きやすい……
きゃっきょう……
ぎゅうぎゅう……
ぎゅういんばしょく……

355 344 150 239 171 171 179 298 235 33 374 77 109 23 247 109 98 50 259 301 289 384 344 379 326 322 185 276 372 316 341 289 352 358 296

くらいまっくす……36
くりえいたー……184
くるしいときのかみだのみ……329
ぐれーど……258
くんはあやうきにちかよらず……122

ぐうのねもでない……241
くすねる……241
ぐち……184
くちがかるい……250
くちがすべる……167
くちがるをずける……365
くちごもる……337
くちさがない……359
くったくがない……323
くちびる……385
くちをはさむ……301
くちをさわす……214
くちをわる……365
くびがとぶ……337
くびになる……374
くびをかけよげる……380
くびをひねる……348
くぼわる……149
くぼんめ……308
くようる……348
ぐんばいをあげる……19

くらいあんと……329

こい……130
こうい……376

けいき……328
けいせつのこう……158
けいそつ……76
けいはく……159
けーす……116
けーむ……36
ぐれーど……85
くんは……

（けの段）
けしかける……
けしきばむ……
げしゅにんにふれる……
げきりん……
けきされる……
けじめ……
けたいたい……
けちらす……
けつばく……
けっこうをかえる……
けっそうをかえる……
けっとばす……
けっぺき……
けなす……
けなげ……
けねん……
けんまくに……
けんえんのなか……
けんちょ……

348 356 204 302 283 338 361 369 375 131 386 351 177 267 372 347 20 85 308 348 19 329 130 376 328 158 159 116 36 85

こい……
こいく……
こうい……
こういん……
こういんやのごとし……
こうこう……
こうこつ……
こうし……

348 356 204 302 283 338 361 369 375 131 386 351 177 267 372 347 20 85 308 348 19

393

ごうにいってはごうにしたがえ……242
ごうめいせいだい……307
ごうをにやす……274
こえる……296
こーでぃねーと……294
ごかく……377
こきおろす……364
こきつかう……123
こけつにいらずんばこじをえず……325
こころみ……115
こころもとない……105
こころをおににする……48
こころをゆるす……274
こざいく……95
こしつ……87
こしをすえる……200
こしをぬかす……141
こちょう……78
こっけい……69
こっし……60
ことなきをえる……52
ことばをにごす……42
こねくしょん……19
こばむ……32
ごぼうぬき……24
こみみにはさむ……33
これくしょん……202
これみよがし……15
ころあい……13
ころばぬさきのつえ……217
ころんぶすのたまご……18
こんくらべ……17
こんすたんと……276
こんたん……236
こんでぃしょん……91
こんてんぽらりー……359
こんりんざい……249

さ
さいしょくけんび……175
さいだいもらさず……234
さかうらみ……221
さかのぼる……188
さきがけ……205
さきんずればひとをせいす……387
さくせす……99
さぐりをいれる……249
さげすむ……200
ささやか……193
さしがね……215
さしさわり……225
さずける……225
さすらう……210
さだめる……153
さばをよむ……51
さびれる……141
さほど……320
さまたげる……308
さまになる……131
さめざめ……228
さもなければ……336
さらけだす……330
さらす……287
さるもきからおちる……270
さるものはおわず……139
ざわめく……367
さんかんしおん……369
ざんげ……279
さんさん……176
さんさんごご……269
ざんしん……312
さんぜん……376
さんどめのしょうじき……224
さんぷる……108

し
しーくれっと……120
しいたげる……349
しうち……362
しおらしい……305
しかめる……332
しきいがたかい……261
しきん……311
じごくでほとけにあう……340
じごくみみ……269
しさ……284
ししょう……350
したう……321
したしきなかにもれいぎあり……181
したりがお……337
しちてんばっとう……275
しったかぶり……337
しっぽをだす……355
しっぽをつかむ……264
じでいく……288
しなりお……139
しにあ……198
しにかる……354
じばらをきる……149
しびれをきらす……23
しふと……261
しめくくる……357
しゃちほこばる……162
じゅうおうむじん……96
しゅうしふをうつ……27
しゅうしゅう……322
じゅうねんいちじつ……16
しゅこう……358
しゅしゃせんたく……343
じゅにあ……320
しょうねんば……48
しょうまっせつ……332
しょくしがうごく……342
じょちょう……163
しりあがり……366
しりがおもい……114
じりじり……225
しりぞく……322
しりぬぐい……272
しりめ……304
しりめつれつ……124
しんか……342
しんがい……140
しんきんかん……157
しんしゅつきぼつ……46
しんしょうぼうだい……178
しんしん……176

す
すいこう……81
すいじゃく……252
すえる……236
すきゃんだる……113
すくーぷ……113
すごすご……199
すごむ……220
すこやか……184
すじがねいり……192
すじょう……206
すたいる……386
すてみ……164
すてるかみあればひろうかみあり……297
すてれおたいぷ……386
すねをかじる……283
ずぶとい……260
すまーと……176
すみにおけない……239
すむーず……148
すんぶん……242

せ
せいがでる……130
せいこううどく……100
せいてはことをしそんじる……374
せきゅりてぃー……78
せきをきったように……231
せっさたくま……55
せつど……216
せつに……234
せっぱつまる……220
せっぱん……223
せつやく……349
せにはらはかえられない……168
せれくと……67
せをむける……360
せんけつ……154
せんけんのめい……229
ぜんごふかく……293
せんざいいちぐう……145
せんにゅうかん……214

そ
そうけい……146
ぞうさない……203
そえん……186
そーす……45
ぞくに……205
そくばく……193
そしる……159
そそる……174
そばだてる……166
そふと……62
そらぞらしい……172
そりゅーしょん……53

た
たいがんのかじ……138
だいそれた……157
だいたんふてき……268
だいなみっく……28
だいはしょうをかねる……91
たががゆるむ……383
たかびしゃ……252
たくす……188
たけをわったよう……178
ださんてき……180
たしなむ……196
たたずむ……142
たつせがない……262
たって……221
たてつく……364
だとう……145
たぶらかす……156
たまりかねる……140
だみー……23
ためらう……211
たらいまわし……172
たわわ……244
たんきはそんき……339
だんじて……228
だんちょうのおもい……207

ち
ちがさわぐ……249
ちもなみだもない……251
ちゃーじ……115
ちゃかす……146
ちゅうしょう……366
ちりばめる……362

つ
つかさどる……368
つぐなう……303
つたない……382
つつましい……385
つぶら……382
つぼにはまる……212
つむじをまげる……234
つらのかわがあつい……233
つるのひとこえ……286

て
ていすと……169

ていたい……282
てがあく……266
てがかかる……382
てがつけられない……210
てがでない……259
てこでもうごかない……368
でこれーしょん……205
てだまにとる……13
でっちあげる……20
てっとうてつび……58
てとりあしとり……351
てなずける……373
てなみ……373
てにあせをにぎる……351
てにおえない……18
でばなをくじく……280
てまどる……373
てもちぶさた……311
てをかす……112
てをこまねく……178
てをひく……158
てんき……280
てんしんらんまん……246
てんはにぶつをあたえず……116
てんぺんちい……330

と

とうげをこす……90
とうとつ……88
とうに……43
どうにいる……288
とうりゅうもん……312
とうわく……77
とーく……238
どがいし……43
ときふせる……99
どぎもをぬく……60
とぎれとぎれ……117
とげとげしい……117
ととうをくむ……146
とどのつまり……188
とびにあぶらあげをさらわれる……58
とめどなく……318
とらっぷ……265
とらのこ……310
とりえ……316
とりざた……181
とりつくろう……361
とりなす……218
とりみだす……362
とれんど……59

な

なおかつ……324
なかたがい……170
なくてななくせ……265
なさけはひとのためならず……112
なしのつぶて……70
なじる……336
なすりつける……233
なにくわぬかお……352
なびげーしょん……324
なまかじり……331
なまじ……199
なまなましい……294
なみだをのむ……297
ならうよりなれろ……380
なりものいり……25
なりをひそめる……308
なをのこす……81
なんしょくをしめす……187

に

にえきらない……358
におうだち……22
にがしたさかなはおおきい……297
にしゃたくいつ……81
にそくのわらじをはく……206
にどあることはさんどある……72
にとをおうものはいっとをもえず……319
にのくがつげない……61
にばんせんじ……269
にわかじこみ……175

ぬ

ぬかり……295
ぬきさしならない……194
ぬぐう……295
ぬけぬけと……204
ぬれぎぬをきせられる……307
ぬれてであわ……359

ね

ねいてぃぶ……106
ねごしえーしょん……367
ねこそぎ……154
ねこにかつおぶし……340
ねこにこばん……41
ねたむ……311
ねにもつ……124
ねんきがはいる……303

の

のうてんき……167
のうり……248
のーまる……51
のきなみ……316
のこりものにはふくがある……195
のさばる……290
のっぴきならない……169
ののしる……163
のべつまくなし……379
のほうず……300
のるかそるか……385
のるま……224
のれんにうでおし……80

は

ばーじょん……71
ぱーそなる……189
はーど……95
ぱーふぇくと……82
はい……152
ぱいおにあ……125
ばいたりてぃー……43
はいぶりっど……334
はがうく……319
はかく……189
はかばかしい……375
はからい……177
はからずも……197
ばきゃくをあらわす……106
はぎれ……143
はくしゃをかける……387
はくび……194
ばけのかわがはがれる……161
はちあわせ……179
ばちがい……251
はちくのいきおい……25
ばつがわるい……150
ばっぽんてき……339
はてんこう……320
ばとる……375
はなしのこしをおる……323
はなであしらう……314
はなにつく……292
はなはだしい……293
はなをあかす……292
はなをもたせる……355
はにきぬをきせない……15
はねをのばす……360
はのねがあわない……312
はびこる……328
はぶく……332
はぶり……306
はやがてん……328
はらにすえかねる……341
はらはら……138
はらをさぐる……292
はをくいしばる……214
ばんじきゅうす……215
はんめんきょうし……278

ひ

ぴーあーる……356
ひいでる……283
ひがむ……207
ひきもきらず……313
ひくてあまた……90
ひけをとる……67
ひざをのりだす……365
びじょん……156
ぴっくあっぷ……251
ひっこみがつかない……293
ひっこみじあん……298
ひとあわふかせる……366
びどうだにしない……270
ひとすじなわではいかない……306
ひとはだぬぐ……367
ひとめをしのぶ……357
ひともんちゃく……162
ひとりよがり……306
ひのきえたよう……218
ひのきぶたい……290
ひのくるま……130
ひのめをみる……271
ひばなをちらす……354
ひぶたをきる……270
ひましに……326
ひもじい……301
ひょうりいったい……61

ふ

ぶーいんぐ……300
ふうぜんのともしび……118
ふぇあ……300
ふえて……307
ふえふけどもおどらず……34
ふぉろー……228
ふくすいぼんにかえらず……139
ふさぎこむ……313
ぶしつけ……318
ふたつへんじ……339
ぶっきらぼう……334
ぶっちょうづら……279
ふふく……295
ふりーず……22
ふりだしにもどる……106
ぶれいく……267
ふれこみ……342
ふわらいどう……52
ふんする……344
ふんばる……347

へ

へいこう……271
へいぜん……266
べーしっく……174
へきえき……302
へだたり……302
へたのかんがえやすむににたり……310
ぺなるてぃー……325
へりくだる……364
べんがたつ……136
ぺんでぃんぐ……256
へんてつもない……310

ほ

ぼうかん……285
ぼうじゃくぶじん……131
ぼうずにくけりゃけさまでにくい……163
ほうふ……305
ほくほく……207

見出し	ページ
ぼけつをほる	323
ほこさき	231
ほしん	50
ほすぴたりてぃー	246
ほだされる	278
ほどこす	41
ほとばしる	217
ほねがある	298
ほねにこたえる	31
ほねみにこたえる	14
ほねみをおしまない	378
ほねをけずる	12
ほまつてんとう	26
ほんみょう	143
ほんりゅう	141
ほんろう	350
まいきょにいとまがない	377
まいしん	378
まいなー	167
まいのりてぃー	37
まえがき	
まくさす	
まくぎれ	
まくら	
まくらをたかくする	
まけるがかち	
まことしやか	
まざまざ	
まじまじ	
まじょりてぃー	
またぎき	
またとない	
まとな	
まねーじめんと	
まばら	
まめつ	
まゆつばもの	
まるくおさめる	
まれ	
まんざら	
まんじょういっち	

カタカナの言葉
アーカイブ
アクセス
アスリート
アピール
アレンジ
アンフェア
イニシアティブ
イノベーション
イベント
インスタント
エキスパート
オフィシャル
カバー
カミングアウト
カリキュラム
カルチャー
カ
キーワード
キャンペーン
ク
クライアント
クライマックス
クリエイター
グルメ
グレード
ケース
コーディネート
コネクション
コレクション
コンディション
コンスタント
コンテンポラリー
サ
サクセス
サンプル
シ
シークレット
シナリオ
シニア

396

シニカル……354
シフト……261
ジュニア……320
ス
スキャンダル……113
スクープ……113
スタイル……386
ステレオタイプ……386
スマート……176
スムーズ……148
セ
セキュリティー……78
セレクト……67
ソ
ソース……45
ソフト……62
ソリューション……53
タ
ダイナミック……28
ダミー……23
チ
チャージ……115
テ
テイスト……169
デコレーション……205
ト
トーク……238
トラップ……265
トレンド……59
ナ
ナビゲーション……324
ネ
ネイティブ……106
ネゴシエーション……367
ノ
ノーマル……51
ノルマ……224
ハ
バージョン……71
パーソナル……189
ハード……95
パーフェクト……82
ハイ……152
パイオニア……125
バイタリティー……43
ハイブリッド……334
バトル……375
ヒ
ピーアール……356
ビジョン……156
ピックアップ……251
フ
ブーイング……300
フェア……300
フォロー……228
フリーズ……22
ブレイク……267
ヘ
ベーシック……174
ペナルティー……325
ペンディング……256
ホ
ホスピタリティー……287
ボランティア……243
マ
マイナー……167
マイノリティー……378
マジョリティー……378
マナー……298
マネージメント……217
ム
ムーブメント……370
メ
メカニズム……40
メジャー……164
メソッド……195
モ
モットー……254
モノトーン……279
モラトリアム……218
リ
リサーチ……282
リスク……271
リベンジ……253
レ
レガシー……215
レギュラー……354
レジェンド……241
レシピ……235
レトロ……338
ロ
ロー……314
ロジカル……161
ロス……208
ワ
ワイルド……182

故事成語

か
完璧……284
き
牛耳る……254
け
蛍雪の功……130
逆鱗に触れる……149
し
食指が動く……342
助長……163
す
推敲……81
た
断腸の思い……207
と
登竜門……312
は
白眉……194
破天荒……320
ふ
覆水盆に返らず……139

ことわざ

あ
青菜に塩……253
頭かくして尻かくさず……53
雨垂れ石をうがつ……159
ありの穴から堤も崩れる……256
い
医者の不養生……242
一難去ってまた一難……340
一寸先は闇……172
言わぬが花……160
う
うそも方便……264
瓜のつるになすびはならぬ……84
うわさをすれば影が差す……104
え
海老で鯛を釣る……34
お
鬼の居ぬ間の洗濯……256
鬼の目にも涙……123
親の心子知らず……82
か
かえるの面に水……333
火中の栗をひろう……377
勝って兜の緒を締めよ……148
枯れ木も山のにぎわい……144
かわいい子には旅をさせよ……164
き
きじも鳴かずば打たれまい……259
く
苦しいときの神頼み……116
君子は危うきに近寄らず……158
け
犬猿の仲……131
こ
光陰矢のごとし……302
郷に入っては郷に従え……242
虎穴に入らずんば虎子を得ず……325
転ばぬ先のつえ……217
コロンブスの卵……18
さ
先んずれば人を制す……387
猿も木から落ちる……270
去る者は追わず……139
三度目の正直……224
し
親しき仲にも礼儀あり……181
す
捨てる神あれば拾う神あり……297
せ
急いては事を仕損じる……374
背に腹はかえられない……168
た
大は小をかねる……91
短気は損気……339
て
天は二物を与えず……116
と
とびに油揚げをさらわれる……58
な
無くて七癖……265
情けは人のためならず……112
習うより慣れろ……380
に
逃がした魚は大きい……297
二足のわらじをはく……206
二度あることは三度ある……72
二兎を追う者は一兎をも得ず……319
ぬ
ぬれ手で粟……359
ね
猫にかつおぶし……340
猫に小判……41
の
残り物には福がある……195
のれんに腕おし……80
ふ
笛吹けども踊らず……34
へ
下手の考え休むに似たり……310
ほ
坊主憎けりゃ袈裟まで憎い……163
ま
負けるが勝ち……143
み
身から出たさび……333
三つ子の魂百まで……314
よ
弱り目にたたり目……109
ら
楽あれば苦あり……17
ろ
ローマは一日にして成らず……333
わ
笑う門には福来たる……30

四字熟語

あ
青息吐息……248
悪戦苦闘……226
暗中模索……208
い
意気消沈……232

一意専心……370
一望千里……319
一網打尽……238
一攫千金……250
一喜一憂……76
一挙両得……226
意味深長……182
因果応報……69
え
永久不変……51
栄枯盛衰……94
お
傍目八目……244
か
花鳥風月……352
き
疑心暗鬼……50
牛飲馬食……355
器用貧乏……253
玉石混淆……61
こ
公明正大……307
さ
才色兼備……175
三寒四温……369
三三五五……269
し
七転八倒……275
縦横無尽……96
十年一日……16
取捨選択……343
枝葉末節……332
支離滅裂……124
神出鬼没……46
針小棒大……178
せ
晴耕雨読……100
切磋琢磨……55
前後不覚……293
千載一遇……145
た
大胆不敵……268
て
徹頭徹尾……58
天真爛漫……246
天変地異……330
に
二者択一……81
は
反面教師……278
ひ
表裏一体……61
ふ
付和雷同……52
ほ
傍若無人……131
本末転倒……192
ま
満場一致……323
む
無味乾燥……265
も
門外不出……24
よ
用意周到……73
り
理路整然……387

慣用句

あ
開いた口がふさがらない……53
青筋を立てる……257
あごを出す……240
足がすくむ……212
足が地に着かない……70
足がつく……194
足が出る……187
足手まとい……107
足元にもおよばない……152
足をすくう……126
汗水たらす……71
頭が下がる……278
網の目をくぐる……42
ありのはい出る隙間もない……42
い
行き当たりばったり……37
息が合う……46
息がはずむ……134
息の根を止める……66
息をこらす……107
息をふき返す……58
異彩を放つ……59
痛くもかゆくもない……27
痛しかゆし……150
いたちごっこ……383
板ばさみ……99
至れりつくせり……44
一か八か……26
一笑に付す……132
一矢を報いる……68
一線を画す……16
一点張り……27
一杯食わす……64
居ても立ってもいられない……31
糸を引く……254
意に介する……74
茨の道……223
意表をつく……92
いやがうえにも……68
色眼鏡で見る……12
色めき立つ……206
色を失う……203
う
烏合の衆……260
雨後のたけのこ……94
腕が鳴る……33
腕によりをかける……151
打てばひびく……70
腕をみがく……187
有無を言わせず……90
裏をかく……272
え
英気を養う……45
得体が知れない……24
襟を正す……196
お
大きい顔をする……89
大口をたたく……18
大風呂敷を広げる……26
大目に見る……122
お門ちがい……62
お株をうばう……118
奥歯に物がはさまる……79
おくびにも出さない……95
臆面もなく……40
押しも押されもしない……97
お膳立て……63
お茶の子さいさい……152
尾ひれをつける……289
音頭を取る……117
恩に着る……151
恩をあだで返す……324
か
顔色をうかがう……321
顔をつぶす……235
我が強い……192
影がうすい……80
風上に置けない……160
かたずをのむ……365
肩で風を切る……331
肩の荷が下りる……313
片棒をかつぐ……89
肩を並べる……289
合点がいく……296
角が立つ……305
かぶりをふる……372
壁につき当たる……25
かゆいところに手が届く……257
からすの行水……346
閑古鳥が鳴く……334
間髪を入れず……352
き
気が気でない……344
気が引ける……289
きつねにつままれる……247
軌道に乗る……23
気にかける……109
きびすを返す……374
きまりが悪い……235
肝にめいじる……298
肝を冷やす……179
灸をすえる……284
気をはく……383
気をもむ……346
く
ぐうの音も出ない……124
口が軽い……128
口がすべる……274
口をはさむ……337
口を割る……365
首っ引き……241
くもの子を散らす……122
雲をつかむ……258
軍配を上げる……328
け
けた外れ……374
げたを預ける……347
血相を変える……372
けむに巻く……161
こ
業をにやす……274
心を鬼にする……48
心を許す……274
腰をすえる……200
腰をぬかす……141
事なきを得る……52
言葉をにごす……42
小耳にはさむ……33
これ見よがし……15
さ
細大もらさず……234
探りを入れる……249
さばを読む……51
さまになる……131
し
敷居が高い……261
地獄で仏に会う……340
地獄耳……269
しっぽを出す……355
しっぽをつかむ……264
地で行く……288
自腹を切る……149
しびれを切らす……23
しゃちほこ張る……162
終止符を打つ……27
正念場……48
尻が重い……114
尻ぬぐい……272
す
筋金入り……192
すねをかじる……283
すみに置けない……239
せ
精が出る……130

言《こと》葉《ば》クイズの答《こた》え

43

		②す	こ	③や	か			⑥い
		き		し			⑤げ	た
①い	と	ま	が	な	④い		き	
か		も		⑰う	き	ぼ	り	
⑱つ	げ	な	い		あ		ん	
い		い		⑦か	た	ず		
			⑲は	ぶ	り		⑧か	
		⑨お		り		⑩ゆ	ら	⑪い
	⑳ぼ	け	つ	を	ほ	る		ち
		な		ふ		㉑む	⑭し	ず
	⑫め	い	⑬じ	る			た	
	ぼ		ゅ			⑮と	り	⑯え
	㉒し	ょ	く	し		う		り
			す			げ		

監修者
高濱 正伸（たかはま・まさのぶ）

花まる学習会代表。1959 年、熊本県生まれ。東京大学農学部・同大学院卒業。学生時代から予備校等で受験生を指導する中、学力の伸び悩み・人間関係での挫折と引きこもり傾向などの諸問題が、幼児期・児童期の環境と体験に基づいていると確信。1993 年、「メシが食える大人に育てる」という理念のもと、小学校低学年向けの学習教室「花まる学習会」を設立（現在は年中～中学生）。2015 年より、佐賀県武雄市で官民一体型学校を開始。著書に『高濱正伸の絶対失敗しない子育て塾 完全版』（朝日新聞出版）、『高濱流 わが子に勉強ぐせをつける親の習慣 37』（永岡書店）、監修に『マンガでわかる！ 10 才までに覚えたい言葉 1000』（永岡書店）など多数。

花まる学習会ホームページ
http://www.hanamarugroup.jp/hanamaru/

STAFF

マンガ	前野コトブキ／タバタノリコ／藤井昌子／イワイヨリヨシ／メイ ボランチ／やひろきよみ
本文デザイン	芦澤 伸・高野宏恒・篠崎靖夫（東光美術印刷）
校正	くすのき舎
構成・編集協力	和西智哉・梨子木志津・増田友梨・小針ちぐさ（カラビナ）永須徹也／佐藤友樹／石川 遍／高橋沙紀

マンガでわかる！
10 才までに覚えたい言葉 1000 ［レベルアップ編］

監　　修　高濱正伸
発 行 者　永岡純一
発 行 所　株式会社永岡書店
〒 176-8518　東京都練馬区豊玉上 1-7-14
代表 03-3992-5155　　編集 03-3992-7191

印　　刷　精文堂印刷
製　　本　大和製本

ISBN978-4-522-43541-0 C6081